GÖNÜL YUVASI

afgeschreven

İskenderiye Yayınları

İSKENDERİYE YAYINLARI: 9

Edebiyat (Türk Edebiyatçılar – Roman): 3

Eser: Gönül Yuvası

Yazar: Burhan Cahit Morkaya

Hazırlayan: Akgül Zorbay

Genel Yayın Yönetmeni: Burak Fazıl Çabuk

Editör: Prof. Dr. Günay Kut

Düzelti: Akgül Zorbay

Kapak Tasarım: Yunus Bora Ülke

İç Tasarım: Adem Şenel

Baskı – Cilt: Kilim Matbaası

Litros Yolu Fatih San. Sit. No: 12/204
Topkapı-İstanbul 0212 612 95 59

ISBN: 978-9944-0181-9-7

1. Basım: Eylül 2008

© Burhan Cahit Morkaya – İskenderiye Yayınları

İskenderiye Basım Yayın Dağıtım Paz. San. ve Tic. Ltd. Şti.

Gülbahar Mah. Cemal Sururî Sok. No: 65

34394 Mecidiyeköy-İstanbul

Tel: 0212 288 53 86 - 87 Faks: 0212 288 53 67

Web: www.iskenderiye.com.tr

E-posta: info@iskenderiye.com.tr

GÖNÜL YUVASI

Burhan Cahit Morkaya

Hazırlayan
Akgül Zorbay

İSKENDERİYE
Yayınları

Burhan Cahit Morkaya

1892 yılında Silivrikapı'da doğdu. 1912'de Mülkiye Mektebi'ni bitirdi. Öğrencilik yıllarında gazeteciliğe başlayan Morkaya 1946'da DP'den İstanbul milletvekili seçildi ama mazbatası TBMM Genel Kurulu'nca iptal edildi. 1949 yılında öldü. Konusu I. Dünya Savaşı ve sonrası yıllarının Türkiye'sinde meydana gelen toplumsal değişmelerden alan ve genellikle aşk hikâyeleri etrafında gelişen popüler romanlarıyla tanındı; geniş bir okuyucu kitlesi buldu. 1925 yılında ilk romanı basılan Morkaya'nın kırka yakın eseri bulunmaktadır. Akgül Zorbay daha önce yayıma hazırladığı *Ayten* adlı romanından sonra bu kez de yazarın *Gönül Yuvası* adlı eserini gün ışığına çıkarmaktadır. Çalışmalarına Boğaziçi Üniversitesi Türk Dili ve Edebiyatı Bölümünde devam etmektedir.

Eserleri:

Bizans Akşamları (Hikâye) (1922), *Aşk Bahçesi* (1925), *Gönül Yuvası* (1926), *Coşkun Gönül* (1926), *Kızıl Serap* (1926), *Ayten* (1927), *Harp Dönüşü* (1928), *Hizmetçi Buhranı* (1928), *Komşumuzun Romanı* (1929), *Adam Sarrafı* (Piyes) (1929), *Gazi Mustafa Kemal* (1930), *Aşk Politikası* (1930), *Şeyh Zeynullah* (1931), *İzmir'in Romanı* (1931), *Gazi'nin Dört Süvarisi* (1932), *Köy Hekimi* (1932), *Bir Çatı Altında* (1932), *Köy Hekimi* (1932), *İhtiyat Zabiti* (1933), *Yalı Çapkını* (1933), *Düğün Gecesi* (1933), *Mudanya-Lozan-Ankara* (1933), *Gavur İmam* (1933), *Yüzbaşı Celâl* (1933), *Gurbet Yolcusu* (1934), *Kır Çiçeği* (1934), *Cephe Gerisi* (1934), *Dünkülerin Romanı* (1934), *Patron* (1935), *Kurşun Yarası* (1936), *Sevenler Yolu* (1937), *Nişanlılar* (1937), *Atatürk'ün İki Cephesi* (1939), *Yaprak Aşısı* (1939), *Köydeki Dost* (1940), *Vicdanından Af Dile* (1945).

Hazırlayanın Notu:

Metin, Latin harflerine aktarılırken orijinal metne sadık kalınmış, gereken yerlerde eklemeler köşeli parantez ile belirtilmiştir. Yer isimlerinin ve yabancı isimlerin orijinal yazımları da köşeli parantez içinde belirtilmiştir. Şahıs isimleri ise metinde yer aldığı biçimde bırakılmıştır.

Eserin Latin harflerine aktarımı sırasında metni baştan sona gözden geçiren ve değerli görüşlerinden yararlandığım Prof.Dr. Günay Kut'a, metinde geçen ve çözülemeyen yabancı kelimelerin okunmasına yardımcı olan Turgut Kut'a ve bu kitaba sunuş hazırlayan Yard.Doç.Dr. Erol Köroğlu'na teşekkürü bir borç bilirim.

AKGÜL ZORBAY

SUNUŞ

Erol Köroğlu

Bugün Türkiye'de kitap okuyanlar bir azınlıksa, bunların içinde edebiyat okurları daha küçük bir azınlık, Burhan Cahit Morkaya'nın romanlarını okumuş ve hatta adını işitmiş olanlarsa çok daha küçük bir azınlıktır. Oysa Morkaya, 1930'lar Türkiye'sinde en çok okunan romancılardan biriydi; o kadar ki, yazdığı romanlarla bugünün yazarlarının bile çok azına nasip olabilecek bir servet edinmişti. Öyleyse ne oldu da bu çok okunan ve çok yazan yazar, geçen süre içerisinde tamamıyla unutuldu? Bu sorunun cevabı, Morkaya'nın yazarlık seçimlerinden kaynaklanıyordu: O bir popüler romancıydı; gününün hazır ve üzerinde uzlaşılmış kalıplarından yola çıkarak aşk romanları yazıyordu. Daha sonra bunlara, 1930'ların siyasal ortamı üzerinden yakın tarihi ele alan milliyetçi siyasal romanları da eklemişti. *Gönül Yuvası*, yazarın 1949'da ölümüne kadar kırk kitaba yaklaşan bu yazarlık kariyerinin ilk örneklerinden biriydi; 1926'da yayımlanan bu roman Morkaya'nın dördüncü kitabıydı.

Gönül Yuvası bir aşk, daha doğrusu bir "yasak aşk" romanı. Yani dünya edebiyatının en iç gıcıklayıcı ve eskimeyen konularından biri. Yasak aşk, toplumun cinsellik ve aşka yönelik katı kısıtlamaları nedeniyle çok işlenen ve okunan bir konu olmuştur. Türk edebiyatında bunun en çarpıcı ilk örneği Halit Ziya Uşaklıgil'in 1900'de yayınlanan *Aşk-ı Memnu* (Yasak Aşk) romanıdır. Uşaklıgil, toplumsal kısıtlamaların bedenin gereksinimleriyle nasıl uzlaşmaz bir çatışma içinde olduğunu, kendisinden çok yaşlı bir erkekle evlenen ve bu nedenle elinde olmadan kocasının genç ve çapkın yeğeniyle ilişkiye giren Bihter'in trajik hikâyesi üzerinden sergiler. Bu ilişki ortaya çıktığında Bihter intihar eder ama onun ölümü, doğal gereksinimleri yok sayan toplumun yüzünde patlayan bir tokat olarak kalır. *Aşk-ı Memnu*, bu nedenle Türk edebiyatının başyapıtlarından biri olmayı sürdürür.

Morkaya'nın *Gönül Yuvası* ise, popüler yapıtlara özgü bir biçimde, toplumsal çelişkiyi Uşaklıgil'in eserinde olduğu gibi sorgulamaya, çıkmazlarını sergilemeye değil, bu sorunlu yapıyı görünmez kılmaya çalışır. Bihter'in hikâyesini okuduğumuzda toplumsal yapıyı sorgulamaya başlarız, oysa *Gönül Yuvası*'nın başkahramanı ve anlatıcısı Elvan'ın hikâyesini okumayı tamamladığımızda bir "oh" çeker, toplumsal çelişkinin demek böyle zararsız ve mutluluk verici bir biçimde de çözülebileceğine inanırız. Burada "biz" derken, aslında hepimizi değil, romanın hedef aldığı okur kitlesini düşünüyor, romanın onlar üzerinde oluşması arzulanan etkisiyle uyumlu olarak konuşuyorum. Bu romanın hedef kitlesi 1920'lerin cumhuriyet Türkiye'sindeki genç kadın okurlardır; belirli bir gelir seviyesinin üstünde, az çok okumuş ve gazetelerdeki roman tefrikaları ya da yayınlanan kitapları izleyen, evlenme çağında ya da yeni evlenmiş kadınlar. Kısacası, aşk söyleminin en tutkulu izleyicileri, müşterileri. Bu durum, roman türünün 18. yüzyılda Batı'da ilk örnekleri üretilmeye başlandığından beri böyledir. Aşk romanlarının genellikle mutlu sonla biten örnekleri bu okur kitlesinin kendi gelecekleriyle ilgili olarak umutlanmasına, bazen de mutsuz bir biçimde sona erenleri okurların ders çıkarmasına, nelerden uzak durmaları gerektiğini düşünmelerine yol açar. Her durumda, aşk romanları kadınların erkekler karşısındaki ikincil toplumsal rollerini kabullenmeleri ve devam ettirmelerine katkıda bulunur.

Gönül Yuvası da bu genellemelerin dışına çıkmayan bir roman. Elvan adlı bir genç kadının hikâyesini yine onun ağzından anlatıyor. Elvan, mazbut ama varlıklı bir İstanbul ailesinin kızı. Yabancı dille eğitim yapan bir kolejden mezun ve piyano çalıyor.

Delidolu bir genç kızken kuzeni Ziya'ya yapmadığı muzırlık ve eziyet kalmıyor ama ona "Ziya Bey" diye seslenmekten de geri kalmıyor. Fakat bu çocuksu durum, her ikisi de okullarından mezun oldukları sırada, Ziya'nın Elvan'la evlenmek istemesi üzerine sona eriyor. Ne var ki, Elvan tam onunla evlenmeyi kabul edecekken, Ziya'nın başka bir komşu kızıyla oynaşmasına şahit olunca, büyük bir hayalkırıklığı ve kibirle bu teklifi reddediyor ve kendisinden yaşça büyük bir mühendisle evlenip İzmir'e yerleşiyor. Roman, bu evlilikten üç sene sonra* karı kocanın yaz tatilini geçirmek üzere Göztepe'deki köşke gelmeleri ve burada bütün eski tanıdıklar ve özellikle hâlâ Elvan'a âşık Ziya'yla buluşmalarıyla başlıyor. Bu noktadan başlayarak romanın temel çatışması da ortaya çıkacaktır: Kendisinden yaşlı ve hiç romantik olmayan kocasıyla gönlünün gereksinimlerini karşılayamayan Elvan, Ziya'nın hatasını affedip tekrar onunla birlikte olacak mıdır?

Bu sorunun cevabı ve nasıl çözüleceği romanda gizli. Bunu açıklayarak okuma sürecinin bütün zevkini yok etmek yerine, bununla ilgili türsel ipuçlarından söz edebiliriz. Santimantal aşk romanlarının en önemli özelliklerinden biri, bir çifte bağ üzerinde kurulmuş olmalarıdır: Roman kahramanı olan âşık kadın evliyse ve evliliğinden memnun değilse, gönlünün gereksinimlerini karşılamak zorundadır; bu onun bireysel bağı, zorunluluğudur. Öte yandan, gireceği yasak ilişkinin toplumun değerlerini zedelememesi, yıkmaması gereklidir; bu da toplumsal bağ ya da zorunluluktur. Neticede bu romanlar devrimci, var olan düzen ve kabulleri yıkıp atmaya yönelik metinler değil, toplumsal ve bireysel çelişkileri yumuşatmaya ve uzlaştırmaya yönelik

---

*   Romanın başında Elvan 7 sene önce evlendiğini söylüyor ama daha sonra bu süre 3 seneye iniyor. Bu türden tutarsızlıklar kitap olarak yayınlanmadan önce gazetede tefrika edilen popüler romanlarda çok yaygındır. Romancı, hak ettiği ücreti bir an önce almak ya da günlük parçaları yetiştirmek adına çalakalem yazar ve bu örnekte görüldüğü gibi, kitap olarak yayınlarken de bu tür çelişkileri ortadan kaldırmakla uğraşmaz.

emniyet subaplarıdır. Kadın kahraman kocasını duygusal ya da cinsel olarak aldatacaksa, öncelikle bunun haklılığı gösterilmeli, örneğin kocanın ne kadar alçak, duyarsız, yetersiz vb. olduğu okura kabul ettirilmelidir. *Gönül Yuvası* bu çifte bağın nasıl en uygun biçimde karşılanabileceğine yönelik bir anlatı; ne bireyi ne de toplumu zedeleyecek bir çözüme nasıl ulaşılabiliri arayan bir pratik problem çözme alıştırması. Tabii, sorun çok büyük bir sorun olduğundan, bir yerden sonra işler sarpa sarıyor ve yazar çözümü hayırlı bir tesadüfte arıyor. Bunun ne olduğunu romanın sonunda göreceksiniz. Bu çözüm sayesinde, hem gittikçe uzayan romanı sonlandırmak mümkün oluyor hem de trajik bir gelişim mutlu sona ulaştırılıyor.

Roman böylesine "zorlu" bir konuya sahip olduğundan, toplumsal bağlam oldukça kısıtlı tutulmuş durumda. Hikâyenin hem İstanbul hem de İzmir ayakları toplumdan ve kalabalıklardan yalıtılmış iç mekânlarda geçiyor. Yan karakterler az sayıda ve ancak yasak aşk ilişkisine katkıları oranında ortaya çıkıyorlar; daha gelişmiş edebi ürünlerde görülen karmaşık ikincil karakter gelişimleri bu romanda yok. O kadar ki, özellikle aşkın alevlendiği İzmir bölümlerinde Elvan ve Ziya dışındaki tüm karakterler birer hayalet görünümü sergiliyor. Hizmetçiler ve aşçılarla dolu bir evde yaşanan ateşli aşk tartışmalarından, dökülen gözyaşlarından kimsenin haberi olmuyor. Morkaya bu konuda hiçbir şey söylemiyor ama İzmir'deki evin duvarlarının çok kalın ve ses geçirmez olduğunu düşünebiliyoruz. Fakat bütün bu yapay yapıya rağmen dönemin zevklerini, algılama biçimlerini, en azından belirli bir sınıfın ne türden bir yaşam biçimine sahip olduğunu dolaylı olarak anlayabiliyoruz. Bu açılardan *Gönül Yuvası* hem 1920'lerin yaşamı hem dönemin aşk anlayışı üzerine edebiyat ve kültür tarihine mütevazı bir katkıda bulunmuş oluyor.

Gönül Yuvası 1928'den, yani alfabe değişikliğinden önce yayınlanmış bir roman. 1928'den önce yayınlanan edebi ve edebiyat dışı kitapların çoğunluğu hâlâ Latin alfabesine aktarılmamış durumda. Bunlar, edebiyat ve kültür tarihimizin kayıp ürünleridir. Bunları Latin alfabesine aktarmak hiç kolay bir iş değildir. Örneğin yabancı ve özellikle Fransızca sözcüklerin, isimlerin, kavramların Arap alfabesiyle yazılışı sorunlu ve doğru biçimde okunması zorludur. Bu açıdan, Akgül Zorbay *Gönül Yuvası*'nı Latin alfabesine aktarıp yayına hazırlayarak hem akademik hem de genel okurlara çok yönlü bir hizmette bulunuyor. Onun daha önce yayına hazırladığı ve Truva Yayınları'nın yayınladığı *Ayten*'le* birlikte *Gönül Yuvası*, Burhan Cahit Morkaya'nın biraz daha gün ışığına çıkmasına yardım ediyor. Bu romanlar Türk edebiyatıyla ilgili anlayışımızı kökten değiştirecek ürünler değiller ama dönemle ve dönemin edebiyatıyla ilgili bilgi ve görgümüzü geliştirecekleri de kuşkusuz. Bu ilgi ve emeğin, hem Morkaya'nın hem de Türk edebiyatının unutulan diğer yazar ve eserlerine de yönelmesini umalım.

---

* Burhan Cahit Morkaya, *Ayten* (İstanbul: Truva Yayınları, 2006).

Birinci Kısım

Sarmaşıklarla dikenli böğürtlen dallarının karışıp daralttığı ince yoldan arka arkaya gidiyorduk. Şefik Bey üzerimizden sarkan dalları bastonuyla kaldırıp atarak yol açıyordu.

- Tahir Ağa, dedim, büyük dağ patikalarına dönmüş, âdeta kimse geçmemiş gibi!

Arkadan ağır yol çantalarımızı taşıyarak gelen teyzemin emektar bağcısı:

- Ne olacak hanımefendi, dedi. Gelenimiz yok, gidenimiz yok, gün olur ki buradan ben bile geçmem. Büyük hanımın bir yere çıktığı yok ki!

- Komşular ne âlemde?

- Hepsi iyi ama küçük hanım eski tat yok vesselam. Selami Bey de artık yatağa düştü. Ne bağa bakıldığı var, ne bahçeye. Çocuklar o güzelim çilek tarlasını harman ettiler, şimdi tenis mi diyorlar, ne diyorlar, acayip bir top oyunu oynuyorlar.

Tahir Ağanın içine dert olan çilek bahçesini ben de hatırlıyorum. Daha evlenmezden evvel sık sık buraya geldiğim vakitler rahmetli eniştemle Selami Bey akşamları bizim havuzun başında keyfederlerdi. Tahir Ağa taze yemişlerden toplar getirir, ben de içerden sıcak meze taşırdım. Selami Bey, sivri ve beyaz sakalıyla o kadar şen bir adamdı ki, bir taraftan tavla oynar, bir taraftan fıkra anlatır ve mütemadiyen içerlerdi. İlkbaharda başlıca mezeleri çilekti. Akşam sofrası Selami Beyin bahçesinde kurulduğu zaman iki köşkün büyüklü küçüklü çocukları da o tarafta toplanırdı. Selami Beyin sesini hâlâ işitir gibi oluyorum. Önlerinde tabaklar boşaldıkça:

- Kızlar, çocuklar, diye seslenirdi. Haydi Recep'e söyleyin bize çilek toplasın!

Tahir Ağanın, yerinde tenis oynandığından şikâyet ettiği çilek tarlası o zaman Göztepe'de pek meşhurdu. Herkes Selami Beyin çilek tarlasından bahsederdi. O zaman her köşkün kendine mahsus bir şöhreti vardı. Kiminin gülü, birinin çamı, kiminin boyası meşhurdu. Selami Beyin çilekli köşkü de bu arada idi. Teyzemin köşküne de o zamanlar kavaklı köşk derlerdi. Bahçesinde iki eski kavak ağacı olması ona bu adı vermişti.

Bir yana çarpılmış tahta parmaklıklı kapıdan girdiğimiz vakit artık romatizması dizlerini büken teyzemi ileride köşkün önündeki geniş mermer taşlıkta gördük. İhtiyar kalfası, Gülter koşa koşa bize geliyordu. Şefik Bey:

- Burası tekke bahçesine benzemiş, diyordu. İşte dadı kalfa göründü. Arkada bacı.. Şurada üç ay tebdilihava mı edeceğiz, yoksa çile mi çıkaracağız Allah bilir.

Teyzemin elini öptük. Artık iyiden iyiye çöken teyzeme koca köşkte iki üç emektarla yalnız başına kalmak çok fena tesir yapmıştı.

- Ne iyi ettiniz de bu yaz İstanbul'a gelmeye karar verdiniz diyordu. Öyle göreceğim geldi ki?

Teyzem lakırdıyı çok severdi. Şefik Bey daha İzmir'de, bu yazı İstanbul'da, teyzemin köşkünde geçirmek kararlarını verirken bunu hesaplamıştı:

- İstanbul'a, teyzeye gitmek iyi ama Allah ikimize de sabır versin diyordu, mübarek hatunun romatizma dizlerine gelecek yerde çenesine gelseydi ne olurdu sanki!

Yedi sene evvel, onunla evlendiğimiz zaman da teyzemin ısrarıyla burada bir ay kadar kalmıştık. Şefik Beye onu hatırlattım:

- Balayı geçirdiğimiz köşke dönerken belki hayatımıza da biraz tazelik gelir. Bak şu büyük kestane hâlâ duruyor; altında yaptığımız kahvaltıları hatırlıyor musun? Hani akşamları sen de şurada rıhtım şirketinin planlarını çizerdin?

Ona maziye ait herhangi tatlı bir vakayı hatırlatmak için az çok maddi, bilhassa hesaba, kitaba ait bir parçasından bahsetmek lazımdı. Son cümle biter bitmez cevap verdi.

- Unutur muyum, hatta o plan için bir kere seninle kavga bile etmiştik. Kopya kâğıtlarıma peynir sarıp bahçıvana verdiğini sen de hatırlıyorsun ya?

İzmir'den getirdiğimiz üç dört bavul eşyayı yerleştirdik, teyzemin romatizması olduğu için üst kata çıkamıyordu. Emektar kalfasıyla hizmetçilerde aşağı odalara taksim olmuşlardı. Biz karı koca üst kata yerleştik.

Bilmem neden ben bu köşkü pek severim. Küçüklüğümün hemen bütün tatilleri bu kocaman bahçede geçmişti. Üzerine çıkıp düşmediğim ağaç, kovalamaca oynarken çiğneyip geçmediğim çiçek yok gibiydi. Teyzemin ben akran bir kızı vardı. Hacer. Onunla hemen hemen beraber evlenmiştik. Genç bir mülkiye kaymakamına varmıştı.

Düğününün hemen ikinci hatfasında kalkıp Yalvaç'a gittiler. Ondan sonra İstanbul'a dönmek kısmet olmadı. Kocası öyle kıskanç bir adam çıktı ki kızcağızı on beş gün için olsun İstanbul'a göndermedi. Ayda bir kere mektup yazmasına müsaade ediyormuş o kadar! Hacer de kızlığındaki bütün haşarılığına rağmen öyle uysal oldu ki! Zahir kocasını seviyor ki buna tahammül ediyor. Altı yedi yıl içinde Anadolu'da dolaşmadık köşe bırakmadılar. İsmet Bey şimdi Trabzon tarafında mutasarrıf olmuş. Hacer bana İzmir'e yazdığı son mektubunda biraz bahsediyordu. İsmet Bey İstanbul'dan bahs açıldığı zaman:

- Bir yere vali olmayınca İstanbul'a dönmemeye karar verdim, diyormuş! Fena değil biraz daha dişini sıkıp tekaüt olduktan sonra gelmeye azmetse daha iyi olacak. Zavallı Hacer emektar bir perçinli bavul gibi oradan oraya taşına taşına kim bilir ne hale geldi. Bir zaman Akşehir'e gelmişlerdi. Mektup yazdım. Kendinizi görmek kısmet olmuyor, bari bir fotoğraf çıkarıp gönderin, dedim. Hacercik öyle bir cevap verdi ki şaştım kaldım. İsmet Bey onu çarşaflı da olsun resimcinin karşısına çıkaramazmış!

Esat Beyi bir kere düğün günü gördüm, bir akşam da ailece bir yemek yemiştik. Mekteb-i Mülkiye'den mezun, yakışıklı bir adam. Lakırtılarında kitabet var, onu dinlerken âdeta bir hücceti şeriye, yahut bir mazbata okuyorum zannettim. Bununla beraber fena adama benzemiyordu. Teyzemin Hacer'i evlendirirken araya girenlere:

- Akıllı, kâmil, efendiden adam olsun, içkisi miçkisi olmasın, diye koyduğu şartlardan sonra ortaya Esat Bey çıkmıştı. Bilmem ki erkekler için şu içkisi miçkisi olmasın şartı neden ortaya atılır. Hacer'in babası, eniştem her akşam içen bir adamdı. Onun gibi özü sözü doğru, sonra şen, dürüst, latifeci adam görmedim. Komşu Selami Bey de öyle. Altmış yaşında iken yine sofrada bülbül kesilirdi. Her akşam da içerdi.

Rahmetli annem, Şefik Bey beni istediği zaman:

- Bak kızım, demişti. Bu adam için mühendis diyorlar. Avrupa'da okumuş, ama benim gözüm tutmadı. Bir yerden aylığı maylığı yok. Ne iş tuttuğu belli değil. Fakat hâli vakti yerinde bir adama benziyor. Düşün taşın. Çocuk değilsin, sen de okur yazarsın, bak geçinebileceğini göze alıyorsan peki de söz keselim.

Çok şükür annem daha ileri gidip teyzem gibi içkisi miçkisi varsa olmaz dememişti. Zaten evde herkes benim hesabıma lakırdı söylemeye çekinirdi. Kolejde bütün bir sınıfı kırıp geçiren ele avuca sığmaz kızın, içinde bir kadıasker, iki saçlı sakallı mutasarrıf, vali, bir iki hacı anne, büyük anne, dadı kalfa ve yarım düzine kadar hala, teyze bulunan bir evde ancak bu kadar hükmü geçerdi. Hatta dadım ben Şefik Beyle evlendikten sonra bir yerini getirip söylemişti, meğer daha kızken beni fetva-haneden genç bir hoca istemiş, büyük babamın yetiştirdiği çömezlerdenmiş. Hanım annemin bütün arzularına rağmen bunu hatta bana bile söylemeye sıkılmışlar. İsabet de etmişler. Yoksa kopacak fırtına her hâlde benim üzerimdeki nüfuzlarından bir çoğunu silip süpürecekti. Şimdi anlıyorum, evlenme meselesinde eski zihinle hareket eden anneler ve babalar çok defa evlatlarının bedbahtlığını elleriyle ve arzularıyla hazırlamış oluyorlar. İşte Hacer de bunun bir misâli. Mamafih kim bilir belki de mesuttur. Şimdiye kadar bana talihsizliğine, bedbahtlığına dair bir kelime yazmadı. Öyle ya, saadet İstanbul'da oturmakta az çok eğlenceli bir hayat sürmekte değildir ki! İnsanın yanında sevdiği ve kendini seveni olduktan sonra bağ da bir dağ da bir! Biz de aşa[ğı] yukarı beş yıldır İzmir'deyiz. Tuhaf tesadüf, bu sefer İzmir'in Göztepe'sinden İstanbul'un Göztepe'sine geldik!

Şefik Beye bunu söylediğim zaman:

-Arada büyük fark var, dedi.

- Tabii, İstanbul başka, İzmir başka!

- Yalnız o değil daha mühim fark var. İzmir'de çenesi düşük teyze yok!

Kadıncağızın evinde oturup kendini beğenmemek de bize mahsus.

Kimseye minnet etmemek için çok titiz olan Şefik Bey böyle lakırdılara tutulurdu. Hemen cevap verdi:

- Biz mi geldik. Kaçıncı telgraf. Kendi kızından ümidi kesince köşkünü şenlendirmeye bizi memur buyurdular dedim ya, geldik ama bakalım şöyle rahat bir tebdilihava mı edeceğiz, yoksa İzmir'in çok sıcak Göztepe'sini arayacak mıyız?

Şefik Beyi teyzemin başına bırakarak bahçeye çıktığım zaman Hacer'i hatırladım. Onunla bu bahçede ne maskaralıklar yapardık. Selami Beyin biri biz akran, biri daha büyük iki çocuğu vardı. Muhmut'la Hamit o zaman Kadıköyü'nde Fransız mektebine gidiyorlardı. Büyüğü Mahmut koca kafalı bir şeydi. Galiba sonra Avrupa'ya gitmişti. Küçüğü ince uzun, şişkin gözlü tuhaf bir çocuktu. Onlara birer isim de bulmuştuk. Hani armut biçiminde uçurtmalar vardır. Bir tarafı ince, üst kısmı kalın. Büyüğü, Mahmut'a o ismi vermiştik: Armudiye! Küçüğünün ismi kurbağa idi. Bahçede lakın kenarına çıkıp vakırdayan uysal, insancıl bir yeşil kurbağa vardı. Onun adını Hamit Bey koymuştuk. Şiş gözleri Hamit Beye benziyor diye zavallı kurbağacığa onun ismini verince Hamit Beye de kurbağa demek icap etti. İki kardeşin bir de ablaları vardı: Hamide Hanım. Biz evlendiğimiz zaman onu da biri istiyor, söz kesildi kesilecek diye söyleniyordu. İzmir'de iken düğün olduğunu işittim. Acaba ne oldu. Ne âlemde? O kadar merak ettim ki arkadaki bağa kadar geçecekken döndüm, Şefik Bey teyzemin karşısında hasır koltuğa gömülmüş, gözleri yarı kapalı, dinler görünüyordu:

- Teyze, dedim, sormayı unuttum, Hamide Hanım burada mı?

dedikoduyu pek seven teyzemin gözleri parıldadı:

- Burada ya, dedi. Dün gelmişti. Sizin İstanbul'a geleceğinizi söyleyince öyle sevindi ki! Zaten her gelişinde sorar, sana da, Hacer'e de güceniyor. Hıyanetler bana bir mektup olsun yazmıyorlar diyor. Biliyor musun şimdi iki tane çocuğu var. Kırk bir kere maşallah büyüğü tosun gibi.

Kiminle evlendi teyze?

- A, unuttun mu aferin. Ayıp ayol, bunca yıllık komşunun kocasını ne çabuk unuttun, hani ne zadeler diyorlardı onlara, adamcağızın adını biliyorum da lakabını beceremiyorum. Her vakit de dilimin ucundadır. Dur, Şefik Bey bilecek a canım. Kalan, kalantor-zade, ha, kalantor-zade Tosun Bey, hali vakti yerinde, terbiyeli bir adam. Üzerinde hiç de dışarlılık hali yok.

Halı üzerine iş yapıyorlarmış. Şimdi gördüğüm yok ya, geçen yıl gittiğim vakitler görürdüm. Öyle Acem halıları var ki çiçek gibi!

Teyzem benim de bir koltuğa yaslandığımı görünce daha tatlı anlatmaya başladı:

- O adamcağızın da derdi günü tavuk yetiştirmek, biliyorsun ya, bizim bağın hizasında onların da aşa[ğı] yukarı üç dört bin kütüklük bağları vardı. Bozdurdu sıra sıra kümesler yaptı.

Şimdi cins cins tavuklar yetiştiriyor. Bilmem ama Hamide Hanım da kocasının bu tavuk düşkünlüğünden biraz memnun değil gibi. Kardeşlerini de hiç görme, bir alafranga oldular ki! Anneleri iki de bir evlendirmeye kalkıyor, hiç onların kafasında kız kolay kolay bulunur mu? Gayriihtiyari sordum:

- Nasıl kız istiyorlar?

Teyzem mühim lakırdı söyleyeceği zamanlardaki ciddi halini aldı. Sağ kaşını kaldırdı. Sol gözü biraz ufaldı, dudakları titrer gibi oldu. Daha romatizmanın yürüyüp örselemediği sağ elini kaldırdı.

- Bilmem ki kızım dedi. Bu çocuklar Avrupa'ya gidip gelince büsbütün değiştiler. Evde ana diliyle konuştukları yok, gece sabahlara kadar alafranga haykırıp bağırıyorlar Selami Bey de yattığı yerden inkisar edip duruyor. Geçen akşam, yine azmışlar. Zavallı adam:

- Hay sesiniz kısılsın, hangi şeytana uydum da sizi frenk mekteplerine verdim, ahir vaktimde nedamet edip başımı döğmek için mi diye saatlerce haykırmış!

- Hayır söz geçiremiyor mu? Onun da eski zabitliği kalmadı galiba?

- Ne gezer evladım. O da benim gibi, şimdi evi çekip çeviren Hamide Hanım. Onun da vara yoğa aldırdığı yok. Ahbaplarını topluyor, sabahtan akşama kadar çene çalıyorlar.

- Sana gelmiyorlar mı?

- Nasıl gelmiyorlar, hemen her gün hatta bahçe kapısından gidip girmeye üşeniyorlar da aradaki çitten atlıyorlar.

- Baksana şu cevizin yanındaki köşeye! Şefik Bey yarı kapalı gözlerini açtı:

- Ve vakitsiz ziyaretlerinde devam ederlerse çekeceğimiz var. İzmir'de tanıdığımız hemen hemen birkaç ecnebi ve Türk ailesi vardı. Sabah akşam onlarla düşüp kalkmaktan artık içli dışlı olmuştuk. Bizim Şefik Bey de böyle mahdut fakat çok samimi dostluklar ister, öyle gelip gecici ahbaplıklardan hiç zevk almaz. Ben herkesle hoş geçinmeyi tercih ederim. Şefik Beyin teyzemin komşuları hakkındaki arzusuzluğunu bildiğim için:

- Gelirlerse sana ne dedim. Çıkmaz, görünmezsin, yahut ara sıra görüşürsün, artık istirahate, tebdilihavaya geldik diye itikâfa girecek değiliz ya.

Ve sonra teyzemin anlamaması için Fransızca ilave etti:

- Daha sabahtan bahçenin vahşi bakımsız halini görünce eyvah tekkeye düştük. Çile çıkaracağız galiba! diyen sen değil misin?

Yüzünü buruşturdu. Onun hayatını vaktinde kurulmuş bir saat gibi işletmek istediğini, hesapla, kitapla hareket ettiğini bildiğim için daha ilerisine gitmedim. Şefik Bey şimdi buraya üç ay, dört ay istirahate tebdilihavaya geldi değil mi, artık onu bir şeyle meşgul etmek, ciddi şeyler üzerinde düşündürmek imkânı yoktur. Yastığa başını koyar koymaz uyuyan, işlerini bir makine gibi saatinde, zamanında şaşmadan, bıkmadan yapan bu adamın tabiatlarını o kadar öğrendim ki! İzmir'den İstanbul'a gelirken seviniyordum. Bir kere eski tanışık insanlar arasına karışacaktım. Sonra bütün kış İzmir'de geçen değişiksiz ve sıkıntılı hayatın acısını çıkaracaktım. Eski mektep arkadaşlarımın çoğu İstanbul'da idi. Onlar bir kere benim Göztepe'ye geldiğimi öğrendiler mi artık peşimi bırakmazlardı.

Teyzemle Şefik Beyi yine koltuklarında bırakıp yukarı çıktım. Şahika'ya, Nevsal'a birer mektup yazdım. İzmir'den biraz acele hareket ettiğimiz için oradan haber verememiştim. Şahika zaten Kadıköyü'nde otururdu. Göztepe'de olduğumu haber alınca hemen her gün geleceğini biliyordum. Burada canım sıkılmayacaktı. Şefik Bey seyahat yorgunluğunu alınca sabah gezmelerine akşam banyolarına başlayacaktı. O beni de sürüklemek isteyecekti. Vakıa ben de tebdilihavada olunca böyle şeyleri severim ama insanın her günü bir olmaz ki... Bugün canım ister gezerim yarın bir halsizliğim olur, evde oturmayı tercih ederim. Hâlbuki Şefik Bey benim gibi değildir. O bir kere sabah gezmelerine başladımı artık dakikası saati gelince yerinde göremezsiniz. İlk başladığı gün mesela saat yediyi üç gece Kayış Dağı yolundaki cevizliğe vardıysa yarın da aynı saatin aynı dakikasında orada bulunmalıdır. Ve bu altı ay sonra, kendisi fikrini kararını değiştirinceye kadar, yeni bir program çizinceye kadar böyle saatle, hesapla devam eder. Buna tahammül edilir mi? Ama onun bu halini fena görmüyorum. Yalnız iştirak edemiyorum, o kadar. Hayatta fikirleri bir olan kaç çift vardır. Kendi değişmez arzularımız bile bir gün gelip bize yabancı oluyor. Nerede kaldı ki hayatlarını birleştiren çiftlerin muhtelif arzuları birbirini tutacak!

Mektupları hizmetçiye verdikten sonra Hacerciğin öylece bırakıp gittiği odaya girdim. Teyzem burasını şimdiye kadar kapalı tutuyormuş. Biz gelince açtırdı. Hacer'i bu odada gelin etmiştik. Zavallı Hacercik bu eski usulde döşenmiş odanın içinde beyaz elbisesi, eski zaman usulü büyük, ağırbaşlığı ile gözümün önüne geldi. O başlık içinde ne kadar gürültü olmuştu. Biz öyle yağlıkçı işi ağır şey istemiyorduk. Kocasının hediye ettiği güzel bir pırlanta meşe yaprağını bir kenara iliştirsin, başının etrafında limon çiçekleri koysun diyorduk. Annem, teyzem ve soyun, sopun ne kadar ihtiyarı varsa hepsi bir olup yaptırmadılar.

- Gelinin yaraşığı budur, dediler ve yarım okkalık salıntılı havaleli, zevksiz kocaman şeyi kızcağızın başına geçirdiler. Bereket Hacer uysal bir kızdır. Onun yerinde ben, yahut Şahika olsaydık düğün evi birbirine girer, mutfakta kaynayan pilav, zerde tencereleri altüst olurdu. Kardeşimin sünnet düğününde yaptımdı ya! Ele avuca sığmadığım en haşarı zamanlardı. Dam dö Sion [Dame de Sion]'dan her hafta babama bir şikâyet mektubu gelirdi. İşte bu sıralarda kardeşim için sünnet düğünü yapmaya karar verdiler, ben bir hafta mektebi serdim. Sanki düğün benim için yapılıyormuş gibi. Yalnız büyük babamdan korkardım. O da bahçedeki üç odalı dairede oturduğu için harem kısmına hükmü geçmezdi. O gün beni süslemek, giydirmek istediler. Teyzemden turuncu bir kurdele almıştım. Allah rahmet eylesin annem elbisemle eş olsun diye saçıma kırmızı kurdele bağlamak istedi. Ben turuncu dedim, o kırmızı dedi. Galiba benim hırçınlığım annemin de asabi bir zamanına rastladı. O inat etti, ben inat ettim. Nihayet herkes içinde şark diye bir tokat yedim.

Artık kudurmuştum. Odaları, sofaları tutan bir çığlıkla dışarı fırladım. Hırstan hiddetten ne yaptığımı bilmiyorum. Düğünün kardeşim için yapılışını mı kıskandım nedir? O hiddetle doğru mutfağa gittim, ateşte gürül gürül kaynayan iki kocaman tencereyi tuttuğum gibi tersine kapattım. Aşçılar hizmetçiler arkamdan koştular ben evin en üst katına fırladım, cihannüma kapısını sürmelemiştim.

Aşa[ğı]da kıyamet kopıyordu. Biraz sonra merdivenlerden birkaç kişinin çıktığını duydum. Babamın sesi:

-Elvan, aç kapıyı, artık senin yaptığın kâfi.

Hiç sesimi çıkarır mıyım. Fakat bir sefer kapının tokmağı şiddetli çevrildi. Anladım ki babamın öfkesi üstünde deminkinden daha şiddetli haykırdı:

- Aç, yoksa kapıyı kırar, senin de pestilini çıkarırım.

Ve bütün ağırlığıyla kapıya yüklendiğini hissettim. Halim fena[y]dı. Kabahatimin büyüklüğünü ben de anlamıştım. Ne çare ki bir kere kazanlar devrilmiş, iş işten geçmişti. Dışarıda kalabalık ziyadeleşiyor, mırıltılar, hiddetli hiddetli söylenmeler çoğalıyordu.

- Aç, açmazsan kıracağım ha!

Anlaşılan babam ev halkına erkekliğini göstermek istiyordu. Yoksa yalnız babamla karşı karşıya kalsak tencereleri değil ya, evi tersine çevirsem yine kandırır, kendimi affettiririm. Ne çare ki arkadan onu fitilleyenler var. Son defa hırsla tokmağı çevirdiği zaman cırlak bir ağlama arasında haykırdım:

-Alimallah biri içeri girdimi kendimi sokağa atarım.

Bu tehdit dışarıdakileri sindirdi. Kuru hıçkırıklar arasında kulağımı kapıya vermiştim. Annem:

-Deli kız, diyordu. Yapar mı yapar. Bırak efendi bırak. Yezit akşama kadar kalsın orada, vazgeçtim.

Teyzem daha yumuşaktı:

- Aman kuzum üstüne varmayın, başımıza bir iş çıkarmasın da otursun oturduğu yerde!

Babama kalsa onun gözlerimi görür görmez kollarını açacağı süphesizdi. Ötekiler yumuşayınca o da sesini değiştirdi:

- Yaramaz, terbiyesiz, maskara, erkek evladımın yapmadığını yapıyor. Hele dışarı çık da görüşürüz.

Çekildiler. Onlar daha merdivenin alt başını bulmadan ben sofaya fırladım. Biliyordum ki beş dakika sonra kazanların yeniden ateşe vurulmasıyla beraber benim kabahatim de unutulacak.

Bu hallerimden teyzem şikâyet ederdi. Buraya köşke geldiğimiz zamanlar ham erik, ham şeftali yemek için körpecik ağaç dallarını çatır çatır kırardım. Teyzem:

- Ağaçlara, dallara acımıyorum a kız, ham çakal eriklerini ziftleniyorsun. Mide fesadına uğrayacaksın, derdi. Kim dinler. O zaman pembe köşkün kızı Zeynep vardı. Benimle Hacer'den sonra bir erkânıharple evlenmişti. Ondan da haber aldığım yok ya. O vakitler Zeynep de bize karıştı. Dört beş kız, Selami Beyin armudiyesi, kurbağası birbirine bitişik üç dört köşkün bağını, bahçesini altüst ederdik. Zeynep de biz kafada bir şeydi. İçimizde zaten en uslu Hacercikti. Zavallı Hacercik. Şimdi onu şu köşede arkasında beyaz elbisesi elinde tüylü yelpazesiyle görür gibi oluyorum. Piyanonun üstü bir parmak toz. Kim bakacak ki! Teyzem burasını benim için açmış ama temizletmemiş.

Aşa[ğı]dan Gülter'i çağırdım. Eski gelin odasının tozlarını beraber aldık. Hacer notalarını bile götürmemiş. Hiç olmazsa udla bazı şeyler çalabilirdi. Kim bilir. Esat Bey belki udunu bile çaldırmıyor. Ben mektepte alafranga ders almıştım. Sonra da beş altı sene alafrangaya çalıştım. Fakat İzmir'e gidince alaturkaya heveslendim. Bunda biraz da oradaki arkadaşlarımın teşviki oldu, iyi kemençe çalan bir arkadaşım vardı. Onunla beraber fasıl yapmak için birkaç şey öğrendim, şedaraban peşrevini pekiyi çaldığımı söylerlerdi. Mamafih alaturkanın usullerini pek bilmediğim için iyi çalıp çalmadığımı anlayamıyorum.

Parmaklarımı tuşların üzerinde gezdirdim. Akordu bile bozulmadan yıllardan beri kapalı kalan piyanonun nağmeleri eski köşkün geniş odalarına yayıldı. Beş altı yıl evvelki neşeli hayatın akislerini aradığım tozlu tavanlarda bugün matemli bir türbe melali vardı. Kızlık hayatımın çılgın ve çok şen zamanlarını hatırlıyarak Şopen [Frédéric François Chopin]'in *Rüya [songe]*'sını çalmaya başladım, bu parçayı çok severdim. Hele maziye ait bir hicran, bir tahassür duyduğum zamanlar.

Ben mektepte piyanoya başladığım zaman amcazadem Ziya da keman çalmaya başlamıştı. O frerlere [frère] gidiyordu. Hemen hemen onunla akrandık. Birbirimizi çok kıskandığımız için gizli gizli çalışırdık. Ben ondan geri kalmamak için piyano derslerine devam ederdim. O da gururunu kırdırmamak, benim yanımda mahcup kalmamak için bütün kuvvetini kemana veriyordu. Böyle için için kaynayan musiki mücadelesi yavaş yavaş başka hislere, başka işlere de geçti. Haftada bir gün birbirimizi görürdük, onlar da Süleymaniye'de otururlardı, yengem beni çok sevdiği için mektepten gelir gelmez mutlaka haber gönderir, yanına çağırırdı. Her hafta bir hediye vermeye alıştırdığı için yengemden gelecek haberi dört gözle bekler, bahçede dolaşır, evdekilerin her birine bir muziplik yapardım. Beni çağırmaya ya Ziya gelirdi, yahut dadısı Müjgan kalfa!

Bu davetleri annem bile kıskanırdı!

- Artık insan yengesin[den] de davet bekler mi a kız derdi. Lazımsa kalk git!

Benim gibi haşarılık için en teklifli yerleri bile yadırgamayan bir kızın yengesinden teşrifatla davet beklemesi hakikaten tuhaftı, fakat yengem beni öyle nazik alıştırmıştı ki herkese yaptığım şirretliği yüzsüzlüğü bir türlü ona yapamıyordum. Aile içinde en korktuğum büyük babam, fakat en sıkıldığım, utandığım yengemdi.

Yengemin bana pek başka bir sevgisi vardı. Beni hem çok severdi. Hem de yüz vermez, kendini ağır gösterirdi. Ana oğul zaten birbirlerine çok benzerlerdi. Ziya uslu gibi görünürdü. Fakat onda büyük adamlara benzeyen içli ve temkinli bir hal vardı. Hırsını, hiddetini, sevincini belli etmemek isteyen öyle tuhaflıkları olurdu ki ben yerine göre ya güler, yahut somurturum, beni çekemez miydi, kıskanır mıydı, bilmem. Yalnız aramızda gizli, içli bir yarış vardı. Benim Dam dö Sion'da piyanoya başladığımı duyar duymaz o da kemana başlamıştı. Bu musiki davası nihayet aşikâr bir müsabaka haline geldi. İki aile arasında bu yarışla alakadar olanlar çıktı. Hatta o hızla Hacer bile udu bıraktı, piyano dersi almaya başladı.

Şimdi parmaklarım, sararmış fil dişleri üzerinde koşarken hep bunları düşünüyorum.

Tatilde ben Göztepe'ye, teyzeme geldiğim zaman Ziya da ara sıra gelirdi. Hemen hemen on beş günde bir vâki olan bu birkaç günlük misafirliklerde o âdeta bize yabancı gibi durur, bizim bahçeleri birbirine katan oyunlarımıza karışmaz, eline ya bir kitap alır kavakların altında kendinden geçer. Yahut bir odaya kapanır, mütemadiyen keman çalardı.

Onunla bazen beraber çalardık. Fakat kendi arzumuzla değil ailenin büyükleri zorlar, ben kaçarım, tutarlar, o surat eder, kandırırlar, nihayet ikimizi de bin türlü yalvarıp yakarmalar arasında bir araya getirirler. İşte asıl buhran, asıl tehlike bu zaman başlardı. Ben akort için perde gösterir göstermez hemen öğrendiğim yeni bir parçayı nota araştırmaya lüzum görmeden çalmaya başlardım. O sıkılır, geçmediği veyahut notasız çalamadığı bu eseri bilmiyorum diyemez, notasız çalamam hiç diyemez. Mütemadiyen akorda devam ederdi. Ben de onun zayıf tarafını bulduğum için çalar, çalar, ara sıra dinleyenlere dönüp:

- Çok güzel eserdir. Şimdi bunu bilmeyen, öğrenmeyen kalmadı. Az çok musiki ile meşgul olanlar bunu ezberlediler derdim.

Bu zaman Ziya kızarır, morarır, asabileşir, ötekilerin:

– A çocuk, sen de çalsana, hâlâ tin tin tin akort ediyorsun.

diye bilir bilmez lakırdıları arasında kemanın kirişlerini koparırcasına çeker, nihayet bir tanesi çat, diye sarkınca o da kemanı bir tarafa atıp:

- Böyle çürük kirişlerle çalınmaz ki, Hacer Hanım, siz de kemanınıza hiç bakmıyorsunuz diye vaziyeti kurtarmak ister. Ah bu dakikalarda içimdeki zevki, zaferi hiç unutamam. Zavallı Hacercik halden anlamakla beraber nezaket gösterir:

- Hakkınız var Ziya Bey, sazlarıma hiç bakdığım yok! diye itizar ederdi.

Benim bu planımı bazen de o yapardı. Fakat ben bilhassa, onun köşke geldiği zamanlar dikkat ederdim. Biz bağda köşe kapmaca, saklambaç oynarken o kayboldumu, yavaşça arkasından gelir dinlerdim, odaya kapanıp benden gizli bir parça meşk ettiğini anlar anlamaz oyunu moyunu bırakır, Zeyneplerin köşküne gider, aynı eserin notasını bulur, bir iki saatin içinde şöyle böyle çalacak kadar çalışırdım. Böyle benden gizli bir şeyi öğrendiği zaman öteki beriki saz yapmak için ısrar ettiler mi o kadar nazlanmaz. Bana bir sürpriz yapmak sevinciyle hemen kemanı yayı eline alırdı. Onun bu halleri de beni kızdırırdı. Benim yeni bir şey başlamama meydan vermemek için daha akordunu yaparken:

- Betuzelli'nin serenadını çalalım Elvan Hanım, çok güzeldir, tabii biliyorsunuz, derdi. Ve benim bilmediğimi zannettiği için:

- Nasıl, ben de seni kıskıvrak ederim ya, haydi çal da göreyim seni!

gibilerde hain hain yüzüme bakardı. O zaman onun koyu kestane gözlerini oyacağım gelirdi. Mamafih onunla beraber ben de aynı eseri çalmaya başlayınca bu sefer ben döner bakarım.

- Bu parçayı ben de pek severim, derdim, hakikat güzel eserdir. Ziya Bey hele şu pasaj ne hoş değil mi? O vakit hırslanır, kudurur, kızarırdı, şu piyanonun başında onun ne hırçınlıklarını gördüm.

Bu musiki yarışından sonra artık aramızda her vesile ile devamlı ve hırslı bir müsabaka başladı. Bir tatilde annem Fransızcam geri kalmasın diye Parisli bir kadını bana hoca tutmuştu. Daha doğrusu bu kadın ahbaplardan birinin mürebbiyesi idi. Onlar Anadolu'ya gittiler. Mürebbiye Parise dönmek istedi. Fakat yazı İstanbul'da geçirmeyi tercih ettiği için bize gelmişti. Annemden Tahir Beye ders okutsun diye fakat anladığıma göre, evdeki haşarılığımın azıcık hızını alsın fikriyle o kakavan kadını başıma musallat etmişti. İşin hakikati bu olmakla beraber bizim Ziya'nın etekleri tutuşdu. Benim Fransızcam daha işliyecek kendisi geri kalacak diye meraklandı. Ne yaptı, yaptı annesini sıkıştırdı. Beyoğlu'ndan levanten muallim tutturdu. Bu muallim bir Rum mektebinde Fransız edebiyatı muallimi imiş. Fransız olmadığı belli idi. Ziya'nın akşamları o herifi yanına alıp bir gezmeye çıkışı vardı ki görülecek şey. O zaman ben alttan alta Ziya'yı kıskandırırdım. Çok defa dadısını bulur:

- Kalfacığım, nasıl Ziya Beyin hocası geliyor mu? derdim, Ve bu küçük sualden sonra asıl zehirimi dökerdim:

- O herif için Rumdur diyorlar. Fransızcayı bile az biliyormuş. Nasıl ders okutur. Haftada üç dört saat okumakla bir şey öğrenilmez ki!

Bunu Ziya'ya doğrudan doğruya kendim söyleyecek olsam kıskandı, kızdırmak için söylüyor diyecekti. Neme lazım böyle kulaktan kulağa giderse daha tesirli olur.

Nitekim ümit ettiğim gibi çıktı. Daha birinci ay bitmeden Ziya herifi kovdu.

Böyle gizli aşikâr aramızda şiddetli bir rekabet başlaması ikimizi de birbirimize karşı ciddi ve teşrifatlı hareket etmeğe alıştırdı. Bir gün yine burada, Göztepe'de toplanmıştık. Zeynep, Hacer, Selami Beyin Mahmut'u, Hamit'i, Hamide'si hep vardı. Eniştemle Selami Bey yine havuz başında akşam keyfi yapıyordu. Eniştem:

- Haydi çocuklar, dedi. Şu havuzun kenarından karşıya duvara kadar koşacaksınız, kim birinci gelirse.. Selami Bey ikmal etti:

- Lobon'dan bir kutu fondan!

Biz hemen koşacaktık. Eniştem haykırdı:

- Yok, öyle olmaz. Ben işaret vereceğim. Evvela şöyle bir diziye gelin bakalım.

Aramızda Ziya da vardı. O bizim oyunlarımıza pek karışmamakla berebar bu yarışa iştirak edeceği anlaşılıyordu. O da geldi. Yanıma durdu. Havuzun kenarından, karşıki köşkün duvarı epey uzaktı. Üç erkek dört kız sıralandık. Heyecandan hepimizin kalbi çarpıyordu. Eniştem bizi hizaladı. Sonra ağır ağır kumandayı verdi..

- Bir... iki... üç!

Hep birden atıldık. Havalanan eteklerimiz birbirine sarılıyor, uçan saçlarımız gözlerimizi kapıyordu. Daha elli adım koşmamıştık ki Hacercik kaldı. Mahmut gevşedi. Hamit'in solumaları sıklaştı. Zeynep, ben, Ziya bir hizada gidiyorduk. Zeynep birdenbire sendeledi ve haykırdı:

- Dizim burkuldu, sayım suyum yok!

Arkada kalan Mahmut'un nefesleri gittikçe uzaktan geliyordu. Yavaşça Ziya'ya baktım. Kıpkırmızı olmuştu. Ağzından nefes alıyordu. Mektepte cimnastik hocası koşarken katiyen ağızdan nefes almayın derdi, Ziya'nın şiddetini anladım. Fakat oyundan geri kalmamak için geberse yine koşacaktı. Ben de kesiliyordum. Daha bağ duvarına yirmi otuz adım vardı. Arkadan kalınlı inceli birçok sesler geliyordu.

- Ha Ziya, haydi Elvan, bravo Elvan, Yaşa Ziya...

Ciğerlerimin bütün genişliğini dolduran nefesler ala ala koşuyordum. Dizlerim artık benim değildi.

Mamafih geri kalmaktansa iki gün hasta yatmaya razıydım. Ziya soluyordu.

- Ne yapsan nafile Elvan, diyordu. Senden geri kalmayacağım. Hiç cevap vermedim, hatta bekledim ki daha söylesin. Biliyordum ki lakırdı söyleyen adam koşamaz, kesilir.

İkimiz de artık koşamıyor, âdeta sendeliyorduk. Duvara ancak sekiz on adım kalmıştı. Son bir gayretle kendimi ileri attım. Ziya da hamle etti. Bir an evvel duvarı tutmak için ellerimi uzattım. Parmaklarım ölü bir halde taşlara dokundu. Vücudum kuru bir yaprak gibi duvara yapıştı. O anda Ziya'nın yanımda yere serildiğini, fakat sağ elinin uzanıp duvarı tuttuğunu gördüm. Arkadan haykırıyorlardı:

- Oldu, oldu, bravo Elvan!

Yanımıza ilk gelen Mahmut oldu, ben kımıldayacak halde değildim Ziya'yı tutup kaldırdı.

Pantolonunun diz kapağı parçalanmış, çenesi kanamıştı. O halde bile nefes nefese iddia ediyordu:

- Ayağım kaydı, düştüm ama duvarı seninle beraber tuttum.

Mahmut onun üstünü, başını siliyordu. Ben biraz kendime gelmiştim. Yırtılan pantolonunun arasından, altından ince bir kan aktığını gördüm.

Bütün yorgunluğuma rağmen onunla meşgul olmaktan kendimi men edemedim. Tamamiyle iki parça olan kumaşı tutup ayırdım. Dizinin kemiğe tesadüf eden yerinden topraklarla karışık kırmızı bir kan sızıyordu.

- Mahmut Bey, dedim, şurada bahçe arabası var. Koş getir.

Mahmut gitti, ehemmiyeti yok, bir şey değil diye beni men etmeye çalışan Ziya'yı taşın üzerine oturttum.

- Küçük bir yara ama Ziya Bey, dedim tehlikeli olabilir. Tetanos hep böyle yaralardan çıkar, kımıldamayın, şimdi sizi arabaya koyduğumuz gibi doğru köşke, bir pansuman, tentürdiyot, bir de bağ, oldu bitti. O mütemadiyen ehemmiyet vermez görünüp:

- Lüzum yok, ne zahmet, üzülmeyin a canım, diyordu.

- Niçin zahmet olsun, dedim. Siz canınıza acımaz mısınız? Gözlerinden acı bir bulut geçti:

-Acırım, fakat acındırmak istemem. Hususiyle..

- Evet, hususiyle..

Devam etmek istemedi, fakat benim gözlerimdeki ısrarı görünce ağır ağır itiraf etti!

- Hususiyle sana.

- Niçin?

- Bilmem.

- Benim şefkatimde o kadar fenalık mı var Ziya Bey?

Koyu kestane gözleri alevlenir gibi oldu. Birdenbire ellerimi tuttu:

- Hayır Elvan dedi, senin şefkatinde fenalık yok. Fakat kalbinde var. Benim kanayan yaramı kapatır mısın?

Derin bir yardan uçmuş gibi birdenbire gözlerimin karardığını hissettim. Boşta kalan ellerim muvazenemi bulmak için duvara sarıldı. Gözlerim yaşardı mı bilmem, yalnız dişlerimin kenetlenmiş gibi birbirine kapandığını anladım. Kalbim göğsümü acıtacak kadar şiddetli çarpıyordu. Mahmut bir tekerlekli bahçe arabasını getirdiği zaman sordu:

- A, Elvan Hanım, sana ne oldu?

Başım uğulduyordu:

- Bilmem Mahmut Bey, dedim yorgunluktan olacak, beynim döndü.

- Hoppala, şimdi hanginizi taşıyacağız!

- Siz bana bakmayın, dedim yaralı olan Ziya Beydir. Köşke kadar götürüverin, ben gidiyorum.

Ve arkama bile bakmadan süratle döndüm. Yolda koşarken düşen saçımın kurdelesini de alıp havuzun yanına geldiğim zaman her ağızdan bir lakırdı çıkıyordu:

- Bravo Elvan, yaşa Elvan. Ziya Beye ne oldu. Bir yeri acıdı mı?

- Biraz dizi kanamış galiba dedim. Ama ehemmiyetsiz bir şey. Canı pek kıymetli de!

Selami Beyin yanındaki hasır koltuğa yayıldım:

31

Bizim fondanlar ne zaman geliyor bakalım, dedim. Âlemi koşturur koşturur eğlenirsiniz, hele almayın da bakın.

Selami Bey buzluktaki ince sürahiden kadehini doldururken tatlı tatlı gülüyordu:

- Hele almayalım bakalım. Ne yapacaksın?

- Yarın akşam paket gelmedi mi?

- Ne?

- Burada oturamazsınız?

- Ne yaparsın!

- Sofranın üstünde ne bulursam hepsini havuza atarım. Eniştem katıla katıla gülüyordu.

- Hani yapar mı yapar. Bilmezsin ya, daha bacak kadarken bir çilek için senin koca tarlayı nasıl çiğnediydi.

Selami Bey üç dört sene evvel yaptığım bu kepazeliği hatırlayınca:

- Aman aman, dedi vazgeçtik kuzum, yarın akşam fondanların hazır küçük hanım, daha başka ne emrediyorsunuz? Biraz marmelet, bisküvi, frui glesa [fruit glacé].

– Tabii tabii! Fakat siz yarın inecek misiniz? Selami Bey o kadar ürkmüş görünüyordu ki derhal cevap verdi:

- Ne lüzumu var efendim, inmesem bile bilhassa adam gönderir hanımefendimizin emirlerini yerine getirmeye çalışırım.

Etrafımıza toplananlar gülüşüyor. Uzaklarda, Mahmut'un girdiği bahçe arabasına binmeyi nefsine yediremeyen Ziya sanki hiç acısı, yarası yokmuş gibi ağır ağır geliyordu.

Zeynep haykırdı:

- Ziya Bey geçmiş olsun, doktor çağıralım mı?

Sevinçten içim gidiyordu, Zeynep bunu öğrenmiş gibi öyle yerinde söyledi ki! Ziya'nın hiddetlendiği asabi asabi hallerinden, hareketlerinden anlaşılıyordu. O ellerini yıkamak ve bir iş yapmak için köşke girdiği zaman biz birdenbire içimizden gelen bir arzu ile ortadaki ceviz ağaçlarında köşe kapmaca oynamaya başladık. O zaman teyzemin ağrıları yoktu, dolaşabiliyordu. Az çok yetişmiş on beş, on altı yaşlarındaki kızların böyle çocuk oyunu oynadıklarını görünce ayıplardı:

- Azarak kadar kızlar oldunuz. Ayıp size ayıp, şöyle içeri girip hanım hanım otursanıza!

Teyzem biz yokken Hacerciği de böyle:

- Hanım hanım otur diye diye zavallı etti bıraktı. Ne ise şimdi üzerinde o zamanki hayatımıza ait bazı grup resimleri duran piyanoyu çalarken bütün bugünleri düşünüyordum. Aşa[ğı] yukarı kaç yıl geçti. Beş, altı..

Hele mektebi bitirdikten sonra bütün bu mevsimi burada geçirmiştim.

Ziya ile en çok çarpışmalarımız bu köşkte geçmişti. Onunla aramızda, daha birbirimizi bildiğimiz günden başlayan gizli ve aşikâr bir anlaşamamazlık vardı. Bir defa birbirimizi çekemezdik, onun yeni bir şey öğrenmesini ben hazmedemezdim. Aynı his fazlasıyla onda da vardı. Böyle böyle artık aile içinde bile bizim halimizi, kıskançlığımızı körükleyenler peyda olmaya başladı.

Hele o yarıştan sonra aramızdaki gerginlik büsbütün belli oldu. Onu kendime karşı zayıf gördükçe ben daha sert, daha insafsız olurdum. Ama bunu hiçbir vakit isteye isteye yapmazdım. İçimden gelirdi. Her vesile ile onu ısıracak, üzecek bir şey yapmazsam içim rahat etmezdi. O bir müddet benimle mücadele yolunu tuttu. Sonra böyle açıktan açığa çarpışmaktan bıktı, yahut korktu. Çünkü her çarpışmada mağlup çıkan kendisi idi, bir defa canım sıkılmıştı. Galiba yağmurlu bir gündü bahçeye çıkamadık. Aşçıbaşıdan iskambilleri getirttik, altı kol iskambil oynamaya başladık, Zeynep'le Mahmut benimle beraberdi. Hamit'le Hacer Ziya'nın tarafına geçtiler. Şans mı yardım etti, ne oldu, onları mükemmel bir mars ettik, karşı tarafın kaptanı

Ziya olduğu için, mücadele tamamiyle aramızda geçiyordu. Ben ehemmiyetli kâğıtlar için yeni bir işaret icat ettim. Onların eski usul işaretlerini de gözden kaçırmayınca oyunu kazandık. Artık Ziya'yı görmeliydi. Benden ziyade onunla beraber olanlar kızıyordu. Hele Hacer:

-Bilseydim Elvan'la beraber olurdum. Ben de sizi iskambil biliyor zannediyordum. Ziya Bey! dedikçe Ziya Bey renkten renge giriyordu.

Onunla aramızdaki hayat bazen gergin, bazen dargın, bazen de sakin geçerdi.

Ona dair içimde ne kin vardı, ne infial, yalnız menbaını bulamadığım bir his vardı ki bana daima onu hırpalayacak, hırslandıracak şeyler yaptırıyor, söyletiyordu.

Yarış gününden sonra bütün bir kış âdeta resmî durduk. Bir hafta tatilinde yengemle bize gelmişlerdi. Beraber piyano, keman çaldık. Klasik parçaları geçtikten sonra ben piyanonun kapağını kapatmaya hazırlanırken yavaşça eğildi:

- Rica ederim Elvan Hanım, dedi. Şu *Rüya*'yı çalar mısınız!

Bu parçayı çok sevdiğimi bilirdi.

- Beraber çalmaz mısınız? dedim.

Boynunu büktü:

– Müsaade ediniz sizin şiirinizi ihmal etmeyeyim. Olmaz mı dedi.

O akşam içimde bir gariplik bir uysallık vardı. En arzu etmediğim şeyleri seve seve yapabilecektim. Asi ve sert ruhumun bazen böyle sakin ve yumuşak zamanları olurdu. Hiç sesimi çıkarmadan parmaklarımı gezdirmeye başladım. Öyle hissediyordum ki bu akşam parmaklarım benim değil. İrademin hüküm vermediği bir tesirle çalıyorum. Salonda kimse yokmuş gibi derin bir sükût vardı. Ziya yanımda, dirseğini piyanonun kenarına dayamış, sol elinde kemanıyla yayı, gözlerini parmaklarımın hareketine bağlamış dinliyordu.

Bu parçayı o kadar çalmış ve o kadar sevmiştim ki böyle garip ve içli zamanlarımda tamamiyle kendimi kaybeder gibi hayal ve heyecan içinde çalardım.

O geceki garipliğimin, melalımın menbaını bulamıyordum. Yalnız çok hırçın ve çok şen insanların birdenbire durgunlaşmaları muhitlerinde çabuk belli oluyor. Akşamdan beri annem olsun, yengem olsun, bütün evdekiler belki yüz defa sordular:

- Nen var, niçin durgunsun!

- Deli kıza bir şey oldu.

- Muhakkak birine muziplik yapacak. Çocuklar kendinizi kollayın.

Bu sevmediğim sualler, ithamlar beni büsbütün acıtmıştı. Fakat *Rüya*'ya başlar başlamaz, sanki içimde biriken melal ve ıstırap bir menfez bulup taşmış gibi yavaş yavaş eridi, dağıldı. Yeşil bir bahçede sert bir rüzgâra kapılmış koşuyor gibiydim. *Rüya*'da, damla damla nağmeler gönüllere sükûnet ve lezzet verirken birdenbire fırtına gibi, bentlerden kurtulmuş bir sel, bir çağlayan kuvvetiyle sesler köpürür, taşar. Bu ra'şe ve heyecan verici nağme tufanı yine damla damla, bir nisan yağmuru kadar berrak ve hafif musiki mevceleriyle nihayet bulur.

İşte *Rüya*'nın bu sükûn ve heyecana geçen, ıstıraptan kahkahaya koşan musikisi benim zaman zaman garipseyen, vakit vakit neşe ve sevinç yaratan gönlümün lisanı gibiydi. Onun için bu parçayı seviyorum ve bu gece *Rüya* melul kalbime o kadar teselli verdi ki..

Şiddetli bir el şakırtısıyla arkama döndüğüm zaman etrafımın çevrildiğini gördüm. Ziya dirseği piyanoya dayalı, gözleri kapalı aynı vaziyeti muhafaza ediyordu. Duruşunda musikiyi bir nefis şarap gibi içip mest olmuş bir zanaatkâr hali vardı. Ötekiler, kimi yüzümü okşuyor, kimi saçlarımı seviyordu.

- Ziya Bey dedim. Sizden şu *Rapsodi[Rhapsodie]*'leri rica edeceğim. Bir parçasını çalar mısınız?

Rüyadan uyanır gibi gözlerini açtı. Bir şey söylemeden yalnız engin bir nevazişle gözlerime bakarak kemanını göğsüne dayadı. *Rapsodi*'leri pek severdim, ve bunlarda Ziya kemanla o kadar muvaffak olurdu ki!

Biraz şark nameleriyle karışan bu nefis parçayı derin bir haz ile dinledim. Ziya itina ile çekdiği yayında çok muvaffak oluyordu. Pürüzsüz ve tam perdesi üzerinde kayan yayda yalnız musikinin değil, çalanın hüvviyetinden ayrılmış bir zanaat kudreti de vardı.

Kemanı o kadar özlemişim ki! Şimdi, o geceyi düşünürken piyanonun tuşlarında gezinen parmaklarım birdenbire duruverdi. Artık çalmak istemiyordum. Eski hayatımı, kızlığımdaki çok neşeli hallerimi düşünmeye başlamıştım. Şefik Beyin sesi pek yanımdan geldi:

-Ah, Elvan, niçin bıraktın!

Başımı çevirdim. Şefik Bey kapıda idi.

- Ne güzel çalıyordun. Sesi aşa[ğı]ya daha iyi geliyordu. Ama teyzemin çenesinden kurtulmak için bundan münasip fırsat olamazdı. Piyanoda bozukluk yok değil mi?

- Hayır.

- E haydi çal biraz daha. Şu İzmir'de öğrendiğin alaturkalardan bir şey uydursana!

- Ne istiyorsun!

- Bilmem, ne biliyorsan. Hani bir *O yâr-bî-vefâdan haber yok mu* diye şarkı vardı, unuttun mu?

Bu şarkıyı ben de severdim. Nağmelerinde, söylenişinde içli bir hasret acısı, bir sevgili hicranı var gibiydi.

Şarkıyı bitirip kapağı indirdim. Şefik Bey yanımda ayakta duruyordu:

- Şöyle Kayış Dağı yoluna bir akşam gezintisi yapalım mı? Ben çıkacağım.

- Bu akşam bana müsaade et, dedim daha ufak tefek yerleşecek şeyler var. Onları da bitireyim. Yarın akşam beraber çıkarız olmaz mı?

Şefik Bey ısrar etmeden, yavaş adımlarla sofadan merdivenlere doğru kayboldu.

Yapılacak işlerim varmıydı bilmem. Belki de vardı. Fakat bir akşam gezintisine iştirak edemeyecek kadar değil. Yalnız köşke geldim geleli öyle garip bir düşünmek ve dinlenmek ihtiyacım vardı ki hiçbir meşgale benim bu tatlı arzumu dolduramıyordu. Her köşesinde kızlığımı hatırlatan eser ve eşya ile dolu olan bu köşk ruhumda ani bir hareket uyandırmıştı. İzmir'de her günkü tarzı ve şekli değişmeyen yeknesak hayat içinde yavaş yavaş benliğime bir sukûnet çökmeye başlarken bahçesindeki çiçeklerinden içindeki eşyaya kadar her köşesiyle bana çok neşeli çok tatlı bir mazi hatırlatan bu köşke gelince kendimi âdeta mektepten kurtulup kaçmış eski Elvan gibi görüverdim.

Rahmetli eniştemle Selami Beyin içtikleri havuz başı, Ziya ile yarış edip kenarında darıldığımız yıkık duvar, arkadaki büyük bağ her şey her şey kalbimdeki eski ateşlerin külünü eşeliyor, bana bin bir vaka hatırlatıyordu. Gözlerim âdeta etrafımda oynayıp koşan Zeynep'i, Hacer'i, Selami Beyin çocukları Mahmut'la Hamit'i arıyor. Hatta ablaları Hamide Hanım bile gözümde tütüyor. Ziya'nın İstanbul'a döndüğünü İzmir'de iken haber almıştım. Yengeme gitmedik ki anlayalım. Zaten birkaç gün sonra kıyıda köşede kalan aile döküntülerine biraz ziyaret yapmak lazım. İstanbul'dan bir ay uzaklaşsa insan bütün sevdiklerini özlüyor. Eskiden biz de bir Süleyman Çavuş vardı. Konya'nın bir köyünden İstanbul'a asker gelmiş, müddetini bitirdikten sonra babamın yanından çıkmamıştı. Ara sıra odasında tek telli tanburasıyla yanık köy türküleri çaldığı zaman yanına gider:

- Süleyman Çavuş, birazda İstanbul şarkısı çalsana a canım, derdim. O zaman kalın fakfon tabakasından sardığı parmak kadar sigarayı yakıp başını sallardı.

-Hay küçük hanım, memleketimin, köyün hasret acısı ciğerime işledi. Bırak türküsünü söyleyim de gamım dağılsın ve beni eteğimden çekip oturtutarak yanık yanık devam ederdi:

Akşam oldu yakamadım gazımı,
Kadir mevla[m] böyle yazmış yazımı,
Gözyaşlarım can evimden akarken,
Yana yana söyletirim sazımı!

[Bayram Süleyman, Rumeli Türküsü]

Ve bunun nihayetinde okumadan uzun uzun sazını çalardı. Hatta bazen çalarken ağladığı da olurdu. O zaman sorardım:

- Süleyman Çavuş herkes İstanbul için bu şehrin dünyada eşi yok, diyor. Senin köyün kim bilir nasıl yerdir. Hiç İstanbul dururken on evli köy özlenir mi?

Süleyman Çavuşun asıl derdi o zaman kabarırdı:

- Ne söylüyorsun küçük hanım, derdi, bülbülü altın kafese koymuşlar da ah vatanım demiş. Benim köyde yavuklum var. Nenem var, babam var, kardeşlerim var, tarlam var, davarım var. Burada nem var ki!

Ah, bir yol memlekete varıp bizim cevizin altında şenlik etsem..

Sonradan anladım ki Süleyman Çavuşu on iki sene evli köyüne çeken içli ve gizli toprak aşkı, eş, dost sevgisi idi. Aynı hisler İzmir'de birkaç defa bana da geldi. Fakat orada hemen tesis ediveren bir muhit bulmuştum, oradaki ahbaplar ve dostlarla avundum. Fakat şimdi kızlığımın en civcivli zamanlarını içinde geçirdiğim bu ıssız köşke girince bütün eski çehrelerin hayali karşıma gelip dikildiler. Onlara ait ve onlarla beraber geçen hayat ne kadar tatlı imiş, zaten maziye tahassürle bakmayan kalp, geçen zamanı hicranla aramayan göz var mı dır?

Şefik Bey çekildikten sonra piyanonun başından ayrıldım. Bütün yazı içinde geçireceğim bu köşkte her gün bir hayal ve hatıra ile muazzep olacaksam..

Gülter merdivenden çıkıyordu:

- Küçük hanımefendi, dedi. Hamide Hanım geldi. İnecek misiniz!

Eski dostlardan biri.. Hamide Hanım bizden beş altı yaş büyük olduğu için oyunlarımıza karışmaz, ağırbaşlılık eder, ablalık taslardı. Mamafih onda zaten bir ağırlık, battallık vardı. Genç kız olduğu zamanda bile halinde tavrında bir hanım annelik, bir kahya kadınlık görünürdü. Onun teyzemle karşı karşıya geçip bir peçiç oynayışı vardı ki görülecek şeydi. Bu hallerine rağmen sakin ve içli görünür bir kızdı. Bence onun en büyük kusuru zevksizliğiydi. İnsan çehrece güzel olmayabilir. Güzel olmayanların kusurlarını sevimli halleri örter. Fakat bir kadın çirkin de olsa zevk sahibi olmalıdır. İşte beni Hamide Hanıma o kadar ısındıramayan, yahut onun hakkında kalbimde hürmetli ve samimi bir duygu yaşatmayan bu kusurdu. Hamide Hanımın kendine mahsus gibi görünen bazı huyları ve halleri vardı. Mesela siyah bir mantonun üstüne katır tırnağı sarısı başörtü koyar, makarnanın üzerine reçel döküp yer, evde şıpıtık mercan terlik giyer. Bunlar bana bir genç kızın yapamayacağı şeyler gibi gelir. Kim bilir belki de onun bu zevksizliği ve babayaniliği yaşından fazla bir müddet evde kalmasına sebep oldu, teyzemin bahsettiği kocasının evde tavuk beslemesine bakılırsa karı koca birbirlerine uymuş olsalar gerek!

Aşa[ğı]lya indiğim zaman Hamide Hanımı teyzemin karşısında, Şefik Beyin boş bıraktığı koltukta buldum. Sarıldık, öpüştük, lakin ne kadar değişmişti. Bir defa eski hımbıllığı belli olmayacak kadar gitmişti. Sonra kılığı kıyafeti âdeta şıktı. Beyaz bir yeldirme, beyaz başörtü, beyaz çorap ve beyaz iskarpin.. Onu böyle uygun ve her kadına yakışacak zarif kıyafette hiç görmemiştim. Uzun uzun birbirimize serzeniş sitem ettik.

O, başındaki ev gailesinden bahsetti. Ben İzmir'deki hayatımdan şikâyet ettim. Nihayet dedikodu faslına geçtik. Ve artık teyzem de bahse dahil oldu. Şimdi etrafa, eski yeni ahbaplara dair çene çalıyorduk. Hamide Hanım:

- Biz hemen her gün toplanıyoruz, dedi. Zeynep'i görme, şimdi elebaşımız o, sen aradan çıktıktan sonra kafileye reis o oldu. Fakat o biraz daha ağır, kocası çok iyi bir genç.

Mekteb-i Harbiye'de suvari muallimi terbiyeli, iyi tahsil görmüş, ince bir şey.

- Evet, dedim. Zeynep İzmir'e beraber çektirdikleri bir resmi göndermişti. O kadar istediğim halde düğüne gelemedim.

- Eğlentili bir cemiyeti oldu, senin Kadıköyü'ndeki Şahika da ara sıra geliyor. Bazen oturup saz çalıyorlar, çok defa da beraber çene çalıyoruz. Bizim bahçeyi görsen, fıstıkların altına bir masa kurduk. Her akşam toplanıyoruz. Burada başka türlü vakit geçer mi?

- Fakat ne kadar eksiğimiz var. Bir defa Hacercik yok.

- Ya, zavallı. Gitti gider, hâlâ gider, öyle özledim ki! Ziya Bey de kayıplara karıştı. Avrupa'dan geldikten sonra Göztepe'ye ayak basmadı. İnsan teyzesine olsun bir kere gelir ama bu Avrupa'ya gidip gelenlere bir hal oluyor kardeş. İşte bizimkiler. Mahmut'la Hamit'i görme! O eski derbeder Mahmut şimdi evin monşer beyi oldu. Hele Hamit sanki dünyaya Avrupalı gelmiş gibi, ne evi beğenir, ne bizi beğenir. Hoş bizim de onu beğendiğimiz yok ya! Daha geldiğinin haftasında o güzelim çilek tarlasını bilsen ne hale koydu.

Havadisini Tahir Ağadan aldığım bu çilek tarlası meselesi anlaşılıyordu ki herkese dert olmuş. Ben de merak eder gibi sordum:

-Ne oldu, çilek tarlasına!

- Sorma kardeş bir tenis tutturdu. Avrupa'da herkes tenis oynarmış, sayfiyede oturunca bunu yapmak lazımmış. Başka düzgün yer yokmuş, bir kere gözünü dikti oraya. Ben iki gün İstanbul'da kalmıştım. Babam yatakta, annemi bilirsin. Eline vur, ağzından lokmasını al. Babam üzülmesin diye ses çıkarmamış. Bir de gelip ne göreyim. Koca çilek tarlasının yarısı dümdüz olmuş. Ortasına koca bir ağ konmuş. Ne denir. Bereket babam görmüyor. Yoksa küçük kıyamet başımıza kopacaktı.

- Şimdi tenis oynuyorlar mı?

– Üç gecedir Ada'ya misafir gittiler. Mahmut şimdi bankada çalışıyor. Onun bir arkadaşı davet etmiş yarın gelecekler. Burada oldukları zaman her sabah, her akşam oynuyorlar.

- Onları artık evlendirseniz!

Hamide Hanım, o benliğinden çıkmayan kahya kadınlık tavrını takınmıştı. Parmaklarını oynatıp göz bebeklerini çevirerek:

- Tamam, dedi. Onlar mı evlenecek, neme lazım, bir şeylerine karışmam, birkaç kere söyleyecek, bildiğim kızları teklif edecek oldum. Bana söylemediklerini bırakmadılar.

- Ne gibi?

- Ne bileyim, onların alacakları kız dans bilmeli, tenis oynamalı, Fransızca konuşmalıymış.. Oturup kalkmanın da ilmi, mektebi olduğunu onlardan işittim.

- Böyle kız İstanbul'da yok mu?

- Bilmem kardeş, olmaz olur mu. Şimdi öyle kızlar var ki!

- Demek Zeynep her gün geliyor. Onu da o kadar göreceğim geldi ki!

- Yarın yine gelecek. Tabii senin Göztepe'de olduğunu bilmiyor, yarın haber alınca ilk işi sana gelmek olur. Siz bu yazı artık Göztepe'de geçireceksiniz değil mi?

- Niyetimiz öyle. Fevkalade bir şey çıkmazsa!

Teyzem itiraz etti:

Yok, öyle şimdiden bahaneler, vesileler istemem. Fevkalade bir şey ne çıkacak. Şefik Bey işini yoluna koymuştur. Beni burada yine yapayalnız bırakmak hoşunuza mı gidiyor.

- Hacer'i çağırsana teyze, dedim. Kızcağız bir mevsim olsun İstanbul'a gelse, öyle özledim ki!

- Onun geleceği yok, bari beni siz bırakmayın.

- Yengem hiç gelmez mi?

- Ayda yılda bir, onu bilmez misin, gittiği yerde iki gün oturamaz, Evinde, ne vardır bilmem ki! O gelmez ama Ziya vadettiydi. Teyze merak etme. Ben seni yalnız bırakmam. Zaten biraz başımı dinlemek istiyorum, Avrupa'da çok sıkıntı çektim, diyordu.

- Avrupa'dan geleli çok oldu mu?

- İki ay var, geldiğinin haftasında burada bir gece kalmıştı. Hepinizi ayrı ayrı sordu. Hatta o vakit senden bir mektup almıştım, yazı burada geçirmek fikrinde olduğunuzu yazıyordun. Ona okuttum.

- Bir gün kalkıp yengeme gitmeli, ayıp olur!

Teyzem, sanki hemen şimdi kalkıp gidecekmiş gibi:

- Otur oturduğun yerde, dedi, yarın Tahir Ağayı İstanbul'a göndereceğim. Bütün aileye senin geldiğini haber versin. Zaten Ziya benden kiraz isityordu, yarın Tahir Ağa toplasın, yengeye götürsün, ötekilere de uğrayıp haber versin.

Hamide Hanım, ertesi gün Zeynep'le beraber gelmek vadiyle geç vakit gitti. Bahçe kapısından onu geçirirken Şefik Beyle karşılaştılar. Evlendiği zaman bir iki kere görüşmüşlerdi.

- Şefik Bey dedim. Hamide Hanıma bak. Evlilik nasıl yaramış.

Şefik Bey Hamide Hanımın eski kızlık halini gördüğü için o zaman bana:

- Pek mahalle kızı, demişti. Şimdi hiç olmazsa kıyafetini yoluna koyduğu için onun da nazarıdikkatini celpetti. Maksadımı anlamakla beraber aramızda geçeni hissettirmemek için:

- Oo, bravo, dedi toplanmışsınız maşallah. Hakikat evlilik size yaramış Hamide Hanımefendi. Beyefendi ile henüz tanışmadık ama dostlarımızın dostu bizim de dostumuzdur. Hürmetlerimi kendilerine arz edersiniz.

Akşam yemeğini köşkün önündeki taşlıkta yedik. Bahar bütün kuvvetiyle gelmişti. Bahçeyi dolduran hanımelleri hep açmıştı. Mayısın serin ve lacivert bir gecesi. Yarım ay büyük ve zarif bir yıldız gibi. Yemekten sonra yumuşak koltuklara uzandık. Şefik Bey her vakit olduğu gibi mahmurluk içinde. Yemekten sonra sigarasını, kahvesini içince ona ağırlık çöker. Eğer bir eğlenti, bir ziyaret olmazsa bu ağırlık sonu yatağa gitmek olur. Bu akşam da daha kahvesini içerken sordu:

– Gelecek, gidecek yok, ben şöyle hafif tertip bir kestireyim. Epey yol yürüdüm Mama'dan ileri Libada'ya kadar yürüdüm. Cennet gibi yemyeşil. O kadar güzel ki, ama hamlamışım, iyi yoruldum. Yarın akşam beraber ha. Söz verdin değil mi Elvan!

- Tabii ama misafir gelmezse!

- Aman canım, misafir, misafir. İstanbul'a geldik ki rahat edelim, dinlenelim diye, sakın burada da öyle resmi ziyaretler, kabul merasimleri başlamasın. Alimallah bavulları kapattığım gibi..

Teyzem bırakmadı:

Ha, Ha, dedi. Yine karı koca başıma iş çıkarmayın. Oturun oturduğunuz yerde, Bakın keyfinize, pek istemiyorsanız ben sizin geldiğinizi bile haber vermem.

Artık müdahale etmek sırası gelmişti:

- Sakın ha teyze, Göztepe'ye geldik diye âlemden bucak bucak kaçacak değiliz ya. Elbet gelen de olur giden de, artık dört buçuk ahbapla , akrabayla da görüşmeyecek değiliz ya!

Şefik Bey derhal ric'at etti:

- Öylesi değil a canım, benim dediğim hani şu teşrifatlı çaylar, suareler falan, İzmir'de bütün kış derli toplu oturmaktan bıktım da!

- Kış başka, dedim. Burası sayfiye, tabii böyle yerde o kadar merasim aranmaz. Ama yalnız ahbapsızda oturulmaz. Billakis eş, dost çok olmalı ki beraber kır âlemleri kır gezintileri yapılsın.

Şefik Beyin sevdiği şeydi:

- Bravo, dedi. Fakat öyle teklifli, çıt kırıldım insanlar istemem. Ben bendeniz, hâkipâyınız yok.

İzmir'de ara sıra bize gelen bir mektupçu vardı. Şefik Beyin eskiden bir mektepte arkadaşı imiş, derli toplu tuhaf bir adamdı. Fakat öyle teşrifatlı, öyle sıkıntılı konuşurdu ki ben bile kızardım. Her lakırdısının başına bendeniz, hâkipâyınız kelimelerini koyar, Allah ömürler versin, estağfurullah, haşa min huzur cümlelerini hiç eksik etmezdi.

Şefik Beye komşuların müjdesini verdim:

- Merak etme öyle teşrifatlı misafirlerden ben de hoşlanmam. Hamide Hanımın kardeşlerini biliyorsun değil mi?

- Bir iki defa görüşmüştük, kaba saba şeylerdi.

- Ama şimdi öyle incelmişler ki! Avrupa'da iki sene okumuşlar. Şimdi İstanbul'da kız beğenmiyorlarmış.

Şefik Beyin sinirine dokunan şeylerden biri de bu idi.

- Haydi efendim, dedi. Bir iki sene Avrupa'da oturunca memleketini, memleketinin insanlarını beğenmeyenlerle benim alışverişim yok. Böylelerine açıkça monşer derler, insanlarda incelik, kibarlık doğuşta ve çocukluk terbiyesinde olmalı. Yoksa iki yıl Avrupa'da oturup İstanbul'a gelince etrafındakileri kendine layık görmemek görgüsüzlük, hatta terbiyesizliktir.

- Pekâlâ sen Avrupa'dan geldikten sonra neden alacağım kız Fransızca bilsin, piyano bilsin diye ısrar ettin.

Şefik Bey kızardı:

- Kime demişim!

- Araya girenlere, teyzem burada işte, o da biliyor. Bana gelen hemşirenin ilk lakırdısı o olmuş. Kardeşim Avrupa'dan geldi. Faransızca, piyano bilen bir kız istiyor demiş.

-Olabilir, karı koca arasında fikir için bir muvazene lazımdır. Fakat bu şart muhakkak olsun demedim, olursa daha iyidir demiştim, hem o bahsi açma, benim seninle evlenişim...

- Ne?

- Büsbütün başka bir meseledir. Kaç kere söylemedim mi. Seni ilk defa Fenerbahçe'de gördüğüm gün kararımı vermiştim. Ondan ötesi şekilden ibaret! Artık üç dört yıl sonra birbirimize hesap mı vereceğiz a canım. Hem benim öyle uykum geldi ki! Hani olduğum yerde içim geçiyor, Allah vere de sivrisinekler bu gece bizi rahat bıraksalar.

- Merak etme, cibinlik var.

Teyzem dedikodu etmek arzusuna rağmen halimize acıdı:

- Haydi çocuklar yorgunsunuz, erken çıkın da yatın. Kızım Elvan, istersen Gülter yukarıda yatsın, lazım olunca çağırırsınız.

Ben esasen gündüzden Gülter'in yatağını da yukarı taşıtmıştım, Şefik Bey gezintisinin yorgunluğuyla kendini yatağa bırakıyordu. Ben taze yaz gecesini biraz daha seyretmek için arkama hafif bir örtü alıp küçük balkona çıktım. Ufak ay artık dağların sırtına inmiş, gidiyor. Gök o kadar yakın ki! Yıldızlar sayılacak gibi. Çilekli köşkün tarafından bir opera sesi geliyor. Galiba Hamit'le Mahmut gelmişler. Uzaktan piyano ile alaturka bir şey çalınıyor. Kayışdağı'na doğru uzanan bahçeler, tarlalar, köşkler, siyahlı, neftili birer gölge halinde. Bütün yorgunluğuma rağmen gözümde uyku yok. Gündüz akşama kadar kalbimden gelip geçen hatıralar, hisler beni o kadar sinirli etti ki! Bu köşke gelişimiz bana genç kızlık hayatımın yeniden doğuşu lezzetini verdi. İçimde tatlı ürperişler var. Aşa[ğı]da koyu yeşil bir hayal gibi görünen bahçeden kulaklarıma dört beş yıl evvelki şen ve gamsız kahkahalar geliyor. Ağaçlar arasında koşuşan ve haykırışan hayaller görür gibi oluyordum. Afacan Zeynep terden yüzüne yapışan saçlarını iterek koşuyor. Hacercik, birinin çarpıp düşürmesinden korkar gibi sinecek bir ağaç veyahut duvar dibi arıyor. Ziya, yine bir şeye canı sıkılmış, küskün ve somurtgan bir köşede kitap okuyor.

Kızlık hatıralarının bu kadar canlı bir şekilde tazelenecağini hiç bilmiyor ve düşünmüyordum. İzmir'deki hayatımıza alışmıştım, bugün hayalini gördüğüm ve yaşadığım hatıralara ait bazı kalp üzüntülerim yok değildi, ara sıra genç kızlığımın hınca, ye'se ve aşka benzer ıstırapları kalbime garip ve keskin ateşler düşürürdü. İçimin yandığını hissederdim. Hatta ağladığım olurdu. Fakat bedbahtlığımdan değil. Hayatımdan o kadar memnundum ki hiçbir şey saadetimi tehlikeye vermezdi. Bu gözyaşlarında belki de biraz gurbet acılığı, biraz hasret ıstırabı ve biraz da hayatın kesip atan merhametsiz tesadüflerinden doğmuş aç ve açık hevesler, arzular vardı, bunlar anlaşılmaz ve o kadar da güç anlatılır ki!

Şimdi, Göztepe'ye, köşke geldiğimden beri hissettiğim heyecan bana İzmir'de ara sıra gözyaşı döktüren hislerin iç yüzünü azıcık anlatıyor. Hissettiğim gibi bunda biraz bizim Süleyman Çavuşun sıla derdi ve biraz da benim asi ve memnun olmaz ruhumun yalnızlık ıstırabı var.

Ben eskiden biraz hırçın ve epey yaramaz bir kızdım. Hareketlerimde bir erkek sertliği ve atılganlı[ğı] vardı. Sonra arzularımın önünde hiçbir engel tasavvur edemezdim. İstediğim bir şeyin olmaması imkânı yoktu. Yahut ben böyle bir imkânsızlık karşısında kalmadım. Mamafih imkânsız arzular peşine de düşmedim. Öyle hatırlıyorum ki bütün hırçınlıklarımda kimseyi incitmeyecek bir yumuşaklık vardı. Yaramazlığım zararsızdı, yahut etrafımda hep beni sevenler olduğu için nazım geçiyor, hırçınlıklarım sakin bir tahammülle karşılanıyordu.

Böyle etrafımdan daima nevaziş görüp yetiştiğim halde içimde bazı öyle garip, öyle acı öksüzlükler duyardım ki! Mektepten çıktım, evlendim, hayat ve muhit değiştirdim, hiçbir hadise hiçbir tebeddül kalbimin bu zaman zaman nükseden, deşilen gönül acısını geçirmedi. Aylar geçer, mevsimler geçer, memnun ve sakin yaşarım, fakat o hain acı bazen beni öyle zayıf bir yerimden yakalar ki işte böyle günlerce, haftalarca düşünür ve içlenirim. Gecelerce uyumadığım olurdu. Fakat ne düşündüğümü bilmezdim ki! Hiç derdim, üzüntüm yoktu. Bu öyle bir acı idi ki maddi hayattan gelmiş değil. Ya ruhumda ne vardı. Kalbim o kadar mazbuttu ki saadetimi ihlal edecek bir hayalin oraya girmesine imkân yoktu. Kalbimde Şefik Beyin ehemmiyetli bir mevkiî vardı. Fakat bu mevki hiçbir zaman düşkün bir sevgi derecesini bulmamıştı. Şefik Beyle kalbi rabıtamız tabii ki izdivacımız gibi idi. O beni her erkeğin hayalinde arayıp bulduğu bir güzel olarak intihap etmişti. Ben o zamanlar erkeğin kadın hayatında ancak bir varlık olduğunu anlıyordum. Hiçbir erkek hakkında fikrim bu bilgiden ileriye gitmemişti. Yalnız mektepten çıktığım yıl ki altı ay sonra da Şefik Beyle evlenmiştim. Yengem beni Ziya ile nişanlamak istemişti. Ve zaten bilmem neden benim Ziya ile evleneceğim hakkında ailece umumi bir kanaat vardı. Onunla aramızda sık sık tekrar eden çarpışmalar, dargınlıklar içli içli yarışlar, kinler galiba hep aksine telakki ediliyordu. Yengem annemle bana bir arzuyu açtığı zaman birdenbire o kadar hırslandım ki! Bilmem neden, koşmaca yarışı günü Ziya'nın yıkık bahçe duvarının altında bana söylediği sözler aramızdaki gizli fakat çocukça rekabetin yolunu birdenbire değiştirmişti. Ben biraz şaşırmıştım, o ürkmüş gibi görünüyordu. O zamana kadar Ziya ile aramızdaki münasebet nihayet birbirini çekemeyen iki kuzen gibi hırçın ve kinli devam ediyordu.

Ziya'nın o günkü sözleri bütün bu samimi hisleri altüst etmişti. Benim onun hakkındaki bütün düşüncem ve duygum ondan geri kalmamak, onu kıskandırmak, onu mahcup etmek gibi, yarı çocukluk yarı kardeşlik hudutlarında ve herhâlde samimi bir çerçeve içinde kalıyordu. Hâlbuki mahut gün, sırf ondan geri kalmamak için bütün kuvvetimi verip yarış ettiğim gün o kadar sarsıldım ve şaşırdım ki! Onun kanayan dizi için şefkatli bir kardeş veyahut samimi bir arkadaş düşünüşüyle çareler ararken o bana kalbinin tedavisinden bahsetti. O zamana kadar hiçbir erkek ağzından işitmediğim bu sözler beni öyle şaşırttı ve birdenbire öyle asabileştirdi ki kalbime heyecan ve sevinç verecek yerde izzetinefsimi zedeledi. Gururumun incindiğini hisseder gibi oldum. Ve o günden sonra ta kışın, o beraber piyano, keman çaldığımız geceye kadar onunla samimi olamadım. O gece ben *Rüya*'yı çalarken, onun kemanını eline alıp derin bir sükûn ve feregat içinde beni dinlediğini görünce yıkık duvar altında nevazişe benzer fakat bana yırtıcı ve acı gelen itiraflarını affettim. Ve ondan sonra birbirimize biraz daha yaklaştığımızı hissettik.

O geceden üç ay sonra idi ki yengem aramızda bir nişan yapılması için babama ricaya gelmişti. O zaman on sekiz yaşıma girmiştim. Mektebi bitireli iki ay olmamıştı. Ziya da Fransız mektebinden diplomasını hemen aynı ay içinde almıştı. İki aile çocuğunun mektepten çıkmaları şerefine büyük babamın Süleymaniye'deki evin bahçesinde yaptığı büyük ziyafet yengeme dokundu. Bizim masada karşı karşı oturuşumuz, bütün aile efradının bize ayrı ayrı ihtimam ve iltifat gösterişi içinden geçen arzuyu büsbütün körükledi. O gün akşama ve gece yarısına kadar bahçede, çeşit çeşit oyunlar ve eğlencelerle yorulup bitap bir halde odalarımıza çekilirken annem beni çağırdı. Gözümden uyku akıyordu.

- Aman anne dedim. Yine bugün kırdığım potları sayıp dökeceksen yarına sakla, vallahi ayakta duracak halim yok!

Annem biraz sinirli gibi, fakat yüzü gülüyordu:

- Haydi, haydi, çocukluğu bırak. Bak on sekizine girdin, bu akşam söyleyeceğim şeyler ehemmiyetlidir, yine kulağının arkasını verme!

Onun yanına, köşe minderinin köşesine oturdum.

- Muhakkak yemekte teyzemin tatlı tabağına tuz döktüğümden şikâyet edeceksen?

Annem hiddetlendi:

-Şimdi o maskaralıkları bırak da yüzüme bak. Bugün yengen babana ne söylemiş biliyor musun?

- Bilmez olurmuyum!

- Ne söylemiş?

- Bu yaz Ada'da büyük bir ev tutalım, iki aile tebdilihavaya gidelim, dedi. Ama teyzem razı olmadı. Geleceksiniz Göztepe'ye gelin, koca köşk hepimize yeter dedi. Ama bana sorarsan ben de Göztepe'yi isterim anne, Oradaki koca bahçeyi Ada'nın hangi köşkünde buluruz, ya üzümler, ya Selami Beyin çilekleri. Annem hayretle yürüme bakıyordu birdenbire:

- Vallahi sen adam olmazsın, dedi. Kız artık aklını başına topla, seni evlendiriyoruz.

Birdenbire şaşırdım.

- Ya, dedim, kiminle!

- Yengenin oğlu, Ziya ile!

- Bunu kim düşündü?

- Söyledim ya, yengen bugün babana söylemiş. O da ben Elvan'ın fikrini almadan bir şey söylemem demiş. Senin fikrini öğrenmek için de bana sen görüş, anlaş, dedi. Nasıl Ziya'ya varmak ister misin?

Gözlerimi kapayan yorgunluk ve uyku birdenbire kayboldu.

Serapa sinir kesilmiştim. Yüzümün değişikliğini annem de farketmişti.

- Ha şöyle biraz ciddi ol bakayım, dedi. Vara yoka gülmekten, her şeyi alaya almaktan ciddi şey düşünmeye vaktin olmuyor!

Hiç ummadığım bu teklif dimağımı mahut yarış günü hadisesi gibi altüst etti. Ziya'yı geçen kış gecesi piyanonun başında affetmiş ve ona eskiden daha sıcak dostlukla sokulmuştum. Bu dostluğun sade ve tabii bir akrabalıktan daha ileri gidip de aramızda içli bir kalp yolu açılması da imkân dahilinde idi. Fakat bu neticeye varıncaya kadar temas ve münasebetlerimizin biraz daha kuvvetlenmesi, kalplerimizin birbirine daha tabii şekilde kaynaşması lazımdı. Daha üzerimde mektebin siyah gömleğini taşırken ve kalbimde bir erkeğe ait yer ayrılmamışken anne, baba ve yenge ağızlarından bu izdivaç teklifi beni öyle üşüttü ve korkuttu ki hiç cevap vermeden gözlerim minderin köşesine dikilip kaldı. Acı bir dalgınlık geçiriyorum.

Annem benden cevap bekler gibi susmuştu. O dakikada hiçbir şey söyleyecek halde değildim. Annemin ellerini tuttum:

- Çok yorgunum anne. Hatta konuşacak halim yok. Bana müsaade eder misin, yarın düşünelim.

Annem başını salladı:

- Pek güzel dedi. Yalnız ben ne kadar olsa senin annenim. Sana ait meselede benim de bir iki söz söylemek hakkımdır. Bak sen yine düşün taşın Elvan, Ziya fena çocuk değildir. Hatta teyzen bile Hacer'i ona yapmak istiyor. Sonra Nimet'i biliyorsun ya, Kadri Paşanın kızı. Yengenin karşısındaki konakta otururlar.

Merakla sordum:

- Bilmez olur muyum, ne olmuş Nimet'e?

-Günahları üstünde kalsın, fakat Ziya'nın peşinde dönüp duruyorlar. Hele Paşa tekaüt olduktan sonra âdeta açıkça yengene teklif etmişler.

Bu sefer asabileştim:

- Peki anne, bunları bana söylemeye neden lüzum görüyorsun. Bana ait bir mesele varsa bırak ben düşüneyim.

Annemin bunlardan bahsetmesi sırf kaçırılmayacak bir fırsat önünde benim gözümü açmak içindi, bu bahislerin beni büsbütün hırslandıracağını düşünmeyen annem belki daha başka rekabet tehlikelerini hatırlamaya çalışıyordu ki ayağa kalktım.

- Bir kelime söyleyecek takatim yok anne, dedim, ben yatıyorum, yarın görüşürüz. Şimdilik bon noi [bonne nuit]!

Epey hiddetli ve çok yorgun yatağa uzandım. Vücudumun her tarafı kırılıyor gibiydi. Fakat bütün sersemliğime ve uykusuzluğuma rağmen gözlerim kapalı, bitap yatarken dimağım bir sinema şeridi gibi işliyor, göz kapaklarımın altında geçen günlere ait karışık manzaralar birbirini kovalıyordu.

Bütün bu karışık hayaller arasında gözlerimi birdenbire açan nokta köşe minderinde annemle olan hasbihalimizdi. Zavallı kadın bilmeye bilmeye beni öyle bir hırpalamış, gururumu öyle hassas bir yerinden zedelemişti ki!

Ziya benimle evlenmek istemiş, istemiş mi, iste[me]miş mi belli değil, sade yengem beni Ziya'ya almak istemiş, aynı zamanda Ziya'nın etrafında birçok talipler varmış, Nimet varmak istiyormuş! Nimet belki, fakat Hacer'i zannetmem, fakat kim bilir belki de!

Bunları düşünmeye ne lüzum var zaten, lakin Ziya'nın böyle talibi çok. Bir kız gibi tanınmasına karşı gülmemek kabil değil, annem biraz saf kadındı, bana bunlardan bahsetmesi kendiliğinden olmayacaktı. Herhâlde ya yengem, yahut Ziya'nın dadısı annemi tıkıp doldurmuş olsalar gerek. Peki ama Ziya benim yabancım mı ki teklifini üç dört kişinin ağzından yapıyor. Sonra hayatına [ka]rışacağı kızın kalbini anlamadan böyle bir teklifi ortaya atmak doğru mu?

İşin fenalığı Ziya'dan başlıyordu. Zaten çok düşünenler hareketlerinde şaşkınlık gösterirler. Ziya'nın bana ait bir teklifi annesine açması bu kabîl bir zavallılıktı.

O zamana kadar bir erkek, hayatıma karışmak için bana açılmamıştı. Kalbinden ilk bahseden Ziya idi. O zaman da ben, kalp hareketleri henüz başlamayan toy bir kızdım, sevginin manasını büsbütün başka hislerle anlıyordum.

Ziya'yı seviyor muydum. Bilmem ki! Onunla aramızdaki münasebet başlangıçta çocukca bir çekememezlikten ibaretti. Son yıl içinde biraz daha yaklaştık. Fakat yengemle annemi araya katarak benden hayat istediği dakikada kalbimi yokladım, bütün gece uykumu kaçıran, âdeta bir sinir buhranı gibi beni çıldırtan uzun muhakemelerden sonra hiçbir şeye karar vermeden uyuya kaldım. Beni her vakitki gibi uyandıran güneş oldu. Gün doğmadan kalkmayı o kadar istediğim halde akşamları öyle yorulup yatıyordum ki büyük annemin bütün nasihatlerine rağmen güneşin üstüme doğmasından kurtulamıyorum.

Yatağın içinde gözlerim yana yana, vücudum ezilmiş gibi ağrıya ağrıya akşam bir kâbus gibi beynime saplanıp kalan şeyleri düşünmeye başladım. Benim en ciddi kararlarım en ani olanlarıdır. Birdenbire aklıma geldi. Ziya yengemi, annemi, hatta babamı araya katarak benimle evlenmek arzusunu belli ediyor. Artık benim yüzümü kızartacak bir şey yok. Madem ki bu mesele bir gönül ve hayat meselesidir. Onunla aramızda halledilmek lazım değil mi! Onun erkekliğiyle gösteremediği cesareti ben gösteririm. Gider karşı karşıya konuşurum.

Bu kararla yataktan fırladım. Giyindim ve kahvaltımı bile etmeden bahçeye çıktım. Zaten öğle yaklaşmıştı. En sevdiğim çiçeklerden yengem için küçük bir demet yapıp sokağa çıktım. Onlar bizim arkamızdaki sokakta otururlardı.

Eski zaman usulü büyük kapının tokmağını kaldırıp bırakır bırakmaz kapı açıldı. Ziya'nın dadısı taşlıkta idi:

- Nasılsın, dadıcığım, dedim. Yengem nerede? Dadı bir şeye kızgın gibiydi:

- Hay Allah senden razı olsun küçük hanım, dedi. Hızır gibi yetiştin. Haydi yukarı çık. Yengen[in] işi çıktı çarşıya kadar gitti. Daha gelmedi. Ziya Beyin yanında Nimet Hanım var. Münasebetsiz kız, dişi ağrıyormuş. Küçük beyden ilaç istemeye gelmiş: Küçük bey hekim mi?

Birdenbire o kadar şaşırdım ki!

-Nimet çok oldu mu geleli, dedim.

- Çok oldu ya, hiç sevmiyorum o şişko kızı. Bir iki defa yanlarına gidecek oldum. Küçük bey şunu istedi bunu istedi, beni aşa[ğı] yolladı.

Yengem için getirdiğim çiçekleri dadıya verip merdivene yürüdüm, başka zaman olsa aklımdan bin bir muziplik gelir geçerdi. Şimdi merdivenleri çıkarken dizlerimin titrediğini, hatta heyecandan kalbimin acıdığını hissediyordum. Anlayamadığım bu hislerle sofaya çıktığım zaman Ziya'nın oda kapısını kapalı buldum. İçimde korkuya benzer tuhaf bir heyecan vardı. Sanki tehlikeli bir yere gidiyor, sakat bir köprüden geçiyormuşum gibi kalbim çarpa çarpa ve dizlerim titreye titreye sofaya geçtim. İrademin haricinde bir tecessüs hissi beni o kadar yavaş yürütüyordu ki uzun ve loş sofada kalbimin çarpıntısından başka bir şey işitmiyordum.

Ancak kapının önüne geldiğim zaman seslerini işitebildim. Garip bir his beni tokmağı çevirip içeri girmekten veyahut kapıyı vurmaktan men etti. Nefeslerimi zapt etmeye çalışarak başımı kapıya dayadığım vakit Nimet'in ince fakat yavaş sesini duydum:

- Of Ziya, diyordu. Canımı acıtıyorsun. Ötekinin anlayamadığım bir mırıltısını yine Nimet'in sesi ikmal etti:

- Ya çürürse!

Bu sefer Ziya'nın kalın sesini tamamiyle duydum:

-Kapıya çarptım dersin! Hem orasını kim görecek!

Elim ayağım buz gibi olmuş, titriyordu. Hiçbir şey düşünemeden ayaklarım geri döndü. Yüzümü kızartacak bir hal olmuş gibi utanıyordum. Başım ateş içinde yanıyordu.

Nasıl yürüdüğümü bilmeyerek heyecan içinde merdivenden inerken dadı ile karşılaştım:

- Nereye küçük hanım, diye eteklerimi tutmak istedi.

İki ayak birden atladım:

- Evde bir şey unuttum, dadıcığım dedim. Ziya Beye söyle, şimdi göndereceğim!

Bunu sırf dadının elinden kurtulmak için söylemiştim. Fakat kendimi sokağa atar atmaz tesadüfen söylediğim bu sözü tutacak bir fikir aklıma geldi.

Eve gelir gelmez odama kapandım. Artık içimde ne heyecan, ne korku, ne de acı hiçbir şey kalmamıştı. Bütün muziplik alaycılık hislerim kabarmıştı. Küçük bir şişeye uğurlia ayırdım. Sardım ve küçük Tiraje'nin eline verdim.

-Ziya Beyin kendisine vereceksin, dedim. Küçük hanım gönderdi. Çürük için bire birdir. Hemen kullansınlar diye tenbih etti dersin! Kız gitti. Şimdi içimde çılgın bir sevinç vardı. Kendimi güç zapt ediyordum. Keyfimden biraz piyano çalmak için salona geçiyordum ki annemle karşılaştım. Kolumdan tuttu:

- Ne o, yine ne gülüyorsun, dedi. Gel içeri bakalım, akşamdan beri ne düşündün taşındınsa söyle!

Ben anneme vereceğim cevabı unutmuştum bile! Yalnız kendi kendime kararımı vermiştim. Annem beni yine minderli odaya götürmek isterken sinirlendim:

- Benim işim var anne, dedim. Piyano çalacağım, hem benden o mesele için cevap istemiyor musun, işte söylüyorum: Hayır! Annem şaşkın şaşkın yüzüme bakıyordu:

- Ne demek hayır!

- Basbayağı hayır, yani yengem, babam ve zat-ı ismetaneleri tarafından Ziya Beyefendi namına gelen izdivaç teklifine hayır!

Annemin ağzı açık kalmıştı. Olduğu yerde bir şey söyleyemeden hayretle gözlerime bakıyordu.

- Ya Valide Hanımefendi, dedim. İşte hal-i keyfiyet böyle böyle ve onun bir sual daha sormasına meydan vermeden salona girdim.

Şimdi içimden bin bir neşe taşıyordu: Çürüklere birebir gelen uğurliayı alınca Ziya'nın nasıl hırslanacağını, nasıl kızarıp bozaracağını düşündükce içimin bütün hıncı boşalıyordu.

Mesele öylece kapandı. Annem bir daha bana bundan bahsetmedi. Ziya haftalarca ortada görünmedi. O gün dadı benim yukarı çıkıp indiğimi söylediği için çürük ilacını alınca Ziya Nimet'le ikisi arasında geçen mükâlemeyi işittiğimi anlamış ve inkâr imkânı olmayan bu hadise karşısında susmaktan ve bana görünmemekten başka çere bulamamıştı.

İki aile arasında sebebi pek de anlaşılmadan kapanan bu meseleden sonra ben Göztepe'ye teyzeme gelmiştim. Burada Hacer'le her cuma, pazar Fenerbahçe'ye giderdik. Bu gezmelerin birinde Şefik Bey beni görmüş, haftalarca takip etmiş, nihayet bir gün ablasını gönderip teyzemden istetmişti. Ben tanışmadığım bir adamla evlenmeyi hatırımdan geçirmezdim. Hayatımı birleştireceğim adamla kaynaşmak ve anlaşmak isterdim. Böyle iki kelime görüşmediğim hatta yüzünü bile görmediğim adamla evlenmem ihtimali yoktu. Fakat nedense içimde garip bir his vardı.

Önüme çıkan bu tesadüfi hor görmek istemedim. Yalnız bazı şartlar koydum ki asıl bunlar Şefik Beyin hoşuna gitmişti. Evvela kendisi gelsin, görüşelim dedim. Şefik Bey bu fikrimi o kadar takdir etmiş ki ertesi günü ablasıyla beraber geldiği vakit ilk sözü bana teşekkür etmek olmuştu.

Şefik Beyi nasıl buldum, bunu kalbimle ve hislerimle muhakeme etmedim. Çok zarif veyahut nazik görünmek istemesine rağmen ciddiyeti, ağırlığı o kadar belli bir erkekti ki! Bir defa aramızda epey yaş fark[ı] olduğu belli idi. Otuz yaşında vardı. Yahut hayat onu biraz hırpalamıştı. Yalnız bu ağır halleri dürüst, temiz bir erkek olduğuna delalet ediyordu. Güzel miydi, belki, erkeğin güzeli bence kusursuz olanıdır. Şefik Bey temiz giyinişi, çehresinde iş adamlarına mahsus ciddi hali ve emniyet veren ağır tavırlarıyla kusursuz bir erkekti. Onun kalın ve gür kaşlarının altındaki kestane gözlerinde anlayamadığım bir mana vardı.

O gün bir saat kadar konuştuk. Bu bir saat zarfında onun tam manasıyla bir iş adamı olduğunu anladım. Böyle adamlar evlilik hayatlarında çok sadık olurlar. Aile duygularına vazife hissini de ilave ettikleri için sevgileri olmasa bile sadakatlerine itimat edilir. Sevilmeden evlenmeyi göze adıktan sonra Şefik Bey gibi dürüst erkekleri kabul etmemek manasızlık. O gün ancak beş dakika düşündüm ve sevdiklerini iddia edip izdivaç teklif edenlerin en hassas olmaları lazım gelen bir zamanda zevklerini komşu kızlarının göğüslerinde tatmin ettiklerini hatırlayınca küçük bir tereddüt hisseden elimi derhal Şefik Beye uzattım:

- Sizi kabul ediyorum beyefendi, dedim. Bugünden nişanlanabiliriz.

İşte evlenişim böyle oldu. Ben de belki yavaş yavaş kalbimde hissetmeye başladığım sevmek ve sevilmek ihtiyaçlarının tatminini bekleyebilirdim. Henüz on sekiz yaşında idim. Hayatımda tesadüfün karşıma çıkaracağı erkeklerle daha yakından anlaşabilirdim. Fakat en sevilmek ihtimali olanların ve henüz bahçelerde kovalamaca oynarken bana kalplerinden bahsedenlerin aşkındaki zavallılığı gördükten sonra böyle sırf his ve hayal üzerine yuva kurmayı düşünmedim bile!

Şefik Beyle birkaç yıldır yaşıyoruz. Sevdim mi? Hayır. Sevildim mi? Belki! Fakat bütün hareketlerini ciddi bir aile reisinin vazifeleri şeklinde ifa eden ve hayatını vaktinde kurulup çaldırılan bir saat gibi işleten Şefik Beyin sevgisi gönüllerde yer bulamayan sade ve sathi bir hayat sevgisi idi. Böyle sevgiler endişesizdir. Ne eksilir ne artar. Fakat ne heyecan verir ne lezzet! Onun için Şefik Beyle evlendiğim gün hayatımız nasılsa bugün yine öyle. Geçen üç yıllık ömrüme baktığım zaman kendime o kadar hayret ediyorum ki! Bütün kızlığım çılgın ve hoppalıkla geçtiği halde üç yıllık evlilik hayatımda öyle durulmuştum [ki] bugün kendimi ömrünün canlı ve civcivli parçasını yaşayıp bitiren yaşlı başlı bir ev kadını gibi görüyorum. İzmir'deki hayatım büsbütün sade idi. Şefik Beyin saat gibi muayyen zamanlara ayrılık hayatına o kadar karışmıştım ki hareketlerim, meşgalem, düşüncelerim âdeta dimagdan ve iradeden gelen kudretle değil o saat gibi hayattan gelen gayrıtabii ve mihaniki kuvvetle işliyordu.

İzmir'de kalbimi kaybetmiş gibiydim. Hayat, hadiseler, vakalar, kalbimin yolunda değildi. Fakat teyzemin ısrarlı davetleri üstüne yazı geçirmek için buraya geldiğimiz gün daha sarmaşıklı yoldan geçerken bile dimağım, muhabbetle, kalbim maziye ait bin bir hatıra ve heyecan ile doldu. Ve onun için burada geçen eğlenceli ve mesut hayata ait hatıralar geldim geleli bir sinema şeridi gibi gözümden ve hayalimden gelip geçiyor. Kalbimde sönmeye yüz tutan sevgiye ve sevince benzer hisler sanki üzerlerinden bir örtü kalkmış yavrular birdenbire karanlıktan aydınlığa çıkmış gözler gibi kamaşa kamaşa canlanıyor.

Anlıyorum ki değişen hayat nihayet ömrümüzün birkaç yılını israf ettikten sonra eskimiş bir elbise gibi atılmak ve bırakılmak ihtiyacını veriyor. Beni daha köşke ayak atar atmaz üç yıl evvelki hayatın cazibesine çekip götüren hatıralar bu kadar kıymetli miydi bilmem. Her hâlde üç yıllık sakin ve dümdüz hayatımdan lezzetli olduğuna şüphe yok. Gece o kadar sakin ve o kadar yumuşak ki! Hafif bir rüzgâr uzak bahçelerin taze çiçeklerini eme eme gelip pür hayal bir nevaziş gibi yüzümden geçiyor. Gün lacivert bir kadife gibi ve yıldızlar o kadar yakın ki!

Uzaktaki piyano durdu. Kayışdağı yolundan bir muhacir arabası geliyor. Kuvvetli ve gamlı bir ses hazin bir köy şarkısı okuyor. Bir mısraını o kadar işittim ki ben de İzmir'de çalardım. Bunda öyle içli bir hasret acısı vardı ki en ince şairlerde ve musikide bulunmaz. Arabacı o kadar hazin okuyor ki:

Keskin bağlarında bülbüller öter,
Yarimin sevdası gözümde tüter!

Kelimeleri öyle çekip uzatıyor, mısraların sonuna öyle yavaş bir akıyorduki bu zarif Anadolu şarkısı serapa hasret ve hicran söyleyen pür enîn bir ıstırap gibi gecenin sakin koynunda yayılıyordu. En sade bir musiki insanın içli ve coşkun zamanlarında asâbını ateş düşmüş bir tel parçası gibi yumuşatıp büküyor.

Gece ilerledi. Arabacının sesi azala azala işitilmez oldu. Yalnız akşamdan beri bahçedeki tek çamın en üst dallarında öten bir coşkun bülbül hâlâ feryat ediyor.

Yavaşça kalktım. Balkon kapısını çektim. Yatak odasında yaktığım veyöz [veilleuse]ün fitili bozulmuş, düzelttim. Şefik Bey cibinliğini biraz açık bırakmış. Onu da sıkıştırdım. Yatağa uzandığım zaman hâlâ düşünüyordum. Göztepe'ye gelişim üç yıllık hayatımın üzerindeki düz ve ağır örtüyü çekip kaldırmıştı. Kalbimde meçhul arzuların lezzeti vardı. Vücudum yorgun ve kalbim taze hislerle dolu başımı yastığa koydum. Düşüncelerim birbirine karışan birer hayal ola ola gözlerimi kapadım.

- Demek İzmir'deki hayatınız pek sade geçiyordu. Fakat bu sakin hayat size ne kadar yaramış Elvan Hanım.

Selami Beyin bahçesinde büyük çamın altındaki koltuklara dağılmış konuşuyorduk. Hamide Hanım, Zeynep, Hamit, Mahmut, Kadıköyü'nden bana misafir gelen Şahika, hemen bütün suallerini bana yapıyorlardı. Hamit Beye cevap verdim:

-İzmir'de âdeta bir sanatoryum hayatı geçiriyordum. Orada da bir Göztepe vardır. Köşkleri ve hayatı ile buradan farksızdır. Yalnız o biraz da adanın Nizam tarafını hatırlatır. Körfeze bakan uzun bir yamacın üstündedir. Arkası uzak uzak kırlardır. Oralarda bazen atla yürüyüş yapar, araba ile Çeşme'ye kadar gider, gezerdik.

Zeynep yanımda idi:

- Çeşme'yi çok methediyorlar. Güzel mi Elvan?

- Enfes. O kadar güzel plajı var ki, sonra ılıcaları. Ben Avrupa'ya gitmedim. Fakat Şefik Bey söylüyor. Çeşme kaplıcaları "bad"lardan daha güzelmiş, fakat her güzel yerimiz gibi orası da bakılmak istiyor. Biz geçen yazın hemen iki ayını Çeşme'de geçirdik, orası bana çok yaradı. Banyo ve deniz ihtiyacını burada nasıl temin edeceğim bilmem.

Mahmut, yaktığı uzun bir sigarayı emer gibi çekiyordu!

- Onu hiç sormayın Elvan Hanımefendi. Ben Avrupa'dan geldikten sonra o kadar "deranje" [deranged] oldum ki! Babam bu köşkü de sanki ev diye yaptırmış, içinde ne bir duş var, ne bir banyo. Hamide Hanım atıldı:

-Fakat koca kubbeli, iki kurnalı hamamı var. Pek lazımsa oraya bir banyo koyduruver.

- İngiliz usulü yapmalı dedim. Bir yerde okumuştum. İngilizlerin eski binalarını olduğu gibi muhafaza ederler, yalnız ne icat edilirse onu ilave ederlermiş. Mesela Kembric [Cambridge] darülfünunu bizim medreseler gibi pek eski bir bina olduğu halde İngilizler onu o hale getirmişler ki şimdi gezenler hayret ediyorlarmış. Elektrik koymuşlar, telefon, kalorifer, asansör velhasıl ihtiyaçları kolaylıştıracak ne icat edilirse hepsini alıp yerleştirmişler. Biz de eski evlerimizi böyle yapabiliriz, Hamide Hanımın teklifi pek doğru. Sizin güzel, mermer taşlı hamamınıza bir banyo, bir duş ilave etmek o kadar güç bir şey değildir zannederim.

Sohbet, şuradan, buradan dolaştı, eski gezintilere geldi. Hamide Hanım üç dört yıl evvel ailece yapılan Alemdağı, Taşdelen gezmelerinin şimdi hiç yapılmadığından şikâyet ediyordu.

- Niçin yapmıyorsunuz dedim. Burası İstanbul'un sakin bir sayfiyesidir. Mesela Adalar gibi, Tarabya gibi az çok gezintisi ve eğlencesi olan yerlere benzemez. Burada yapılacak şey kır gezintileridir.

Hamit:

- Bravo Elvan Hanım diyordu. O kadar doğru söylüyorsunuz ki! Bizim Hemşire Hanım yerinden kımıldamak istemez. Biz ne yaptık biliyor musunuz? Şu arkadaki çilek bahçesini düzelttik güzel bir tenis yeri oldu. Fakat oynayacak arkadaş bulamıyoruz. Her gün iki arkadaş sıngıl yapıyoruz. Ara sıra, Erenköyü'nde bir mis "leydi" var, o hemşiresiyle gelir parti yapabiliriz. Bizim eski âdetimizdir, sayfiyeye gelince mehtapta aya bakıp of, deriz. Akşamları erkence yemeğimizi yeriz. Sivrisineklerden kurtulmak için hemen cibinlik altına koşarız. Zaten sıcaktan susuzluktan bayılmışız. Üstümüze bir ağırlık çöker. Midemizde yayılıp bizi gevşettimi artık gözlerimiz kapanır gider. Böyle hayatta insan ne olmaz ki! Bizim Hemşire Hanım gibi enine boyuna yayılır, genişler durur. Bir kere eline raketi alıp da topa vurduğunu görmedik.

Hamide Hanım gömüldüğü büyük koltuktan davranıp kalkmak ister gibi hareket etmekle beraber toparlanamadı, yalnız beyaz ipek maşallahının yerlerde sürünen eteklerini toplayarak cevap verdi:

- Kendimi niye yorayım kuzum, manasız bir şey. Bir iki defa yapacak oldum, kan ter içinde kaldım. Bizim eski oyunlarımız daha güzeldi. Dedim ya, ne olduysa bizim çilek tarlasına oldu. Alimallah bütün konu komşu size lanet okudu.

Mahmut Bey bana sordu:

- Elvan Hanım sizin mektepte tenis oynadığınızı hatırlar gibi oluyorum. O zamandan beri hiç devam etmediniz mi?

- Pek az, İzmir'de, (Karşıyaka'da) Bornova'da birer tenis kortu vardı, geçen yaz orada bir müddet oynamıştım. Fakat ondan sonra bir daha elime raket almadım. Mamafih Hamit Bey sözümü kesti:

- O halde yarın sabah sizi bekleriz Elvan Hanım, biz de birkaç fazla raket var. Hatta zannederim iki tanesi kadın için. Zeynep Hanımı da o kadar alıştırmak istiyoruz ama bilmem neden arzu etmiyorlar!

- Arzu etmiyorum değil, fakat vakit bulamıyorum. dedi Zeynep, böyle ne kadar heveslerim var, fakat bilmem ki neden hiçbirini yapamıyorum. Mamafih Elvan geldi, belki beni de beraber sürükler.

- Elbette, dedim, Şefik Beyi de alıştırırız. O da İzmir'de oynuyordu. Her hâlde spora ait şeyleri pek sever. İzmir'de bir sandal peylemişti. Hemen iki akşam da bir körfezde gezerdik. Küreği kendi çekerdi, fakat böyle eğlenceler onun için âdeta bir vazife haline geldi mi tahammül edilmez olur. Mesela bir kere tenise başladı mı artık akşam sabah korttan çıkmaz.

Hamit'le Mahmut el çırpıyorlardı:

- Bravo Şefik Beye, fakat bu akşam neredeler.

- Dedim ya, alışırsa fenadır. Akşamları Kayışdağı yolundan Libade'ye kadar yürüyüşe başladı. Artık vakti, saati geldi mi duramaz. Bu akşamda saat altıya gelince çekildi, gitti. Hatta Hamide Hanıma söz vermeseydim ben de gidecektim.

Mahmut Bey başını salladı:

- Yürümek fena spor değildir. Fakat yalnız yürümek kâfi değil. Şefik Beyefendiyi tenise başlatırsak aşa[ğı] yukarı iki takım olabiliriz. Zeynep Hanım vadediyorsunuz değil mi, şu halde burada iyi bir yaz geçirebileceğiz. Mamafih yalnız tenisle de vakit geçmez. Akşamları poker yapar mıyız?

Herkesten evvel ben cevap verdim:

- Poker değil, fakat ara sıra birkaç parti briç fena değildir. Değişiklik olur.

Hamide Hanım programa bir madde daha ilave etti:

- Cuma günleri de şöyle ailece yemek yapıp Kayışdağı'na gideceğiz. Buna da karar mı?

Kardeşleri reye iştirak etmemekle beraber bu teklif de kabul edildi.

Geç vakit Zeynep'le beraber onlara veda edip duvardaki aralıktan geçtiğimiz vakit elinde kocaman bir çiçek demetiyle Şefik Beyin bahçe kapısından girdiğini gördük. Bizim komşudan geldiğimizi görünce daha uzaktan haykırdı:

- Hu komşu hanımlar ayol, akşam kahvesine gidersiniz de bana niçin haber vermezsiniz!

Şefik Bey komşular arasında vakitli vakitsiz misafirlikten hiç hoşlanmazdı. Hele sabah ziyaretlerine pek kızardı. Onun için bizim böyle geç vakit hem de duvarı aşıp komşudan gelişimizi görünce alaya başlamıştı. Zeynep cevap verdi:

- Ya siz, muhakkak Göztepe kahvelerinde nargile içiyordunuz!

Şefik Bey hem gülüyor hem de elindeki, kır çiçeklerinden, titreklerinden, sapsarı katır tırnaklarından yapılmış kocaman, saçaklı demeti gösteriyordu:

- İşte isbatı, diyordu, nereye gittim, ne yaptım. Bunlar size söylesin!

Artık bize yaklaşmıştı. Demeti bana verdi:

- E, anlatın bakalım, yine ne dedikodular yaptınız. Kimleri çekiştirdiniz?

Zeynep Şefik Beyin samimi haline karşı onunla pek çabuk teklifsiz olmuştu:

- Sizi çekiştirdik Şefik Bey, dedi. Genç, güzel karısını evde bırakıyor da, dağda, bayırda yonca topluyor diye!

Şahika ile ben arkada kalmıştık. Zeynep'le Şefik Bey önde yürüyorlardı.

- Haydi komşu hanımcığım haydi, dedi. Karımla aramı bozmak mı istiyorsun? Nafile zahmet etme, onunla içtiğimiz su ayrı gitmez.

Şefik Beyin eski kadınların ağzından kapılmış bazı cümleleri vardı ki bunları yan yana dizince eskiden mangal başlarında kestane patlatan, üst üste acı kahve cezveleri süren hanım annem gibi konuşurdu.

Mesela iyi saatte olsunlar, darısı başıma, tövbeler tövbesi, iki elim yanıma gelecek, ateşe kör bakayım gibi dadı, bacı ağızlarından kapma lakırdıları söylerken öyle tabii görünürdü ki onu dinleyen muhakkak:

Ne tuhaf adam, Avrupa'ya gitmiş, bu kadar tahsil görmüş de hâlâ dilini düzeltememiş derdi. Zeynep'i bahçe kapısına kadar götürdük. Şahika ile Şefik Bey bahçede, köşkün önündeki koltuklarda oturuyorlardı.

- Bir dakika müsaade edin, dedim, hizmetçilere bakayım. Teyzemin müsamahası ve biraz da baş göz olamaması neticesi hizmetçiler evin içinde âdeta birer küçük hanım olmuşlardı, onları vaziyetlerine iâde itmek için epey uğraşmak lazımdı. İçeri girdiğim zaman teyzemin sesini yandaki oturma odasından işittim:

- Elvan, kızım. Yarın misafirimiz gelecek, müjde! diyordu. Gayriihtiyari kalbimim çarptığını hissettim, beni kapıdan gören teyzem ilave etti:

- Tahir Ağa geldi yengenin yemişlerini götürmüş. Ziya'yı da görmüş. Yarın geleceğini söylemiş.

Ben sebebini bilmediğim bir heyecan ile renkten renge girerken teyzem ilave etti:

- Ziya için şu arkadaki bölüğü hazırlasak nasıl olur Elvan; hem düz ayaktır, hem de köşkten ayrı gibi. Bilirsin ya rahmetli eniştten bu daireyi âdeta selamlık gibi kullanırdı. Her şeyi ayrı. Yalnız karyolasını değiştirmek lazım galiba. Sen bir kere baksan fena olmaz.

Ziya'nın yarın geleceği haberi dimağımdan vücuduma yakıcı bir hararetle dağıldı. İçime garip bir ezginlik çöktü. İstanbul'a gelirken ona tesadüf edeceğimi hiç hatırıma getirmemiştim. Onun hakkında İzmir'de iken aldığımız en son haber yine teyzemden gelmişti. Teyzem bir mektubunda Ziya'nın hâlâ İsviçre'de olduğunu bir münasebetle yazıyordu. Bu manasız heyecan içinde bir dakika geldi ki kendi kendime düşündüm:

- Ziya'nın gelmesinden bana ne, dedim. O da uzak, yakın akrabamdan biri değil mi? Gelirse gelir, sefa geldi, hoş geldi. Teyzesinin evi değil mi, biz nasıl geldikse oda gelebilir. Yalnız Ziya'nın bizim Göztepe'de oluşumuzdan haberi var mı yok mu, bunu anlamak lazım. Teyzem hâlâ küçük bölüğe ait tafsilat veriyordu.

- Yukarıki boş odada bir pirinç karyola vardır. Kızlara söyle de onu indiriversinler.

- O iş kolay teyze, dedim. Sen hiç merak etme. Yarın her şey hazırdır. Tahir Ağa yengeme bizim Göztepe'de olduğumuzu söylemiş mi?

Teyzem gözlerini açtı.

- Tuhafsın Elvan, dedi. Zaten İstanbul'a niçin gönderdim. Elbet söylemiş. Hatta Ziya bir hafta sonra gelmeye karar verdiği halde madem ki onlar Göztepe'deler, ben de yarın giderim demiş.

Bunu işitince daha tuhaflaştım. Ben evlendikten sonra vakıa İstanbul'da çok kalmadıktı. Fakat iki üç ay kadar burada vakit geçirdiğimiz halde Ziya bir gün olsun bize gelmemişti. Düğün günü akşamı aile erkekleri için hazırlanan sofraya da sırf aile büyüklerine karşı ayıp olmasın diye ve hatta zannederim yengemin ısrarıyla oturan Ziya'nın o akşam Şefik Beyle tanıştığını söylemişlerdi, burada iki saatlik tanışmanın üzerinden tamam üç yıl geçti. Aile efradının çoğu dağıldı, kimi öldü, kimi şuraya, buraya gitti. İstanbul'da sade yengemle teyzem kaldılar, ötekilerle, annemle, babamla ara sıra mektuplaşırız. Fakat Ziya Avrupa'ya gitti gideli ne mektup aldık, hatta ne bir haber.

O mahut çürük hadisesinden sonra onunla ancak bir iki defa yüz yüze gelmiştim. Ondan evvel uzun bir mektup yazmıştı. Bu yazısında işittiğime tamamıyla inandığı sözlerin yalnız Nimet'e ait olduğunu, o meselede kendi günahı olsa bile asıl kabahatin bekâr bir delikanlının odasına gelen genç kıza ait olması lazım geldiğini iddia ediyor, kalbinin tamamiyle benimle dolu olduğunu söylüyordu.

Onun bu iddasına büsbütün canım sıkılmıştı. Kendi günahı örtmek için bir genç kızın, velev ki Nimet gibi hoyrat ve kaba olsun, her hâlde bir kadının izzetinefsini kıracak iddialara girişen bir erkek bence ne itimada, ne de sevgiye layık değildir.

Cevapsız bıraktığım bu mektuptan sonra onunla tesadüflerim pek ehemmiyetsiz oldu. Ben mümkün mertebe ondan kaçıyordum. O teklifinin reddedilişinden münfail, beni lisana getirmek ve yalnız, başa baş kalıp sevgisine beni inandırmak istiyordu. Kim bilir belki de buna muvafık olduktan ve benden muvafakat cevabı aldıktan sonra küçük bir sebeple beni ihmal edecek, benden intikam almak için arada teessüs edecek herhangi bir rabıtayı kendisi kırıp atacaktı. Bu hislerimde belki de vehm vardı. Belki de o samimi idi fakat onunla küçükten beri aramızda devam eden insafsız ve tükenmez bir rekabet ve gurur yarışı bana bu vehmi derin bir şekilde aşılamıştı. Onun sevgisine de itimadım yoktu, korktuğum şey onun tarafından tuzağa düşmek, izzetinefsimi yaralatmaktı. En tabii halde olanları bile hırpalayacak, bu düşünce bütün dimağıma yerleşmişken onun sevgiye, aşka, izdivaca ait hislerini, tekliflerini nasıl olur da samimiyetle kabul edebilirdim. O vakadan sonra Ziya'dan âdeta korkulu bir tehlike gibi kaçtım. Hatta ondan bahsedilirken bile etrafında ökse kurulduğunu hissetmiş tecrübeli bir kuş gibi tevahhuş eder, kalbimin üzerinden soğuk bir rüzgâr geçtiğini zannederdim. En son vaziyetimiz bu halde iken onun Göztepe'ye, hem de uzunca bir müddet kalmak üzere gelmek isteyişi beni yeniden vesveselere, kuruntulara düşürdü. Burada geçireceğimiz az çok eğlenceli ve sakin hayatın herhangi bir sebeple bozulmasını hiç istemiyordum. Bu, ancak çizdiğimiz programı hiçbir vesile ile değiştirmemek ve aramıza karışacaklara karşı gayet dürüst ve biraz da ciddi hareket etmekle kabildi.

Buna kalbimin bütün kudretiyle karar verdim. Biraz evvel içime çöken endişeden kurtulmuş gibi sakin bir gönül rahatı ile Ziya'nın dairesini hazırlamaları için kızlara emir verdim.

Yemekten sonra Şahika ile Şefik Bey biraz dolaşalım, dediler. Mama'dan Erenköyü'ne doğru giden araba yoluna kadar yürümeye karar verdik. Henüz ondördünü doldurmayan ay bahar içinde kalan bahçelere ince ve beyaz bir tül çekmiş gibiydi. Bu gece bütün bahçelerden hanımellerinin kokusu taşıyordu. Şefik Bey önde, biz Şahika ile yan yana arkada, sıra köşklerin önünden geçiyoruz. Baştaki dört tarafı balkonlu büyük köşkte ince saz var. Şefik Beyin bayıldığı şey. Avrupa'da dört beş sene kalmasına rağmen alafranga musikiye bir türlü alışamamış. Sazı duyunca hemen döndü:

- Şurada tarlanın içindeki cevizin altında otursak, dedi. İster misiniz? Pürüzsüz bir ney ihtizazlı bir tanburla beraber. Arada bir yaylı saz daha var. Fakat keman gibi sert değil, kemençe olacak. Ucu o kadar birbirine işlemiş ki, hele nây mustarip bir gönül lisanı gibi, hüzünlü ve hicranlı sesiyle ne kadar cana yakın.

Şefik Bey cevabımızı beklemeden yürüdü ve biz cevap vermeye lüzum görmeden onu takip ettik. Musiki, ne olursa ve nerede olursa olsun o kadar doyurucu, besleyici bir gıda ki! Gönül, çok kere bu ihtiyacı hissetmiyor, belki.. Fakat böyle durgun zamanlarda ince bir yay nağmesi, mini mini bir mızrap tanesi bütün varlığı ihtizaz ettirmeye kâfi geliyor. Bu gece, bahar, ay ve bu hasta yüreklerin lisanını söyleyen musiki beni o kadar mesut etti ki! Geç vakit köşke döndük ve cevizin altından ayrıldıktan sonra köşke gelinceye kadar aramızda bir tek kelime geçmedi. Gecenin kalbinden aldığımız mariz lezzet kalplerimize bir derin melal halinde çökmüş gibiydi, Şahika'yı odasına bıraktım. Şefik Beyin cibinliğini sıkıştırdım. Kendi yatağıma uzandığım zaman geç kalan ayda yüksek çamın arkasından indi, kayboldu.

- Siz beş yaptınız, bizim iki sayımız kaldı. Elvan dikkat partiyi bitiriverelim, hemen hemen güneşle beraber tenise başlamıştık, iki parti yaptık. Üçüncüyü Şefik Beyle ben, Mahmut'la Ziya'ya karşı oynuyorduk. Mahmut'un bütün vuruşları sakat. Toplar mütemadiyen fileye takılıyor. Uzun vuruşlarında büsbütün yanlara kaçıyor, Ziya ondan beter, daha raket tutmasını bilmiyor, vuruşlar üstümüzden geçiyor, ve biz sayı yaptıkça öyle hırslanıyor, kızarıyor ki.. Hep eski Ziya, hiç değişmemiş, hâlâ altta kalmamak, gururu kırılmamak sevdasında, nihayet bu partiyi de kazandık, fakat o kadar terlemiş, yorulmuştum ki parti bitince kan ter içinde kenardaki bez koltuğa çöküverdim.

Zeynep, Hamit ayrı parti yapmışlardı. Beyaz iskarpinlerimiz tozdan toprak rengi almış, saçlarımız elimize, yüzümüze, gözümüze yapışmıştı. Mahmut, büyük beyaz mendiliyle kurulanırken sık sık nefes alıyor:

- Şimdi ılık bir banyo olmalı, ondan sonrada mükemmel bir yemek! diyordu. Biraz sonra kardeşiyle beraber içeriye, köşke gittiler.

– Biz de gitsek artık, dedim, her tarafımız toz, toprak içinde. Yer iyi yapılmamış. Toz kaldırıyor.

Zeynep'le Şefik Bey yarın sabah bir singıl müsabakası yapmak için gürültülü bir iddia ile giderlerken biz de Ziya ile onları takip ediyorduk.

Beyaz pantolonunun paçalarına biriken tozları raketiyle vurup dağıtan Ziya'yı teselli etmek istedim:

- Oyun biraz da şans işidir Ziya Bey, dedim. Bugün partiyi kaybettiğinize hiç müteessir olmayın!

Biraz durdu. Gayriihtiyari yüzüne baktım. O zaman derinden gelen bir sesle cevap verdi:

- Partiyi yalnız teniste kaybetseydim hiç müteessir olmazdım. Fakat yıllar var ki bundan çok mühim, çok acı partiler kaybettim.

Öyle zannediyorum ki Ziya, ne zamandan beri içini yiyip kemiren büyük ıstırabı dökmek için Göztepe'ye geldi. Şüphe yok ki bu ima, o arzunun en aşikâr bir başlangıcıdır. İlk geldiği akşam karı koca çok samimi bir aile çocuğu gibi onu teklifsizce karşıladık. Şefik Bey, Avrupa'da kendisinin tahsilde bulunduğu zaman gezdiği yerler hakkında yeni yeni havadisler veren Ziya'yı çok beğendi. Kimse ile çabuk çabuk teklifsiz olamayan Şefik Beyin Ziya ile derhal anlaşması ve ona karşı samimi bir dost gibi hareket etmesi beni hiç de memnun etmemişti. Ben istiyordum ki Şefik Bey Ziya'yı biraz ağır karşılasın ve beni ondan kıskansın onların birdenbire teklifsiz oluşu beni de Ziya'ya karşı samimi olmaya mecbur etmişti.

Şimdi Ziya'nın kalbinden gelen bu acı sitem, üç yıl evvelki rekabetin, onun tarafında halen devam ettiğini anlatıyordu. Öyle müşgül bir vaziyette idim ki eskiden olsaydı Ziya'nın bu acı serzenişini soğuk bir kahkaha ile karşılar ve onu belki bir ay muazzep ederdim. Fakat şimdi aramızda hiçbir dargınlığın devamına imkân yoktu. Küçük bir ihtilaf, ehemmiyetsiz bir atışkanlık bile Şefik Beyin nazarıdikkatini celbedebilirdi. Şimdi Ziya her vesile ile bana sitemlerini, ıstıraplarını dökebilecekti ve ben onu men edemeyecektim. Çünkü yanımda hiçbir şeyden haberi olmayan kocam vardı. Ziya ile eski çocukluk maceralarından ve aramızdaki nişan meselesinden bahsedecek olsam Şefik Bey büsbütün meraka düşecek, eski bir hadisenin başka şekilde başlamasından kuşkulanacak ve bugün Ziya'ya karşı gösterdiği çok derin sevgi ve samimiyetin büsbütün zıttı olarak kendine mahsus o ağır, o tahammül edilmez tavrını takınacaktı. Her hadiseyi sükût ile geçiştirsem gururum tahammül edemeyecek, mukabele etsem daha ziyade yüz göz olmak tehlikeleri baş gösterecek.

Bütün bu hesap ve ihtimaller içinde Ziya'nın sitemine hiç cevap vermeyerek önden giden Zeynep'le Şefik Beye yaklaştım. Onlar yarın yapacakları tek partinin kavgasına şimdiden başlamışlardı.

- Acele etmeyin, dedim. Yarına kadar çok vakit var. Zeynep bu akşam bize gelir misiniz? Tabii yalnız değil kocanla beraber.

Şefik Bey de ısrar etti:

- Vallahi iyi olur. Seninki tavla bilir değil mi, bir parti de tavla yaparız.

Zeynep razı oldu. Bahçe kapısından onu selametledik. Dönerken biraz evvel aramızda hiçbir şey geçmemiş gibi gayet tabii bir hareketle Ziya'ya döndüm:

- Acıktınız galiba Ziya Bey, dedim. Hâlbuki bugün yemek biraz gecikecek galiba, aşçı sabahleyin Bostancıya oğlunu görmeye gitmişti.

Ziya'dan evvel Şefik Bey cevap verdi:

-Bizim teyze eskiden mükemmel çerkes tavuğu yapardı. Bilmem ama bir defa burada bize bir ziyafet vermişti. Kendi elceğizimle yaptım diyordu. Şimdi mutfağın semtine uğradığı yok galiba!

Ziya bana dönmüştü:

-Yengenizi görmeye gelmeyecek misiniz Elvan Hanım, Göztepe'ye geldiğinizi haber aldığı zaman o kadar sevindi ki! Sonra Şefik Beye döndü:

Çerkez tavuğu seviyorsanız İstanbul'a, bize geliniz. Annem pek meraklıdır. Mamafih bir ay daha geçtimi sıcaklar basınca artık yenmez olur.

Onları her vakit oturduğumuz terasta bırakarak içeri girdim. Mamafih Şefik Bey de yıkanmak arzusuyla arkamdan geldi. Yukarıya çıktı. Ben mutfak kapısında Gülter'e sofra için bazı tenbihler yaparken Ziya'nın ağır ağır sofadan geçip dairesine gittiğini gördüm. Gözü bana iliştiği zaman bir anda durdu. Göz göze gelmemek için içerisi ile meşgul göründüm. O da çok durmadı. Gölgesinin kaybolduğunu hissedince avdet ettim.

Dört kişilik masayı açtırdım. Teyzemle Şefik Bey yemeğe geldikleri zaman itiraz ettiler:

- Beş kişi koca masanın etrafında dağılacağız. Bunu bu kadar açacak ne var!

Cevabı evvelden hazırlamıştım:

-Akşama Zeynep'le kocası gelecek! Sonra belki ansızın bir misafir daha gelir, Kadıköyü'ne Nevsal'e mektup yazmıştım. Bugünlerde belki uğrar. Her hâlde ikide bir masa açıp kapamaktansa bir kere açarız, olur biter. Hem fena mı, rahat rahat yemek yeriz.

Mamafih bugün bu hazırlanmış cevabı sayıp dökerken Ziya'nın yüzünde ağır bir ıstırabın biriktiğini hissettim. Yerlerimize oturduğumuz vakit o, yanda kaldığı için gözlerimiz karşılaşmıyordu.

Ondan niçin korkuyor, çekiniyordum. Kendime itimadım yok muydu bilmiyorum. Yalnız Zeynep'le kocasını yemeğe çağırmak, onunla göz göze gelmemek için yerimi evvelden intihap etmek, ona karşı tahaffuz çareleri aramak bir korkuya delalet ediyordu.

Yemekten sonra Şefik Bey terastaki bez koltuğunda yeni âdetini bütün tetimmatıyla ifa etti. Köpüklü kahvesini, yanındakileri imrendirecek bir hopurtu ile içerken kalın sipahi ocağı sigarasının da dumanlarını fincanın içinden taşıra taşıra tüttürdü.

- Şimdi mükemmel bir siyaset yapmalı, diyordu. Nasıl Ziya Bey sizde de niyet var mı?

Ben sabahtan beri okumaya vakit bulamadığım gazeteleri gözden geçiriyordum. Ziya esnemek üzere açılan çenesini tutarak cevap verdi:

- Fena olmaz ama benim biraz yazım var, bitirirsem bir şekerlemecik de ben yaparım.

Şefik Bey Ziya Beyi yorgunluğun ve isteyip yaptırdığını yoğurtlu piruhinin tesiriyle düşen göz kapaklarını güç zapt ediyordu. Nihayet dayanamadı:

Yemekten kalkar kalkmaz yatılırsa hazım müşkül olmazmış! dedi. Ve herhangi bir mütalaa mahmurluğunu bozacakmış gibi cevap bile beklemeden çekildi. Teyzem oturduğu yerde kıldığı namazı için odasına gitmişti. Bir anda Ziya ile karşı karşıya kaldık.

Fincanları almaya gelen Gülter'e :

– Yukarıda bizim odada hokka kalem var, al da Ziya Beyin odasına bırak.. dedim.

Demin yazı yazacağından bahsedişi her hâlde Şefik Beyin uyumak teklifine karşı bir bahaneden ibaretti. Odasına kalem, hokka göndermekle onu müşkül bir mevkide bırakmak istedim, Gülter çekildi. Ziya sigarasını söndürüp attı. Boynumdaki uzun kolye ile oynar görünürken yan gözle onu tetkik ediyordum. Ben de birdenbire kalkıp gitsem çirkin olacaktı. Sonra, ona karşı zayıf görünmemek için de yerimi bırak[ma]mak lazımdı. Onun karşısında çekingenlik gösterdikçe belki de içinden:

-Benden kaçıyor. Muhakkak kalbinde bir zaaf var, diyecek ve belki de bu halime gülecekti.

Ondan çekinecek, korkacak hiçbir halim olmadığını anlatmak için onun hissedebileceği her hareketi yapmaktan kaçtım, mamafih sofrayı genişletmemden, akşam için Zeynep'le kocasını davet etmemden alındı. Aramızdaki sukût epey sürdü. Ben yengeme ait bazı havai şeyler sormaya hazırlanıyordum, fakat o benden evvel davrandı. Koltuğunda biraz öne doğru gelerek:

- Elvan Hanım, dedi ve başımı ona çevirdiğimi görür görmez devam etti:

- Yazı yazmak için hokka kalem gönderdiniz. Fakat ben yazmaktan vazgeçtim. Daha doğrusu yazacağım şeyleri söylemeye karar verdim, dinler misiniz?

–Seyahatinize, Avrupa'daki hayatınıza ait mi?

Başını salladı, sonra bu meselede sonuna kadar devam edeceğini anlatır gibi:

-Evet, dedi, Avrupa'daki üç yıllık hayatıma ait!

- Kim bilir ne meraklı hatıralardır. Bunları Şefik Beyin olduğu bir zamana saklasanız Ziya Bey. Biliyorsunuz ya, Avrupa'ya ait bahisler onun hoşuna gidiyor.

Fena halde sıkıldığını görüyordum. Onun ne maksatla hayatından bahsetmek istediğini anladıktan sonra vaziyeti idare etmek kolaydı. Ziya eskiden daha ağır, daha küskündü.

Benden gelen küçük bir istihza gururunu incitirdi. Hâlbuki dün tenis dönüşü lakırdısını cevapsız bırakıp yürüyüşüm onu müteessir etmesi lazım gel[irk]en biraz sonra sanki aramızda hiçbir hadise geçmemiş gibi benimle konuşmakta devam etti. Bunu Şefik Beyin mevcudiyetine versem bile her hâlde hassas bir adam kalbinin iyi veyahut fena arzularını gözüyle olsun belli eder. Hâlbuki Ziya'nın gözlerinde ve tavırlarında üç dört yıl evvelki derin kinlere tesadüf edemiyordum. Eskiden ehemmiyetsiz bir serzeniş veyahut istihza ile fenalaşan, günlerce küskün duran Ziya şimdi memul edilmeyecek kadar değişmişti. Onun bu pişkin haline karşı benim de daha ihtiyatlı olmam lazım.

Avrupa'daki hayatının hikâyesinde Şefik Beyin de bulunmasını tavsiye edince gözlerinin kırpıştığını hissettim. Bu hisle en son söyleyeceğini birdenbire ağzından kaçırmak ihtimali vardı. Derhal ilave ettim:

- Mamafih bu hatıraları yazıp kitap şeklinde bastırsanız daha iyi olur. Sizde eskiden biraz muharrirlik havası vardı. Ziya Bey zannederim ki Avrupa hayatı bu arzunuzu körletti. Ben gitmedim, bilmiyorum, fakat Avrupa'da birkaç sene kalanlar en sevdikleri âdetleri unutuyorlar. Bu arada gençliğe, hatta çocukluğa ait arzuların tabii izi bile kalmaz.

Ve ona yeni bir ipucu vermemek için devam ettim:

-Şefik Bey söylüyordu. Avrupa'ya tahsile gitmezden evvel bir zeytinyağlı yemeden sofradan kalkmak istemezmiş. Paris'te haşlama yemeklere alışınca hatta en sevdiği patlıcan dolmasını bile özlemez olmuş.

Onun maziye ve hislere ait hatırlamak istedikleri arasına böyle münasebetsiz bir patlıcan dolması lakırdısı karıştırınca ne söyleyeceğini şaşırdı. Kızardı. İçinden köpürdüğünü, hırslandığını anlıyordum. Birdenbire dirseklerini masaya dayadı. Gözlerimin içini arar gibi nazarlarını yüzümde gezdirdi.

-Elvan Hanım, dedi. Ben maziye ait hislerden ve hayallerden bahsedeceğim. Söyleyeceğim şeyler mide ile alakadar olsaydı yemekte anlatırdım.

Hiç tavrımı değiştirmedim:

- Olabilirim efendim, dedim. Fakat maziye ait kalp hatıralarını insan her vakit kendisi için saklamalıdır. Hani ne derler. Zaman olur ki hayali cihan değer.

Teyzem namazını kılmış, bastona dayana dayana yanımıza geliyordu:

Teyzem zamanında yetişmişti. Birdenbire:

- Öyle değil mi teyze, dedim. İnsan yemekte hamur işi yerse uyku basıveriyor. Bugünkü piruhi Şefik Beyi âdeta uyuşturdu. Fakat tuhaf değil mi ben onunla alay ederken şimdi bana da öyle bir ağırlık çöktü ki!

Teyzem vaziyetten tamamen habersiz sözlerimi tasdik ediyordu:

-Doğrusunu istersen öyle kızım. Hani benim de niyetim yok değil. Hem hava da bir acayip, lodos olunca ben büsbütün gevşerim. Ziya'nın hiddetten dudaklarını ısırdığını hissediyordum. Koltuğa yerleşmesi için teyzeme yardım ettim. Onun gelmesi benim vaziyeti kurtarmıştı.

- Ziya Bey yalnız kalmasın diye epey oturdum. Ben biraz yukarı çıkacağım teyze, akşama Zeynep'le kocası gelecekler. Gece çalmak için bazı notalar hazırlayayım.

Onları baş başa bırakıp dönerken ilave ettim:

-Belki de biraz uyurum da! Siz teyze oğul konuşun! İçeri girerken sevinçten içim içime sığmıyordu. Ziya'nın teyzemle baş başa kalması o kadar zamanında olmuştu ki!

Onun eski günleri hatırlatacak sözlerini dinlemek istemiyordum. Öyle zannediyorum ki Ziya'nın kalbine ve maziye ait hatıralarında benim bugünkü sakin hayatımı altüst edecek bir fırtına bulutu var.

Onun daha ilk geldiği günden verdiğim kararı değiştirmemek için ne yapmak lazımsa yapacak, onun nihayetinde heyecanlı bir sahne yaratmak ihtimali olan hatıralarını dinlemeyecektim. Yukarıya çıktığım zaman panjurun aralığından baktım. Ziya teyzemi bırakmış, gitmişti...

Zeynep'in genç ve güzel bir kocası var. Nazik bir erkânıharp, akşam yemeğine beraber geldiler. Onlarla o kadar meşgul oldum ki Ziya ile göz göze gelmek fırsatı bile çıkmadı. Mamafih onun belli etmek istemediği hıncını ben hissediyordum. Kendisiyle istihza ettiğimi anlıyor. Onu böyle küskün gördükçe hatta yalnız, baş başa bile kalsak yine galebe çalabileceğimi zannediyorum. Yemekten sonra Şefik Beyle Zeynep'in genç erkânıharbi, İbrahim Bey tavlaya oturdular. Biraz sonra Hamide Hanımla kardeşleri de geldiler. Artık sohbet kaynamağa başlamıştı. Zeynep, Mahmut, ben cuma günü için bir gezinti planı hazırladık. Akşamdan iki araba tenbih edip erkenden Kayışdağı'na gidecekdik. Hamide Hanım:

-Patlıcan zamanı olsaydı, dolma yaptırırdık, dedi.

Gayriihtiyari başımı çevirince Ziya ile göz göze geldik. Gülmemek için dudaklarımı ısırdım. O da aynı hareketi yaptı. Fakat hiddetinden, asabiyetinden!

- Mevsimi değil, dedim. Zeynep sizin aşçınız en iyi hangi yemeği yapıyor.

İbrahim Bey ondan evvel cevap verdi:

- İrmik helvasını mükemmel yapar hanımefendi. Emrederseniz o da bizim hissemize düşsün!

- Güzel, o halde, ben bir kuzu doldurtayım. Meyvesi de Hamide Hanımdan olsun. Tamam mı?

Şefik Bey kaybettiği oyunun üzüntüsünden tavlayı hızla kapadı.

- Tamam ya dedi. Bir mars üç oyunla yenildikten sonra hesap tamam olmaz mı?

Şefik Bey hiçbir lakırdıya karışmayarak mütemadiyen sigara içen Ziya'ya döndü:

- Hazret, sesin çıkmıyor. Şair mi olacaksın. Bu ne dalgınlık.

O mahmurluktan uyanır gibi başını kaldırırken Şefik Bey ilave etti:

- İddia ederim ki cuma günü için verilen kararı duymadın bile! Ziya başını salladı.

- Duydum, yine patlıcan dolması yapılıyor!

Büyük bir kahkaha fırtınası koptu. Bilhassa Zeynep bayılırcasına gülüyordu. Hamide Hanım:

- Zavallı çocuk, dedi. Ayol mayıs ayında patlıcan dolması olur mu?

Ziya paketten aldığı bir sigarayı ağızlığına geçiriyordu:

-Olur hanımefendi olur, dedi. Bazı dolmaların zamanı, mevsimi yoktur.

Onlar anlamamışlar gibi birbirlerine bakıştılar. Ben vaziyeti kurtarmak için:

-Zeynep sen de udunu al, Ziya Beye de bir keman buluruz. Hamide Hanım siz de keman var değil mi?

Hamit Bey cevap verdi:

-Bir keman var. Galiba kirişleri yok ama, takarız. Zeynep kocasını işaret etti:

-İbrahim iyi okur. Fakat cuma günü bir işim var diyordu. Ehemmiyetsiz değil mi İbrahim?

İbrahim Bey çok munis âdeta bir sevimli çocuk bakışı gibi tatlı gözlerini bize çevirdi:

-Çamlıcaya bir arkadaşa gidecektim. Fakat söylerim. Her hâlde sizden mahrum kalmak istemem.

Bu karardan sonra biraz musiki dinlemek için yukarıya çıktık. Evvela ben bildiğim şedaraban şarkıları çaldım. Zeynep de yeni eserlerden birkaç nihavent çaldı. Şefik Bey,

- Canım alaturka, diyordu. Her nağmesi hoşdur. Hele çalan hissederek çalarsa!

Şefik Bey daha lakırdısını bitirmeden piyanonun tuşlarında parmaklarımı gezdirdim. İlk içimden geçen Şopen'in *Rüya*'sı oldu, fakat devam etmedim. Şefik Beye:

Ya bu musiki fena mı, dedim. İnsan bir hissin ifade edildiğini anlıyor.

Zeynep alafranga musikiyi o kadar sevmezdi:

- Ne olursa olsun, dedi. Biz bu musiki içinde doğduk, büyüdük. Alafranga musiki belki de daha zanaatkâranedir. Daha incelmiştir, daha fennidir. Bunu itiraf etmekle beraber mesela kıvrak bir klarnet taksimini ben en mühim alafranga parçalara tercih ederim.

Şefik Bey ellerini çırpıyordu:

-Bravo Zeynep Hanım, dedi. O kadar doğru söylüyorsunuz ki! Ben Avrupa'da tam dört yıl alafranga musikiyi dinledim. İmkânı yok ısınamadım. Oturduğum pansiyonda bir Rus kızı vardı. Garp musikisinin en güzel parçalarını çalardı. Bir münasebetle ona şark musikisini çok özlediğimi söylemiştim. Bu çok istidadlı kız güzel piyano çalıyordu. Hiç unutmam bir bayram sabahı idi. Gurbet elinde İstanbul'u, ahbaplarımı, ailemi düşündükçe içime hüzün çöküyordu. Tam bu sırada ortadaki salondan bir piyano başladı. Ne çalınıyordu biliyor musunuz. Hani *Ey vatan, ey ümm-i müşfik şadu handan ol bugün!* şarkısı yok mu, o. Ne oldum bilmezsiniz. Gayriihtiyari ağlamaya başladım. O heyecanla dışarı fırladım. Bir de ne göreyim Rus kızı piyanoda değil mi. Sonra anlattı. Benim alaturka musikiyi özlediğimi hissedince bana bayram günü için bir sürpriz hazırlamış, bana:

-Bilseniz bu notayı buluncaya kadar ne çektim, diyordu. O gün bu alaturka parçanın bana yaptığı tesiri hiç unutamam. Başkadır, bu musiki başkadır vesselam, ama alafranga musikinin inceliğini, zanaatini inkâr etmem. Yalnız biz Zeynep Hanımın dediği gibi bu musiki içinde doğup büyüdüğümüz için ne olsa bu nağmeleri özlüyoruz.

Hamit'le Mahmut bu fikrin tamamiyle aleyhinde idiler. Hamit, acayip bir monşer hoppalığıyla bacağını bacağının üstüne atmış, yüzünde bir şey beğenmemeye karar vermiş gibi soğuk bir kırışıklıkla hemen hemen her lakırdıya itiraz ediyordu. Alaturka musiki içinde aynı soytarı tavırla:

-Bunlar musiki değil vallahi, dedi. Cenaze havası. Böyle havaları Avrupa'da "Funeray" [Funerary] diye kilise kapılarında dinlerler, hele demin Zeynep Hanımın çaldığı şarkı ne idi. Dur bakayım.

Sende aceb uşşâka eziyyet mi çoğaldı
Kân-ı kerem [ü] lutf u inâyet sana kaldı!

Ne matemli nağmeler yarabbi. Dinlerken gözümün önüne serviler, mezarlıklar, hayaletler geliyor.

Zeynep eski alaturka musiki üstatlarından ders almıştı. Hamit'in bu aşırı sözleri onu pek kızdırdı:

- Bu en güzel bir eserdir. Hamit Bey dedi. Hatta diyebilirim ki Hacı Arif Beyin en nefis bir şarkısıdır. Yalnız bundaki zanaatı anlamak için bu musikiye kalben bağlı olmak ve aynı zamanda biraz da musiki ile ülfet etmek lazımdır. Sorayım size, alafranga da en sevdiğiniz eser hangisidir?

Bütün bilgisi şuradan buradan toplanmış derme çatma malumattan ibaret görünen Hamit bu ciddi suali karşısında afalladı. Bir şey söylemek istedi:

- Şey, mesela La Traviata, Karmen (Carmen)...

Umumi bir kahkaha sözünü kesti. Ben fena halde kızmıştım. Alaturka musiki ile ülfetim olmadığı halde onun aleyhinde bulunanlara hiddetleniyorum. Hele Hamit'in bu maskaraca müdafaasına karşı dayanamadım.

- Haydi Zeynep, şu şedaraban şarkıyı çalayım. Sen de oku. Böyle ne istediklerini, hatta ne söylediklerini bilmeyenlere karşı kendi bilip hissettiğimizi okuyup çalmaktan başka çare yoktur.

Hamit kıpkırmızı oldu. Ötekiler sustular. Ben taze bir hevesle piyanoda parmaklarımı gezdirirken Zeynep'le İbrahim Bey okuyorlardı.

Ey gonca açıl zevkini sür fasl-ı bahârın,
Ben bülbülüyüm sen gülüsün bâğ-ı mesârın!

İbrahim Beyin hakikaten çok güzel bir sesi vardı. Şarkı birbirine kaynaşan nağmeleriyle devam ederken Şefik Bey gayriihtiyari takdir ve tebrik sadaları çıkarıyor.

- Bravo, enfes, yaşayın! dedikçe ben bayıla bayıla gülüyor, ara sıra başımı çevirdikçe Hamit'in ekşi, asık yüzünü görüyor büsbütün keyifleniyordum.

- Şarkı kuvvetli alkış şakırtılarıyla bitti. Şefik Bey:

- Bu makamdan başka şarkı yok mu diye bana soruyor. Ötekiler, alafranga münakaşasına yeniden başlıyorlardı.

Parmaklarımı yavaşça tuşların üzerinde gezdirdim. Çıkan nağmelerden *Indiyan* doğdu. Salonda ses kesilmişti. Şefik Bey biraz dinledikten sonra:

- Ha dedi bak bunu da severim. Hem de dikkat edin bakın, bu alafranga parçada biraz şark kokusu yok mu.

Biraz dinledikten sonra ilave etti:

- Ben bu parçayı dinlerken gözümün önüne develer, kervanlar, bornuslu Araplar geliyor.

Zaten yarı yerinde başladığım bu parçayı bitirdiğim zaman yanımda bir gölge gördüm. Ziya yavaşça gelmiş:

- Rica ederim Elvan Hanım, diyordu. Şopen'in *Rüya*'sını lütfeder misiniz?

Ötekiler seslerini çıkarmadılar. Yalnız Hamit, her vakitki ukalalığını yine gösterdi.

- Enfes bir parçadır. Sahi, isteriz Elvan Hanımefendi!

Ziya yanımda idi. Yavaşça fısıldadım:

-Şimdi başka bir şey çalacağım. Ses çıkarmayınız, dedim.

Ve gayet tabii bir hareketle Bize' [Georges Bizet]nin *Funeray*'nı çalmaya başladım.

Bu eski ve matemli parçayı bitirmek için çok müşkülat çektim. Fakat sevinçten içim içime sığmıyordu. Ziya tabii işin farkında idi. *Funeray*'ı bitirince başımı çevirdim:

- Nasıl Hamit Bey, Şopen'in *Rüya*'sı çok nefis değil mi?

- Bravo Hanımefendi, dedi. Hele sizin parmaklarınızdan çıkarken daha enfes oldu.

Artık kendimi tutamadım. Ziya da beraber öyle* bir kahkaha attık ki piyanonun telleri bile inledi.

Zeynep farkında olmuş, yaptığım oyunu ötekilere söylemişti. Şimdi hep birden gülüyorduk. Hamit işi hâlâ anlayamamış alık alık bakıyordu. Nihayet Zeynep dayanamadı, şark musikisi hakkındaki istihzalarının intikamını alır gibi:

-Vay alafranga Bey vay, dedi. Şunu Şopen'nin *Rüya*'sı diye dinlediniz ha! Lakin alafranga musikideki ihtisasınız pek müthiş, hangi konservatuvardan çıktınız beyefendi.

Hamit neden sonra oyunun farkında oldu. Kıpkırmızı oldu. Haline acımasaydım ben de alay edecektim. Fakat onun mahcubiyetini kendim hazırladığım için cezasını kâfi gördüm.

Gürültü, kahkaha arasında *Rüya*'yı çalmağa başladım.

Sık ormanlar içinden sızarak hafif bir şırıltı ile ince yarıklardan geçen ve tatlı bir ahenk ile yüksek yerlerden düşüp köpüklenen bir çağlayan musikisi gibi bu güzel parça bir anda salona hakim oldu. Herkes susmuştu.

---

* Metinde "böyle" olarak geçmektedir.

Ziya, yanı başımda, dirseklerini piyanonun üstüne dayamış, başı avuçları içinde, gözleri kapalı, dinliyordu.

Seve seve çaldığım eserlerin içinde *Rüya* en başta idi. Bazı eserlere insan ruhunun zevkini de ilave eder, *Rüya*'nın nağmeleri o kadar zevkime uygun, kalbime o kadar yakındı ki onlar[ı] notadan yahut hafızamdan değil tamamiyle kalbimden ve menbaını bilemediğim bir derin zevk ve arzunun heyecanıyla ifade ediyordum.

Rüya'nın son nağmeleri yavaş yavaş akan ve sonra damla damla sızan bir su ahengiyle nihayet buldu.

Salonu dolduran alkış sesleri biterken Ziya'ya baktım. Açılmayan göz kapakları arasından süzülmüş birkaç damla yaş solgun yanaklarında izler bırakarak ağzının iki taraflarında toplanmıştı. Kalbinin arzularını samimi olarak ifade edemeyen bilakis mağrur ve hodkâm hareketleriyle etrafındakilere daima teyakkuz ve ihtiyat telkin eden bu gencin ruhu o kadar muğlak, o kadar muammalı idi ki! Onu tetkik etmek bir tehlike idi. Fakat büsbütün hodkâmlığına inanmakta insafsızlık olacaktı, onunla belki on yıllık uzak yakın hayatımız daima bir mücadele içinde geçtiği halde ya o beni anlayamamıştı, yahut da ben onu... Merhamet bekleyenlere, zayıf ve hasta insanlara olan düşkünlüğüm çok fena.. Şu anda Ziya'nın gözlerinden süzülüp akan o birkaç damla yaş beni o kadar acıttı ki.. Geldiği günden beri ona yaptığım istihzalara pişman oldum.

Neden sonra gözlerini açan Ziya ilk defa bana baktı:

- Çok teşekkür ederim, Elvan Hanım, dedi. Eskisinden çok güzel çalıyorsunuz.

Şefik Bey de *Rüya*'yı pek severdi:

- Alafranga parçaların en hoşuma gideni, dedi.

Ben alay ettim:

- Her hâlde şedaraban şarkı kadar değil ama!

Gülüştük. Onlar lakırdıya dalmışlardı, ben eskiden hatırladığım bazı parçaları egzersiz yapıyordum. Ziya vaziyetini bozmamış, hâlâ dirsekleri piyanoya dayalı, başı avuçlarının içinde, dalgındı.

Raşinrak [Raşizak] ismindeki parçaya parmaklarımı alıştırıyordum.

-Elvan Hanım, dedi. Şu *Rüya* ile bana neler hatırlattığınızı biliyor musunuz?

Cevap vermedim. Fakat onun hatırladığı şeyler o kadar kalbimde idi ki!

Süleymaniye'deki evin salonunda, mektepten çıkmamız şerefine yapılan eğlenti gecesi ben piyano çalıyorum, Ziya kemanla bana refakat ediyor. Nimet hadisesinden sonra ilk defa azıcık samimi olduğumuz gece. Bir aralık o benden *Rüya*'yı istiyor, çalıyorum. Ve tabii ki bu akşam olduğu gibi o yanı başımda, elinde kemanı ve yayı dinliyor ve birkaç damla yaş yanaklarından süzülüp akıyor.

Musiki, heyecan ve gençlik benim haşarı, azgın bir at gibi zapt edemediğim hislerimi o kadar munis ve uysal yapıyor ki iradesiz bir inkıyat ile ona yalvarıyorum, kemanla *Rapsodi*'leri çalmasını istiyorum. O hiç ses çıkarmadan, yalnız gözleriyle gözlerimi arayarak yayını harekete getiriyor...

Bütün bir gecenin hayatı gözümün önünden geldi, geçti. İçime bir garip acılık düşmüştü. Hemen hemen onun beni arayan gözlerini bulup:

- Beni rahat bırak Ziya, görmüyor musun ne kadar mustaribim! diyecektim. İzzetinefsim sert ve hakim bir süvari gibi kalbime gem vuruyor ve bir an içinde vücudumdan gelip geçen raşe ile kendime geliyorum.

-Hayır Ziya Bey diyorum. Hayatımdan o kadar memnunum ki maziye ait hiçbir şey hatırlamaya lüzum görmüyorum.

Bu çok acı cevabın onu sararttığını gördüm. Yavaşça piyanonun yanından çekildi. Artık ben de kalkmıştım. Zeynep'le İbrahim Bey birkaç nihavent şarkı çaldılar, okudular. Nihayet ilk defa Hamide Hanımla kardeşleri, sonra da Zeynep'le kocası gittiler. Ben, Avrupa musikişinaslarının hayatı hakkında yeni bir bahse tutuşan Şefik Beyle Ziya'yı yalnız bırakarak yavaşça odama çekildim.

Bugünkü müsademeler daha ehemmiyetli oldu. Gün geçdikçe kalbimin mukavemet ve mücadele kudretinin arttığını hissediyorum. Ziya'nın her vesileden istifade ederek bana maziyi hatırlatmak isteyişindeki sebebi anlayamıyorum. Ben bugün evli bir kadınım, mesut muyum. Orası yalnız bana ait. Bedbaht değilim. Çünkü hayattan bir şikâyetim yok. Kalbim tamamen dolu mu, bilmem. Fakat ismini taşıdığım adamın hatırası kalbimin boşluklarını yabancı hislerle doldurmaktan beni men ediyor. Hayatımda çılgın bir aşk duymadım. Her genç kız gibi belki bir zaman ben de bu ihtiyacı hissetmiştim. Fakat hiçbir erkeğin aşkına inanmak için kalbimde namütenahi bir itimatsızlık var. O halde hayatımı hiç olmazsa kadınlığıma, izzetinefsime hürmet edeceğine emin olduğum birine bağladım. Kızlığımda hep bu korku ile yaşadım ve onun için Şefik Beye elimi uzattım. Nişanlanmak istediği kızdan haber beklediği gün elleri komşu kızlarının göğsünde gezen aşıklara gönül vermektense o bulamayacağım coşkun sevginin hayaliyle yaşarım daha iyi!

Bu kararımda ne kadar haklı olacağımı bilmiyorum. Yalnız hislerim beni hiçbir vakit aldatmadı, onu bilirim. Şu halde evlendikten üç yıl sonra kalbimin bu kanmamış ve heyecan hevesi tatmamış köşelerinde fırtınalar koparmaya çalışan hatıralara avdet etmekte ne mana var?

Her vakitki tereddütsüz ve dürüst kanaatimle buna karar verdim. Ziya ne kadar çalışsa susan ve arzularını zapt etmeye alışan kalbimi söyletemeyecekti!

...Son dakikada fikir değiştirdi. Kayışdağı'na gitmek arzusu Alemdağı'na döndü. Serin bir sabah, henüz güneş yok. Bahçelerin üzerine şeffaf bir kurşuni tül örtülmüş gibi. Arabacıların kalın sesleri ve hoyrat adımları bizi harimine çağıran sabahın nefîs sükûnetini yitiriyor. Hanımellerinin kokuları azalmış. Bahçelerde şimdi bütün çiçeklerin müşterek ve çok taze kokuları var. Arabalara dağıldık. Tesadüf mü, yoksa, herkesin sevkitabiiliği ile izhar ettiği arzumu, bilmem hangisi, birinci arabaya Zeynep'le İbrahim Bey ve Şefik Beyle ben bindik, ikinciye üç kardeşle Ziya birleştiler. İki hizmetçi ile sepetler, bağlar, sazlar üçüncü arabaya kaldılar.

Sabahın serinliği hepimizi üşütüyordu. Aldığım geniş örtüye Zeynep de sarıldı. Şefik Bey:

- Güneş çıkıncaya kadar üşüyeceğiz, dedi. Fakat hava bugün sıcak olacak. Bakın tepeler ne kadar dumanlı.

Tekerleklerin altında çatırdayan kumlar içimi gıcıklıyordu. Bahçe aralarında kıvrılıp büyük caddeye çıktık. Kayışdağı'nın sağ başında belirsiz bir beyazlık var. Yarım aydınlık içinde gün kurşuni bir kubbe gibi görünüyor. Yıldızlar o kadar sönük ve belirsiz ki! İbrahim Bey, asker olmasına rağmen ince bir artist ruhu taşıyan bu nazik zabit sabahın şeffaf çehresini ifade eder gibi hafifçe haber verdi:

- Güneş hazırlanıyor, bakın ufuk kızardı.

Başlarımız Kayışdağı sırtlarına dönüyor ve gökle arzın birleştiği dumanlı omuzların pembeleştiğini görüyoruz.

Arka arabadan Hamit'in kalın ve akortsuz sesi geliyor.

-Bir şey unutmadınız ya, dağ başında aç kalırsak karışmam ha! diyor.

Hodkâmlığını en değersiz şeylerde bile saklayamayan insanlara hiç ısınamam. Bu iki kardeşin, çok iyi ve cömert bir aile terbiyesi almalarına rağmen böyle duygusuz, hoppa ve biraz da küstah oluşları anlaşılır şey değil! Babalarını, Selami Beyi hatırladıkça bunlar gözümde öyle küçülüyorlar ki!

Arabalar yolun yüksek kısmına vardıkları zaman ağırlaştılar. Güneş sağımızdaki tepeden baş verdi. Deminki nefti ve kurşuni gölgelik pembeleşti. Tepeden dahme dahme ziya ve renk fışkırıyor. Yol tatlı bir meyil ile mütemadiyen yükseliyor.

Arabacı:

- Yollar çok bozuldu, diyor. Bakıldığı yok ki! Suya kadar gidemeyeceğiz. Yol üstünde dursak olmaz mı?

Taşdelen'e gelmişiz. Zeynep'le sarıldığımız örtüden çıktık. Güneş arkamızdan yükselmiş bizi ısıtıyor.

Arabadan ilk atlayan İbrahim Bey:

-Çok bir şey değil, dedi. Yirmi otuz adım yürüyünce su başındayız.

Taze ve vahşi otlar bürüyen daracık yola düzüldük böyle ısırganlı, dikenli vahşi otlarla örtülü yerleri o kadar severim ki. Muntazam tarhlı, havuzlu, lâklı bahçeler benim gözümü yorar. Bizim Süleymaniye'deki evin büyük bahçesi sırf bakımsızlık yüzünden öyle vahşileşmişti ki hele ilkbaharda her yerden fışkıran otlar, dikenler, aylandızlar* içinde dalları kırıp yaprakları kopara kopara yürüdükçe kendimde Afrika içlerinde ava çıkmış maceraperest bir seyyah hissi duyardım. Bu vahşi hisler, bu kadın kalbine yakışmayan katı arzular bana kimden geçmiş bilmem. Annem tam manasıyla oda içinde yetişip büyümüş bir ev kadını idi. Babam ömrünü memuriyetlerde, mutasarrıflıklarda, valiliklerde geçirmiş sakin bir adamdı.

Küçükten beri bir erkek terbiyesi almış gibi büyüdüm. İçimde hâlâ o hisler, o vahşi arzular var.

---

* Metinde "aynandoz" olarak geçmektedir.

Zeynep arkamdan gelirken haykırıyor:

-Doğru bir yol yok mu Elvan, eteklerim parça parça oldu.

Onun bağırışı ve her adımda sendeleyişi o kadar hoşuma gidiyor ki! Aşa[ğı]da Hamit'le kardeşi beyaz pantolonlarını kirletmeyecek düz ve rahat bir yol arıyorlar.

Sporcu görünmek için ellerinden raket düşürmeyen bu gençlerin bu çıt kırıldımlarına gülmemek imkânı var mı?

Zeynep eteklerime sarılıyor:

-Kuzum beni bırakma, diye yalvarıyor. İbrahim Bey atik sıçrayışlarla en önde! Şefik Bey ondan geri kalmıyor. Kocamın bu halini pek severim. Hiçbir şeyden geri kalmaz. Fakat hiçbir şeyde de ifrata varmaz. Sevgisini bile yudum yudum veren bu adamın en güvendiğim tarafı kalbi. Öyle biliyorum ki onun geç hareket eden kalbinde her kadın iz bırakamaz, varsın bana karşı da biraz durgun olsun. Bin bir tesadüfle dolu hayat yolunda kadınlığımı onun bir granit kadar sert ruhunu işlemeye vakfedeceyim. Bir hamlede ele geçen hazinelerin neşesi o kadar geçicidir ki!

Suya biraz uzak yüksek bir ıhlamur ağacının gölgesine halılar serildi. Şefik Beyle İbrahim Bey su başına geçtiler. İçleri damacana dolu iki talika, atları çözülmüş, ormanın kıyısında bekliyorlar. Birbirleriyle hemen dost oluveren arabacılar yolun bozukluğundan şikâyet ederlerken çirkin çirkin lakırdılar söylüyorlar.

Hamide Hanım, şişman vücudunu terleten dar yokuşu hâlâ bitiremedi:

- Güzelim Kayışdağı, diye tahassür ediyor. Ne yokuşu vardır, ne inişi. Bu taşlık, dikenlik yere ne geldik sanki! Ziya hâlâ arabaların yanında meşgul!

Zeynep ilerideki yüksek kavağın altında pantolonlarını berbat eden yapışkanları, temizlemekle uğraşan Hamit'le Mahmut'u işaret ediyor:

-Geçen akşam Hamit'i kızdırdık galiba, o günden beri bana biraz dargın gibi. Ama ne utandı değil mi? Sonra kulağıma eğilerek ilave ediyor:

-Kuzum Ziya ile aranızda hâlâ eski kin devam ediyor mu?

- Ne gibi? diye soruyorum.

Yanımıza gelen Hamide Hanıma işittirmemeye çalışarak devam ediyor:

- Mahut nişan meselesinden sonra barıştınızdı. Düğününde bulundu, şimdi eski münasebetleri, eski rekabetleri hatırlatacak sahneler olmuyor mu?

Omuzlarımı silkiyorum. Ve yalnız dudaklarım söylüyor:

-Evli bir kadının hatıralarla meşgul olmaya ihtiyacı olur mu Zeynep?

Zeynep bu cevaptan bir şey anlamamış gibi duraklıyor ve ben Hamide Hanımla konuşmaya başlıyorum:

- Kayışdağı'nı daha çok seviyorsunuz galiba, gelecek haftada oraya gideriz. Başka gidilecek yer yok ki zaten! Fenerbahçe'de bir şey var mı?

Zeynep cevap verdi:

- Eski Fenerbahçe'yi soruyorsan rüya oldu. Şimdi paraşol arabalarla yemek yemeye giden birkaç aileden başka kimseyi göremezsin.

Hamide Hanım ilave etti:

-Hatırlarsınız ya, bir zamanlar Fener bu tarafın, hatta İstanbul'un en kibar bir gezinti yeri idi. En yeni modalar, en şık tuvaletler orada görünürdü. Şimdi Zeynep'in dediği gibi iki atlı araba yüzü gördüğü yok! Çokları Ada'ya geçtiler. Eskiden yaz oldumu bizim köyden kiralık köşk arayandan geçilmezdi. Şimdi sinir hastası, hafif ciğer hastalığı olanlardan başka kimsenin ev aradığı sorduğu yok!

Fenerbahçe'ye ne kadar giderdik. Eniştemin, şimdi enkazını ahırın bir köşesinde gördüğüm güzel bir faytonu vardı. Biz çok defa Hacer'le beraber giderdik. Çorabımızdan çarşafımıza, peçemize kadar bir örnek giyinir öyle çıkardık. Hacer çok uslu, çok uysaldı. O kadar da şirindi ki: Siyah, tatlı gözleri, kısa koyu kumral kaşları, yuvarlak yüzü ve hele bir sıra, çok beyaz dişleri o kadar hoştu ki! Onun sahici bir şeftaliyi andıran esmerimsi kırmızı yanaklarından ne kadar öperdim.

Her Fener dönüşü Çiftehavuzlar'a gelince arabayı durdurur, tur yaparken atılan ufak zarfları eteklerimizin, ayaklarımızın altından çıkarır, okur, okur kahkahaları atardık. Bu renk renk kokulu, kokulu kâğıt parçalarında neler yazılı değildi ki! Ne aşık garipler, ne yanıp tutuşanlar, ne ah ettiği zaman kalbinin alevi gökyüzünü tutuşturanlar vardı. Hele sarı atlas döşeli urbasında kırmızı kadife yelekli, sarı podösüet [peau de Suède] ayakkabılı zevksiz, tabiatsız bir genç vardı. Hemen her cuma arabamıza bir mektup atardı. En hoşumuza giden şey bu mektupların hemen hemen aynı şekilde, aynı manada oluşu idi. Sonra hiçbirinde isim yoktu. Bir kısmı:

- Tende canım, şemsi cihanım efendim, diye âdeta tutiname ağzı, kimi de:

- Muhterem Hanımefendi! gibi yeni tarz hitaplarla başlardı. Bu gülünç mektuplar bizi bütün bir hafta eğlendirirdi.

Hacer'e musallat olan kır bıyıklı, matemli gibi daima siyah elbise giyip siyah kravat bağlayan bir adam vardı. Hemen her hafta tirşe bir zarf içinde köşesi çiçekli, ağzında mektup götüren beyaz kanatlı güvercin resimli kâğıtta kalın bir hoca yazısıyla ilanıaşk ederdi.

Mektubuna daima:

-Yürekte ahım, derde dermanım, ey benim letafetlü çeşmi siyahım! diye başlardı. Hacer'in o sevimli siyah gözleri için tutuştuğunu anlatmak isteyen adamcağız böyle bıkmadan, usanmadan onu takip ettikçe Hacer'i kızdırır:

- Ey benim çeşmi siyahım! Daha merhamet etmeyecek misin! diye damarına basardım.

Bunlar yarı çocukluk, yarı gençlik hatırası gibi kalbimizde kuvvetli değil fakat tatlı izler bırakarak kayboldu.

Elimdeki sazla oynarken düşündüğümü gören Zeynep şakaklarımdan düşen saçlarımı çekti:

- Elvan, bu ne dalgınlık, başını kaldır da bak!

- Tatlı bir rüyadan uyanır gibi silkindim. Hamide Hanım iskarpinlerini çıkarmış şişkin ayaklarına ökçesiz arkalı terliklerini geçirmeye çalışıyordu. Güldüğümü görünce o her vakitki kasavetsiz haliyle:

- Hiç ayıplama, dedi. İskarpinler fena halde canımı yakıyor. Bizim efendi olsa kıyameti koparırdı ama isabet ki bugün gelecek misafiri var.

-Sahi Hamide Hanım, dedim. Sizin bey geleceğini söylediği halde görünmedi. Cuma günü başkasına söz verilir mi?

Hamide Hanım üçüncü katı belirmeye başlayan gerdanını oynatarak yüzünü buruşturdu:

-İşine aklım ermez ki, dedi. Amerika'ya Halim'i göndereceklermiş. Ne yapacaklarmış. Bir İngilizle tercümanı gelecekler, kaçırmaya gelmez, kârlı iş, diyordu. Hatta gocunmayın, bugün için yapılan yaprak dolmasından onlara da ayırttım. İngiliz şark yemekleri seviyormuş.

Ziya, arkasında sazları taşıyan Gülter'le geldi. Eskiden kanı ağır, düşüncesiz bir çocuktu, şimdi kırk yıl mihnet çekmiş bir zavallıya dönmüş. Adım atarken sanki içinden bir ses:

- Sanki ne diye yürüyorsun, niçin yaşıyorsun diye onu tazip ediyor. Ruhun sıkıntısı çehreyi berbat ediyor.

Cali bir neşe içinde tabii görünmeye çalışarak:

- İnsan kendi sazını başkasına emanet eder mi, Ziya Bey dedim. Bakınız Gülter kemanı neresinden tutmuş.

Başını çevirdi ve Gülter'in kirişlerin üstünden avuçlayıp göğsüne bastırdığı kemanın gülünç vaziyetini gördü, ben olsam gülerdim. Dudakları bile oynamadı, bilakis omuzlarını kaldırdı:

-Ne çıkar, dedi değersiz şeyler ihmal edilmeye alışmalıdırlar. Ben aksi bir şey söylememek için dudaklarımı ısırdım, Zeynep bana baktı, Hamide Hanım mana çıkaramadığı bu cevaba bir kulp bulamadı, yalnız:

- Aman bu Ziya Bey de, dedi. Ağzından laf zaten dirhem dirhem çıkar. O da ya bilmecedir ya muamma.

Gülmek, eğlenmek için geldiğimiz bu yerde bir soğukluk çıkmasını hiç istemiyordum. Ziya'nın imalı ve kin[aye]li sözlerinden arzu etmediğim manalar çıkarmakla meşgul görünen Zeynep'in kolundan çektim:

- İbrahim Bey su başında bizi bekliyor. Kalk gidelim.

- Bir yere oturamazsınız ki! diyordu.

Yan gözle baktığım Ziya'nın sarardığını hissettim. Lakırtısını cevapsız bırakmak ona o kadar dokunuyor ki!

Tabii görünmek için:

-Siz de gelmez misiniz Ziya Bey, dedim.

Yüzüme bakmadan cevap verdi:

- Hanımefendiyi yalnız bırakmayayım, dedi.

Hamide Hanım:

-A, benim için kalma Ziya Bey, derken o bizden boş kalan halının üzerine uzandı. Zeynep'le el ele tutunmuş, taşların arasından sıçrayıp sendeleyerek çıkıyorduk.

-Ziya Bey fena içerlemiş Elvan, dedi. Hamide Hanımla kalmak için başka sebep yok.

- Eski huyudur, dedim. Bilmez misin, daha bahçede hep beraber koşup oynarken bile ikide bir kızar, somurturdu.

- Onun için Nimet'i alacak dedilerdi. Aslı çıkmadı. Nimet de evleneli iki sene oluyor.

- Hiç meşgul olmadım, dedim, hatta Nimet'in evlendiğini senden işitiyorum.

Su başına gelmiştik. Şefik Bey suyun daha çok akabilmesi için yapılması lazım gelen şeyler hakkında yanında duran İbrahim Beye tafsilat veriyordu.

-Vah vah, dedim, pek mühim bir şey unuttuk.

Şefik Bey durdu, ötekiler hep birden yüzüme baktılar. Zeynep:

- Ne unutulmuş, diye sordu:

- Kürsü! dedim, ama Şefik Beyin ders vereceğini ne bilecektik. Evvelce söylemeliydi. Kalem, kâğıt alır, notta tutardık.

İbrahim Bey gülüyordu. Şefik Bey benim böyle şakalarıma da alışkın olduğu için o da güldü.

- Mamafih, dedim. Ben Gülter'e kalın salıncak ipini unutma demiştim. İnşallah getirmiştir. Şu yüksek ıhlamura iyi kolan vurulur değil mi?

İbrahim Bey yola yakın sırttaki uzun ıhlamur ağacını gözden geçirdi:

-Mükemmel olur Elvan Hanım, dedi. Fakat oraya kim çıkıp da ipi üstteki dala geçirecek.

- Taşla atarak, dedim.

Şefik Bey, Zeynep ağacın boyunu hesaplıyorlardı. Zeynep:

- Ya, taşı kim atacak, dedi.

- Rica ederim, dedim, bu kadar erkek var. Hele şu ipi bulduralım da atması kolay.

Gülter'e seslendik. Parmak kalınlığında urgan geldi. Hep beraber aşa[ğı]ki yamaca indik. Bayıra gelince ağaç daha yüksek göründü, tepede kalın bir dal vardı, âdeta salıncak için çıkmış bir kol gibiydi. Fakat dümdüz ıhlamura çıkmak güçtü. Urganın ucuna taş bağlayıp atmak kolay olacaktı, fakat kalın urganı kaldırmak için en aşa[ğı] iki okkalık bir taş bağlamak lazımdı. Bunu da yaptık. Ya iki okkalık taşı on metre yüksek atacak babayiğit nerede idi.

Hamit, Mahmut, Ziya hepsi yanımıza gelmişlerdi. Herkes bir şey söylüyor, fakat söylenen lakırdıların hiçbirinden akla yakın bir tedbir çıkmıyordu.

Bir an geldi ki hemen maşlahımı atıp çoraplarla ağaca tırmanmamak için kendi kendimi güç tuttum.

Hamit, evde ekstansörle şişirdiği pazılarına güvenerek ortasından urganı bağladığı kocaman taşı atmak istedi. Vücuduna ve koluna en gergin hareketi verdi. Eski Isparta atletlerinin disk atmalarını taklit ederek bir hamle etti. Taş peşinden urganı da sürükleyerek iki metre kadar çıkıp düştü. Çabuk kaçmasaydı ayaklarını ezecekti. Kopan kahkahalar Hamit'i kızartırken kardeşi fotinlerini çıkarıyordu:

-Bravo Mahmut Bey, dedim. En doğru şey ağaca tırmanmak. Fakat biraz zahmetli. Mahmut sırtından ceketini de çıkarıp atarken muvaffak olacağından emin bir tavırla bana baktı.

Ona biraz daha cesaret verdim:

-Ayaklarınızı serbest bırakıp kollarınızı kuvvetli tutmaya çalışın!

Ve Zeynep'e eğilerek ilave ettim:

- Biliyor musun, bir defa sizin bahçedeki düz ağaca nasıl çıkmıştık. İçimde öyle hırs var ki utanmasam iskarpinlerimi çıkarınca atılacağım.

Zeynep kolumu dürtüyor:

-Çılgınlık etme, bu kadar erkek varken...

Mahmut, beş metre yükseğe kadar hiçbir dalı, tümseği olmayan ağaca sarıldı, ağacın gövdesi kalın olduğu için kucaklayamıyordu. En ziyade vücudu hafif ve atılgan tutmak lazımken bütün ağırlığını kollarına verdiği belli idi. Her ağızdan çıkan:

- Haydi, ha gayret, bravo! Alkışlarına rağmen ilk tümseğe gelemeden kesildi. Kan ter içinde yavaş yavaş aşa[ğı]ya kaydı, zavallının çorapları da parça parça olmuştu.

Şefik Bey:

-Bu işi yapsa yapsa, diyor bana bakıyordu.

İbrahim Bey:

-İmkânı var mı, nasıl olur, gibi Zeynep'e soruyordu.

– Rica ederim, dedim. Bu kadar genç, sporcu beyler varken.....

Sonra Şefik Beye Ziya'yı işaret ettim:

-Söylesene, bir kere de o tecrübe etsin!

Şefik Bey biraz aşa[ğı]da cep defterine bir şeyler yazan Ziya'ya seslendi:

- Ziya Bey, şampiyon arıyoruz. Şu yüksek dala ipi kim geçirecek.

Ötekiler ilave ettiler:

-Bir ümit sizde kaldı Ziya Bey. Haydi şu işi siz yapın!

Ziya Hamit'le Mahmut'un tarafına baktı:

-Yeni bir tecrübeye hacet yok, dedi. Arabacıları çıkartırız olur biter.

Gezmeye, eğlenceye bu kadar alakasız kalanlara pek kızarım. Böyle kır âleminde hem teklifsiz olmak hem de değişiklik yapmak ister. Dağ başında da merasimle oturup kalkacak olduktan sonra evden çıkmaya ne lüzum var. O kadar kızmıştım ki dayanamadım:

- Maksat eğlenmek, dedim. Arabacıları çıkartmak fikri her hâlde keşfedilmemiş bir tedbir değildir.

Ve sonra ötekilere dönüp ilave ettim:

-Ziya Beyefendi, daha resmi olmak için simokinleri getirmiş olsalardı!

Kulaklarına kadar kızardı. Bunun utanmaktan ziyade hırslanmaktan geldiği belli idi. Defteri hızla kapadı. Cebine koydu. Şefik Beyin yanına gelmişti:

-Hanımefendinin bugün yine keyifleri yerinde, dedi. İltifat buyuruyorlar. Hoşlarına gitmek için muhakkak ağaca tırmanmak, sonra sırt üstü düşüp acınmak lazımsa madem ki kırdayız, şu tecrübeyi bir kere de kendileri yapsalar olmaz mı?

Benden evvel Zeynep atıldı:

-Aman Ziya Bey, Elvan'a böyle şey teklif edilir mi? Göztepe'deki yarışı unuttunuz mu?

Ben gülüyordum. Ziya ağacın boyunu bir kere daha gözden geçirdi:

-Bu Göztepe koşusuna benzemez Zeynep Hanımefendi, dedi. Tecrübesi tehlikelidir!

Zeynep onu kızdırmak için bahsi körüklüyordu:

-İş iddiaya binerse sizi korkutan ağaca tırmanacaklar bulunur. Ziya Bey, dedi.

İbrahim Bey de beyaz iskarpinlerini çıkarıyordu.

-Şefik Bey, haydi, sende, dedim. Erkekler nöbetlerini savdıktan sonra sıra bize gelecek. Bakın Hamide Hanım şimdiden hazırlanıyor bile!

İbrahim Bey Ziya'yı yanına çağırıyordu:

-Doğrusu bu kadar istihzadan sonra oturmak olmaz Ziya Bey, dedi. Haydi şu işi beraber yapalım. Siz bana omuz verin. Çıkamazsam siz tecrübe edersiniz.

Ziya ceketini çıkardı. Ağaca tutunarak eğildi. İbrahim Bey çevik idmanlı vücuduyla atladı. Dala geçireceği ipi beline bağlamıştı. Zahmet çekmekle beraber dala kadar yetişti. Fakat hatıra gelmeyen bir aksilik oldu. Tam çekeceği sırada Ziya'nın ayağına dolanan ip muvazenesini bozdu. Adamcağız bir hamlede dala sarılmasaydı armut gibi yere düşecekti. Zeynep sapsarı olmuştu. Hepimiz haykırıştık.

İbrahim Beyin elinden kurtulan kalın urgan Ziya'nın başına geçmişti. Bu hem tehlikeli hem gülünç manzara karşısında ne yapacağımızı şaşırdık. Nihayet Şefik Bey, ipi elinde yuvarlak yaptı. Ve iskele çımacıları gibi gerilerek yukarıya fırlattı. Bir eliyle dala tutunan İbrahim Bey ipi kaptı ve bağladı. Salıncağın tahtasını geçirirken Hamit:

-Hep sizin nazarınız Elvan Hanım, diyordu. Alayınıza, istihzanıza hudut yok ki! Güleceksiniz, alay edeceksiniz diye insan yapacağını, edeceğini şaşırıyor.

-Rica ederim efendim dedim. Zamanında olan alaya kim tahammül etmez. Mamafih üzülüyorsanız yalnız size gülmeyeyim. Sonra Ziya'ya bakıp ilave ettim: Şunu da söyleyeyim ki gülünecek bir hale kimsenin gülmemesini isteyen daha gülünç olur.

İlk defa Şefik Beyle kolan vurduk. Ben salıncağı havalandırdıkça Şefik Bey:

– Kuzum yeter. Vallahi başım dönüyor diye yalvarıyordu. Onu bıraktım. Zeynep'le havalandık. O da benim kadar hevesli idi. Hamit'le kardeşi yeni bir iddiaya tutuşmuşlardı. Yükselirken kimin başı veyahut ayakları ağacın uçtaki dallarına sürünürse birinciliği o kazanacaktı. Bu iddia hatta salıncağa gelmek istemeyen Hamide Hanıma kadar, hepimizi hırslandırdı. Dallara kadar yükselen bir yaprak koparıp atacaktı.

İbrahim Beyle Zeynep tecrübe ettiler Zeynep çok hafif, İbrahim Bey de çevik ve kuvvetli olduğu için kazandılar. Onların bahsi kazanmalarını kıskananlar kendileriyle havalanacak arkadaş arıyorlardı.

Hamit ağaca bile tırmanamadığı halde kolan vurmaya can atıyordu. Kardeşinden ümidi kesince bana yalvardı:

-Rica ederim Elvan Hanım, şu yarışı beraber kazanalım.

Ben de istemiyor değildim. Fakat Hamit'e itimadım yoktu. Sert ve ağır hareket eden vücudunu havalandırmak güç olacaktı, hâlbuki böyle kolan vuruşlarda asıl idare ağır cihette, yani erkeğin tarafındadır.

-Size emniyetim yok Hamit Bey dedim. Sonra beni yarıda bırakırsınız, büsbütün gülünç oluruz.

O ısrar etti. Nihayet yükselmeye başladık.

Kolan vuruşun da kolay bir usulü vardır. Aşa[ğı]ya inerken ayaklar bükülür. Vücudun ağırlığı aşa[ğı]ya verilir. Yükselirken de aksidir. Hâlbuki Hamit o kadar söylediğim halde dikkat etmiyor. Hele biraz yükselince büsbütün şaşırıyordu.

-Dikkat edin Hamit Bey bana zahmet veriyorsunuz diyordum.

O sanki kazanılacak bir müsabakada değilmiş gibi ehemmiyet bile vermiyordu. Bilhassa onun ayaklarını büküp ağırlığını aşa[ğı] vermesi icap ettiği zaman vücudunu üzerime bırakıp dimdik durması muvazene yapıyor, bizi yükseltmiyordu.

-Bahsi kaybedeceğiz Hamit Bey, dikkat edin, diye tekrar ettim. Aşa[ğı]kiler heyecanla bizi seyrediyorlardı. Benim bu tavsiyeme karşı Hamit fütursuz bir tavırla:

-Bahsi kaybedersek ne ehemmiyeti var, dedi. Sizinle böyle yalnız kalmak zevki uğruna daha büyük bahisleri kaybetmeye razıyım.

Kulaklarım mı yanlış işitiyordu. O mu saçmalıyordu . Birdenbire o kadar şaşırmıştım ki bir şey söyleyemedim. O, sözlerinin tesirini görmek ister gibi yüzüme bakıyordu. Kollarımın gevşediğini ve içimde acı bir hıncın kabardığını hissettim. Her hareketi gülünç, her sözü münasebetsiz diye sohbetlerimizde istihza mevzuu olan zavallı gencin bu cüreti beni fena halde sinirlendirdi.

Bu çirkin ve beceriksizce tecrübenin şaka olup olmadığını anlamak için gözlerine baktım. Bu kurbağa bakışlı, çirkin ve şişkin gözlerde baygınlaşmak isteyen gülünç bir hâl vardı, onun bugün bir genç kadın olan eski komşu kızını elde etmek için bir arzu duyduğu belli idi. Evvela acımak, ehemmiyet vermemek istedim. Fakat dostluğunu yakışıksız bir tarzda, her hâlde hodkâm bir arzu uğruna suistimal eden bu genci yaptığı hürmetsizlikten dolayı mazur göremedim. Salıncaktaki vaziyetimi değiştirdim birdenbire ağırlaştık. Evvela ona şiddetli bir mukabele yapmak istedim. Sonra bunu da layık görmedim. Yalnız artık durmak üzere iken:

-Hamit Bey, dedim. Sözlerinizi latife telakki ediyorum ve rica ediyorum ki tebessüm ve memnuniyet vermeyen latifeleri tekrar etmeyiniz. O, somurttu. Ben gayet tabii görünmek için yere atlar atlamaz:

-Nafile, dedim. Benimle kolan vuracak arkadaş yok. Ne yazık ki bu işte birincilik Zeynep'le İbrahim Beyde kaldı.

Şefik Bey ağacın gövdesine dayanmış gülüyordu:

-Tecrübe edecek iki kişi kaldı. Mahmut Beyle Ziya Bey.

Mahmut hâlâ parçalanan çoraplarıyla meşguldü.

-Rica ederim beni bırakın, dedi. Yalnız çoraplarım değil ayaklarım da yırtıldı. Ve ilave etti:

- Hem yemek yemeyecek miyiz. Karnımız acıktı yahu. İbrahim Bey:

-Öyle zannediyorum ki Elvan Hanım birinciliği bize bırakmamak için muhakkak müsabakayı kazanmak istiyor. Ziya Bey bari siz hanımefendiye refakat edin!

Zeynep gayriihtiyari haykırdı:

−Baravo, tamam. Şimdi buldunuz işte! Ziya Bey bunun için de bir çare bulur. Arabacıyı çağırın da Elvan Hanımla kolan vursun, der.

Hepimizin birden şiddetli kahkahası Ziya'yı kızdırdı.

-Rica ederim. Zeynep Hanımefendi, dedi. Deminki ip meselesindeki teklifimi bahane tutmayınız ama Elvan Hanımla kolan vurmak büsbütün başka bir meseledir. Ben maalmemnuniye kendilerine iştirak ederim fakat korkarım ki beni yarı yolda bırakmasınlar.

Ziya'nın bunu ne maksatla söylediğini benden başka anlayan olmadı.

İçime birdenbire hiç istemediğim bir üzüntü çökmüştü. Zeynep ısrar etmeseydi Ziya ile salıncağa çıkmayacaktım. Yüzümde görüneceğini hissettiğim ye'si belli etmemek için gülmek estedim:

-Fakat bir şartla, kesildim, yapamayacağım dediniz mi, bir daha benimle hiçbir yarışa iştirak etmeyeceksiniz. Ziya başını eğdi ötekiler:

-Şart müthiş, haydi Ziya Bey, göster kendini! diye teşvik ettiler.

Epey yükselmiştik!

-Dikkat edin Ziya Bey, dedim. İnerken ağırlığınızı aşa[ğı]ya vermiyorsunuz. Kesileceksiniz.

Sık sık nefes alıyordu:

-Korkma Elvan, dedi. Senin için sonuna kadar mukavemet edeceğim. Ve biraz nefes aldıktan sonra ilave etti:

-Her şeyde olduğu gibi!

Bu çocuk yine bir şeyler söylemek istiyordu. Hâlbuki ne iddaya girişecek ne de asebileşecek zaman değildi. Onun için derhal cevap verdim.

-Şimdi şu partiyi kazanalım da başka şeyi sonra görüşürüz, dedim.

Bu lakırdım şöylece ağzımdan çıkıvermişti. Fakat Ziya'nın ehemmiyet verdiğini halinden anladım. Gözleriyle teşekkür ederek salıncağa kuvvet verdi. İki dakika sonra yaprakların arasında idik. Ziya büyükçe bir dal tuttu. Salıncak bütün hızıyla aşa[ğı] dönerken dal kırıldı. Bu zafer çılgınlığını aşa[ğı]dakilerin başına attık.

Yere indiğimiz zaman Zeynep, Ziya'yı tebrik ediyordu.

-Çok şükür kırk yılda bir kere Elvan'la kavga etmeden yarışı bitirdiniz.

Acıkanlar yemeklerin etrafına toplanıyorlardı. Yukarıda suya yakın bir yerde iki büyük meşe ağacının altında sofra kurulmuştu. Zeynep ellerini yıkamak için giderken bizi de çağırdı. Yanımda yürüyen Ziya'ya sordum:

-Avrupa'da böyle kır eğlenceleri yapar mıydınız Ziya Bey?

Gözlerinde deminki neşe ile karışık hafif bir gölge vardı:

- Mümkün mü, dedi. Hem kiminle! Ailesizliğin ne acı olduğunu tatmadınız Elvan Hanım. Kimsesizlik, hasret acıları, gurbet ıstırapları öyle derindir ki ne bayram, ne sevinç, ne servet hiçbiri o acıyı gideremez.

Ve bu acıları yeniden hissediyormuş gibi gözleri dumanlandı.

Ziya'nın bu içli ve samimi halleri eskiden beri hoşuma giderdi. Fakat onun bazen bir hoyrat ve somurtgan çocuk gibi birdenbire kabaran manasız gururu, azameti çok defa bu samimi duyguları körletir, göstermez.

Ben iyi biliyorum ki, o, gururundan, nefsine karşı olan emniyetinden ziyade kalbinden gelen bu içli duygularda samimidir.

Sırf o gayritabii ve lüzumsuz gurur ve itimadın tesiri altında, olduğundan başka türlü, hatta soğuk veya nahoş görünen bu gencin şefkatli bir kalbi olduğu belli idi. Fakat bu samimi şefkati ve sevimli halini görenler bila tereddüt ona hodkâm ve mağrur hükmü veriyorlardı. Benim de en zıddıma giden hâli, olduğundan başka türlü görünmek! Bu belki de sırasına göre bir meziyettir. Fakat görünüşte herkes muvaffak olamaz ki! Ve böyle iyi idare edilememiş yalancı görünüşler o kadar gülünç olur ki!

Ellerimizi yıkayıp döndüğümüz zaman hepsini yere halılar, hasırlar üstüne serilen sofranın başında bulduk. Şefik Bey:

-Mübarek Taşdelen, diyordu. Akşama kadar bakalım bize ne kadar yemek yedirecek. Yemekten sonra uyku faslı var değil mi?

O kadar acıkmıştık ki hiçbirimiz lakırdı etmeden dağılan yemeklerden tekrar almayı düşünüyorduk. Mahmut Bey irmik helvasını yerken:

- Paris'te bunun hasretini çekerdik, diyordu. Mulenruj [Moulin Rouge]'da bir Ermeni lokantacı vardı. Ne dersiniz. Bir kötü şiş kebap yemek için oraya kadar giderdik. Hamit, nihayeti gelmez gibi görünen bir iştiha içinde yemeye devam ederken ilave ediyordu:

- Fakat herif pilavı iyi yapardı. Zaten bir pilavla bir kebap hatırı, öyle müşteri tutmuştu ki!

İki kardeşin çeneleri açılmıştı. Yemek yerken Avrupa'da ne özledilerse hatta sarmısaklı, yoğurtlu patlıcan kızartmasına kadar bahsettiler. Ağır ağır yemeğine devam eden Ziya Beye sordum:

-Siz de Avrupa'da iken bir şey özlemediniz mi Ziya Bey?

Etrafına bakmayarak sükûnetle cevap verdi:

- Maalesef Elvan Hanım. Benim özlediğim şeyler arasında patlıcan dolması yoktu.

Bu cevaba Hamit'le Mahmut kızdılar. Fakat bir hafta evvel köşkün önündeki serzenişimin yerinde ve nazikâne mukabelesi olduğunu anladığım için asıl ben asebileştim. Zekâsı güç hareket etmekle beraber ince bir ruh ve zevk sahibi gibi görünen bu gencin tabii ki benim gibi affetmez bir kini de vardı, anlıyorum ki Göztepe de kaldıkça aramızda ictinap edilemeyecek müsademeler devam edecek. İstanbul'a tebdilihava için geldiğim halde böyle manasız ve lüzumsuz bir mücadeleye girişmeye mecbur oluşum canımı sıkıyordu. Ziya'ya karşı katı bir vaziyet almak icap ediyordu kim bilir, belki benim yerimde başkası olsaydı, kocasından işitmediği aşk nağmelerini hararetle terennüm eden genç halazadeyi susturmak değil söyletmek için çalışırdı.

Ziya'ya karşı evvelki kararım mukavemetti. Fakat bunun neticesinde biraz tehlike görür gibi olduğum için vaziyeti değiştirip her türlü ihtimallerin önüne geçmeye ve hatta mücadele imkânını kestirip atmaya karar verdim. Bu kararı bana verdiren salıncakta kolan vururken ihsas ettiği dertleşme ihtiyacının meşkûk tehlikeleri idi.

Yemekten sonra kimsede kımıldayacak hal kalmamıştı. Hepimiz kilimlerin, halıların üzerine uzandık. Birkaç defa kolan vurmaktan sızlayan kollarım dinlenirken dalmışım dalların arasından giren bir avuç güneş yüzümü yakınca gözlerimi açtım. Şefik Bey de kalkmış. Sırtına giren karıncayı bulmaya çalışıyordu. Uyandığımı görünce beni imdadına çağırdı.

- Şu kâfir mahluku yakala Allah aşkına. Deminden beri sırtımda geziniyor, öyle sinirlendim ki! Bir karınca ama adama uykuyu zehir ediyor.

Onu kızdırmak için:

- Öyledir, dedim. Sinek de ufaktır ama mide bulandırır. Asıl küçük mahluklardan korkmalı.

Uyku mahmurluğuyla büsbütün canı sıkıldı:

- Haydi, haydi, sen de felsefe yapma, yakaladın mı, hah, Allah senden razı olsun, oh benim şeker karıcığım, gördün mü tam zamanımda imdadıma yetişir.

Şefik Beyin biraz hodkâm olan sevgisini eski ev erkeklerinin ağır ve sert muhabbetlerine benzetirim. Yalnız onunla aramızda samimi bir teklifsizlik vardır. Öyle hatırlıyorum ki büyük babam annemle son zamanlarına kadar hanım, efendi diye birbirlerine hürmetle çağırarak konuşurlar, sizli, bizli hareket ederlerdi, bilmem ama o kadar merasimli karı kocalık da pek hakiki olmaz.

Bizim uyanıp konuşmamız ötekileri de kaldırdı. Rastgele uzanıp yatmaktan kiminin kolu tutulmuş, kiminin başı ağrımıştı. Pek tatlı gelen uyku faslından sonra şimdi ahlı, oflu bir mahmurluk başlıyordu, Hamide Hanım şişman vücudunu yerleştirdiği bir sel çukurundan gözlerini açmış haykırıyordu:

-Allah rızası için birisi elimden tutsun, yoksa buradan çıkamayacağım.

Kardeşleri iki elinden tutup çektiler. Güneşe gelen yüzü parça parça kızarmıştı. Herkes kalktığı halde Zeynep'le İbrahim Bey meydanda yoklardı. Şefik Bey bana bir şey söylemek ister gibi manalı bakarken onların su başından indiklerini gördük. O zaman Şefik Bey tecessüs ve telaşının manasızlığını gidermek ister gibi onlara seslendi:

-Gelin bakalım, saz faslı başlayacak!

Hamit doldurduğu ikinci bardağı ağzına boşaltıyordu:

-Ondan evvel bir fasıl kahvaltı etsek fena olmayacak. Vallahi karnım zil çalıyor.

Şefik Bey biraz kendini yoklar gibi ağzını şapırdattı:

-Eh, fena olmaz hani, dediğim çıkıyor, akşama kadar birkaç parti yemek yiyebileceğiz.

Gülter'in ortaya koyduğu büyük bir tabak dil peyniriyle kirazın başına toplaştık. Şefik Bey:

- Vallahi eski Romalılara döndük, diyordu. Ye, iç, yat, kalk yine ye, iç, yine yat!

Beş dakika içinde tabaklar boşalmıştı. Şefik Bey udu Zeynep'in eline tutuşturdu:

-Haydi bakalım, Ziya Bey, sen de al kemanı! Bak İbrahim Bey, Taşdelen suyu sesimin akorduna bire bir geldi, diyor.

Sonra bana dönerek ilave etti.

- Senin için piyano getiremedik Elvan Hanımefendi, artık siz de bizim gibi samiîn meyanında bulunacaksınız. Zeynep udunu akort ediyordu.

- Öyle şey yok Şefik Bey dedi, Elvan ud da çalar, ama kendisi udu beğenmez o başka, fakat bugün istemeye istemeye çaldıracağız. Hem Elvan keman da çalmıyor mu?

Üç dört sene evvel Ziya'yı kızdırmak için biraz keman çalmış, sonra bırakmıştım, yalnız İzmir'e ilk gittiğimiz zamanlar üç ay kadar piyanosuz kalınca kemanla biraz daha meşgul oldum fakat çalışım hiçbir vakit bir heveskâr derecesini geçemedi. Şefik Bey bunu bildiği için hemen tasdik etmeye hazırlanıyordu. Ziya'nın yanında keman çalmamın imkânı yoktu. Onun için Şefik Beyden evvel davrandım:

- Eskiden, biraz heves etmiştim. O kadar kaldı. Şimdi yay tutmasını bile bilmiyorum, dedim.

Ziya gözlerimin içine bakıyordu. Zeynep'e işaret edemedim. O da hâlâ ısrar ediyordu:

- Hayır a canım, İzmir'de çok çalışmışsın, kim söylediydi, buldum. Nevsal'a yazdığın mektupta okudum.

Artık Şefik Bey de ikmal etti:

-Pekâlâ efendim, hele siz bir fasıl yapın bakalım da sonra onu da dinleriz. Elvan'ın çaldığı dediğim gibi heveskârlıktan ibaret. Evvela sanatkârlarımızı dinleyelim, sonra...

Ziya'nın yüzünde endişeli çizgiler, hareketler belirmişti. Kulağına yaklaştırdığı tellerin sesini dinlerken fikren çok meşgul insanlarda görülen durgun bir bakış vardı.

- Haydi, Ziya Bey, dedim. Ne zamandır udla keman dinlediğimiz yoktu. Şimdiden söyleyeyim, faslınızı bitirdikten sonra benim için *Rapsodi*'leri çalacaksınız.

Boynunu eğdi:

- Ben de şimdiden rica edeyim. Onlardan evvel kemanınızı dinleteceksiniz:

- Gülmek ihtiyacında mısınız?

-Hayır, dinlemek ihtiyacındayım. Elvan Hanım başkasına güler, fakat kendine güldürmez. Ona hepimiz eminiz.

Manasız bir kahkaha attım:

-Teveccühünüzün minnettarıyım beyefendi. Yalnız parlak cümlenizin bir yerini değiştireyim. Elvan Hanım güler, fakat istihza etmez. Şefik Bey tam zamanında musalaha yaptı:

-Felsefe kâfi, haydi bakalım saz dinleyeceğiz. Ve eline aldığı bir tabağı def gibi tutarak okumaya başladı:

Uslan ey dil uslan artık ihtiyar olmaktasın!

Onun neşeli hâli ömürdü. Kravatsız, devrik yakalı gömleğinin düğmelerini çözmüş, kolları sıvalı, saçları dağınık, haliye hafızlar gibi diz üstü oturmuş, herkese lakırdı yetiştiriyordu. Okuduğu şarkıya hepimiz güldük, İbrahim Bey:

-Emredin beyefendi, ne faslı yapalım, diyordu.

- Ne bileyim ben, dedi. Sizin makamlarınızın sayısını Allah bilir. Acemaşirandan tut da kürdilihicazkâra kadar ülke ülke faslınız var. Hangisi hatrımda kalır ki... Ben makamları bilmem, birkaç şarkı bilirim o kadar. Zeynep'le İbrahim Bey bir şeyler konuştular. Zeynep:

- Şedaraban çalalım, diyor, kocası:

-Evvela bir nihavent yapalım da sonra diye ısrar ediyordu. Akordunu bitiren Ziya dayanamadı:

-Rica ederim Zeynep Hanım dedi. Biraz da benim fikrimi almaz mısınız. Ben de Şefik Bey gibiyim. Bildiğim şeyler ağızdan işitilmiş birkaç parça şarkıdan ibaret!

İbrahim Bey:

-O halde iş değişti, dedi. Biz size tabi olacağız. Fasıl düşünmeye lüzum yok, ne şarkılar biliyorsunuz bakalım.

-Birkaç tane, mesela, İstanbul'a geldiğim zaman yeni öğrendiğim bir şarkı var, fena değil.

Koparan sinemi ağyar elidir,
Dost elinden yüreğim yarelidir,
Yareme yare açan yar elidir

[Bimen Dergazaryan, Muhayyerkürdi]

İbrahim Bey güldü:

-Ha, güzeldi. Uşşak ama, muhayyerden girmiş! Zeynep sen de var değil mi? Haydi öyle ise...

Ziya İstanbul'a geldikten sonra öğrendiği şarkının güftesini okurken gözlerime bakıyordu. Bilhassa:

Yareme yare açan yar elidir.

derken gözlerini kırpmadan baktı. Onun bu çok sitemli bakışları göz kapaklarımı aşa[ğı]ya çekti. Mukavemet edemediğimi hisseder gibi olunca lakırdı etmek ihtiyacıyla Şefik Beye seslendim:

- Bu şarkı sende de var değil mi Şefik! Ona cevap vermeden İbrahim Beyle beraber okumaya başladı, alaturka musiki böyle kırda, açık yerde o kadar cansızlaşıyor ki, nağmelerin ihtizazı, ahengi bile kalmıyor, hele ud o kadar zavallı oluyor ki!

Ziya'nın bildiği birkaç parça şarkıyı çaldılar. Yemekten sonra bu sakin dağ başında inilti, hicran, hasret ve figan söyleyen bu musiki hepimizi uyuşturmuş gibiydi.

Sabahtan beri neşeden, kahkahadan geçilmeyen su başına birdenbire ağır bir matem havası çökmüştü. Gün sıcaklığını gidermiş, güneş düşmüştü. İçimde sebebini anlayamadığım bir hüzün vardı. Sanki bir el kalbimi açmış o endişesiz, o şen yuvaya bir avuç melal ve ıstırap salıvermişti.

Yavaşça kalktım. Hatta istediğim *Rapsodi*'leri çalmak için kemanını tize akort etmeye çalışan Ziya'nın bu hareketini bile görmek istemeyerek ağır ağır su başına doğru yürüdüm. Şefik Bey arkamdan sesleniyordu.

- Gezmeye gidiyorsan biz de gelelim Elvan!

Sebebini bilmediğim bir yalnızlık arzusuyla gayriihtiyari cevap veriyorum:

- Hayır, şimdi geleceğim!

Ve ayaklarımın hareketine tabii olarak gözlerim dalmış yürüyorum. Su başında şişeleri doldurmaya çalışan birkaç adam kaba kaba konuşuyorlar. Ağır fıçıları kaldırdığı için olacak, boynundan dizlerine kadar çuval koyan traşlı, kara ve kısa bir adam arkadaşına anlatıyor:

- Bu suyun başına bir kulübe yaptırmalı. Gündüz vur çifteyi omuzuna akşama kadar avlan, akşam oldumu ye bıldırcını, iç suyu, yat aşa[ğı]ya!

Öyle saf bir gönül lisanıyla anlatıyordu ki bu pürüzsüz, dar kanaatli arzuları saadetini bozmayacak kadar sade insanı daha çok dinlemek, onun dümdüz insanlığını daha yakından görmek istedim. O damacasını doldurmuş, sırtlamış arabasına götürüyordu en son:

- Ne, dedi. Ne olacak, bizimkisi de laftadır. Ama senin zengin dediklerinin de bir şey bildikleri yok ha, Kadıköyü'nde bahçede ağaçlar içinde, izbe bir köşede koymuş bir masa, ne zaman gitsem bakarım, elinde bir koca kitap okur bire okur, okur bire okur. Allahın bir delisi vesselam! Ama paralı da ha! Evi tıklım tıklım dolu... Onun yerinde olsam atarım çifteyi omuzuma, çıkarım ormana. Ama keklik, ama şahin, yakarım barutu!

Ve sonra kendi kendine bir türkü tutturarak arabasına doğru gitti:

Yemenimin yeşili,
Şimdi buldum eşimi,[Ben kaybettim eşimi]
Yemenim sende kalsın,
Silersin gözyaşını![Sil gözünün yaşını]

[Talip Özkan]

Pürüzsüz ve gür bir sesle o kadar güzel okuyordu ki! Ağaçların sıklaştığı yere kadar gittim. Olduğum yerden artık bizimkiler görünmüyordu. Yeşil otların döşediği bir tümseğe oturdum. Birbirine karışan ağaç dalları gökyüzünü göstermiyordu.

Yerler kuvvetle fışkıran yeşillikle örtülü idi. Ormanın yeşil koynundan kır böceklerinin ince musikisi geliyor... İnsan tabiatla yalnız kalınca kalbini daha iyi dinliyor ve hele hayatı daha vazıh, daha hakim görüyor. Tabii ki yüksek bir yerden, bir kaleden şehre, kalabalığa bakarken hissettiği kavrayışı, hakimiyeti hissediyor. Şimdi etrafım hep yeşillik, ve vahşi otlar, dikenler, sarmaşıklar ve ağaç köklerinde rengi ifade edilemiyecek kadar güzel yeşil kadifeye benzeyen yosunlar.

Onları elimle okşuyorum. Taze ve vahşi bir koku ruhuma işliyor. Tabiat ne bakir ve ne kadar temiz. Hepimiz doğuşta belki bu taze ve el değmemiş yeşillikler gibiyiz. Fakat hayata karışınca vücutlarımız gibi gönüllerimiz de pörsüyor. Tabiat her mevsim dönüşünde tazeleniyor. Ya bizim daima ihtiyarlayan gönüllerimizin ne ümidi var. Aşk mı? Aşk da insanların tesellisi. Ölen ve pörsüyen ruhlara can verecek kadar kurtarıcı aşk var mıdır? Ben böyle gönül tazeleyen bir aşka can veririm. Fakat maalesef bu mucizeyi yaratacak kimse yok! Böyle kalbimi dinlediğim yalnızlık zamanlarımda bazen o kadar bedbin oluyorum ki! Hayatımdan şikâyetim yokken kalbimin böyle tehlikeli heyecan ve hareket arzularını anladıkça sinirleniyorum. Bereket ki bu arzular yalnızlık zamanlarımda bana gülüyor. Her günkü hayatımda bunları hissedecek olsam etrafımda dolaşan tehlikeli insanlar çok memnun olacaklar. Fakat ben ne olacağım. Gururunu kırmış, elini verdiği hayat arkadaşının şerefini ezmiş bir kadın. Bunun karşılığında kalbim dolsa, gönlüm o zevk veren heyecanı hissetse belki! Ben öyle bir aşka gönül vermeliyim ki kırdığım gurur ve şeref beni düşürmesin yükseltsin. Öyle zannederim ki seven ve sevilen bir kadın, aşkına varırken gururunu düşünmez. Onun yüksek şerefi sadece her zerresini sinirlerine ve gönlüne sindirdiği aşka hürmettir. Gurur ve şerefin düşünüldüğü yer insanın gaflet anlarından gözlerini aldatan ve aşk ismi altında gönlüne girmeye çalışan geçici, hodkâm maddi hevesler ve maceralardır.

İnsan, mesela şu zavallı Hamit'in yüzüne gözüne bulaştırdığı ilanıaşk gibi heyecan yerine isyan veren macera başlangıçlarına kapılacak olsa neticede izzetinefsinin kırılmasından başka ne bulacak? Kalbin heyecan ihtiyacını tatmin etmeden iki vücut arasında başlayan macera, şerefini bilen mağrur bir kadın için ne büyük bir hicap ve ne derin bir ıstıraptır.

Ben öyle bir sevgi isterim ki hayatta mukaddes tanıdığım rabıtaları incitmesin ve gururumu acıtacak kadar ileriye gitmesin. Yalnız gönülde kalan bir aşk belki de heyecan vermez gibi görünür. Fakat onun ebedileşmesi için zaten gönülden çıkmaması lazım değil mi? Bana öyle geliyor ki gönülden ayrılıp adaleye, vücuda intikal eden bir aşk ilk heyecanını da kaybedince adi ve maddi bir macera oluverir. Benim hayalimdeki aşkta maddi bir zevk ve emel yok. Kim bilir belki de yanlış düşünüyorum. Bu çapraşık hisleri ve arzuları bana duyuran, belki de evli bir kadın olmamdır. Fakat ben kızlık zamanımda da o içli aşkı düşünürken ve hayalimde bugün bile yaşayan ve benden aşk isteyen çehrelerin gölgesi mevcutken yine aynı şeyleri düşünüyordum, elime değen bir erkek eli hatta sevmek ihtimali olan birinin eli de olsa bana ıstırap verirdi. Buna rağmen mesela o çehrelere ait herhangi ince bir his ve hareket beni saatlerce düşündür[ür]dü.

Şimdi anlıyorum ki hisleri muntazam bir kadın, aşkı sadece bir gönül davası olarak kabul ediyor. Fakat sevgiyi kalplerinde yaşamayanlar için aşk ismi altına sığınan buhranlar nihayet sürekli bir macera olup gidiyor.

Geç hareket eden kalplerde aşk ümidi vardır. Fakat ufak bir temasla çözülen gönüllerde öyle ruhi ve asabı istila edecek yüksek bir aşk aramak ne kadar faydasız.

Uzaktan bizimkilerin seslerini işitiyorum, galiba su başına geldiler. Fikirleri ve seviyeleri arasında yakın bir rabıta olmayanların bir arada dostça kaynaşmaları ne kadar güç! İki kardeşle ahbaplığımız akraba derecesinde eski ve kuvvetlidir. Öyle iken ve benden bir göz ucu ümit görmemişken Hamit'in imalı bir fikirle aramızda gizli bir mükâleme zemini hazırlamak isteyişini nasıl telakki etmeli bilmem! Kim bilir aynı toyluğu, daha doğrusu aynı cüretkâr terbiyesizliği belki kardeşi de yapacak, onun bu çirkin ve küstah hareketini gördükten sonra Ziya'nın o içten geldiğini hissettiğim taşkınlıklarını hafif buluyorum.

Onunla hiç olmazsa aramızda pek eski bir kalp aşinalığı var. Belki de sevişecektik, fakat hayatta sade gönülleri değil en kalbî bağları bile çekip değiştirmek tesadüf ve kader bizim bu ihtimal dahilindeki rabıtamızı kırdı, o belki de eski, taze ve renksiz hisleri kalbinde büyüttü ve gönlüne sindirdi. Ne çare ki değişen hayatımdan sonra benim kalbimde ona ait bir sevginin yaşamasına imkân yok. Öyle bir sevginin kalbimde yeşerdiğini hissettirmemek, kurduğum yuvanın şerefi için bir vazifedir.

Ziya kalbimdeki bu eski gönül bağını arayıp bulmak için çalışıyor, fakat... bulamayacak.

..... Gün karardığı zaman gökyüzünde fersiz ay büyük ve beyaz bir kâğıt fener gibi duruyordu, arabalar yokuştan aşa[ğı] ağır ağır iniyorlardı.

Sabahleyin bizimle beraber geldikleri halde orman içinde giden bir iki aile de dört beş araba ile bize katıştılar. Vadide, dağ başlarında hayali gölgeler yaratan ay bir kurşuni kadifenin ortasına beyaz sırma ve gümüş tellerle işlenmiş nefis bir kadın başı gibi... her arabadan bir gazel, bir şarkı sesi geliyor. Fakat içime öyle geliyor ki bütün sesler tabiatın bu hayal kadar asıl şiirinin lisanı değil. Hatta bu ıstırap ve buhran ifade eden gazeller, şarkılar bu hayal kadar yumuşak ve narin tabiatın zevkini acıtıyor. Nefis ayla hülyalı gölgelere benzeyen ağaçları ve çayırları olsa olsa narin bir kemanın yayı lisana getirebilir.

Bu el ile tutulacak gibi yakın, fakat ka'rına varılamayacak kadar şeffaf görünen mehtap kendisi kadar mahsus ve sükûnetli, yumuşak bir musiki ister.

Şefik Beye yalvarıyorum:

-Arabalar biraz dursun. Ziya Beye keman çaldıralım. Tekerlekler artık dönmüyor. Önümüzdeki arabada ince bir akort başlıyor. Yavaşça sesleniyorum:

-*Rüya'*yı çalacaksınız değil mi Ziya Bey?

Onun başı bir gölge gibi kımıldıyor. Arkamızdan gelen arabalar da geçmediler, dinlediler. Şimdi vadiye doğru yayılan ve nihayet ormanlarda bir gölge halinde kaybolan ay olduğumuz yere biraz daha inmiş gibi. Çin resimlerinin gümüşü kadife üstüne işledikleri hayali cennet resimlerinin içinde gibiyiz. Gölge, nur ve sükûn var. Hatta araba hayvanları bile tabiatın bu bedii varlığı içinde murakabeye varmış gibi hareket etmeden dinliyorlar.

İçimde mukaddes tanılan bir yaratıcının huzuruna çıkmış kadar mazlum bir sükûn ve tevekkül var. Öyle geliyor ki bu beyaz ve hayali gecenin haliki çok yumuşak nuruyla kalbimin acıyan yerlerini yıkayıp temizliyor.

Kemanın pürüzsüz ve ahenktar nağmeleri bu hülya kadar leziz gölgeleri söyletir gibi dalga dalga, bazen bir figan, bazen bir neşe ve hicran halinde tabiatın kalbine akmaya başladı. Gözlerimi kapadım. Vücudumda tatlı bir ürperme var. Hilkatin bu esîr gibi, tayf gibi şeffaf ruhu, ayın hiçbir renk ve ziya ile ifade edilemeyen nurı ve gönüllerden inen bir ilahi nağme gibi toplanıp dağılan musiki damla damla ruhuma akıyor. Göz kapaklarımın altında bu âlem bir hayal oldu. Kurşuni bulutlar yanıma kadar inmiş gibi.

Bu vahde benzeyen hülya ne kadar devam etti bilmiyorum. Sarsıldım. Arabalar hareket etmişti. Kendimi birdenbire yere düşmüş sandım. Keman susmuş, tekerlekler yürümüş ve sükûn sarsılıp dağılmıştı.

Bu Alemdağı gezintisi sararmağa ve çürümeye yüz tutan gönül bağıma bereketli bir rahmet gibi tesir etti. Viran konak bahçeleri gibi vahşileşen kalbimin yeşerip çiçeklendiğini hisseder gibi oluyordum.

Araba sarsıntısından salıncak kolanından yorgun düşen vücudum yatakta dinlenirken göz kapaklarımın altında hâlâ o pür hayal tabiat ve kulaklarımda uzakların, sevinç ve ümit ufuklarının lisanı gibi derinden gelen Ziya'nın musikisi vardı.

Kahvemi yatağa getiren Gülter:

- Kadıköyü'nden Nevsal Hanım geldi efendim, dedi.

- Şefik Bey çıktı mı?

- Ziya Beyle arka bağa geçtiler efendim.

Dün akşam yemeğinden Şefik Beyin ısrarıyla bir kadeh rakı içmiştim. Ağzımda öyle acı bir kekremsilik yaptı ki içtiğim kahve bile tesir etmedi. Saat onu geçiyordu. Nevsal'in böyle sabahleyin gelişi hiç hoşuma gitmedi.

Bilmem, Zeynep onun hakkında bana iyi haberler vermemişti. Zaten ilk gelişinde halini, tavrını pek değişmiş buldum. Kızlığında bir lakırdı işitince utanan, nar çiçeği gibi kızaran yüzü şimdi masa başında tertip edilmiş karışık renkler, gölgelerle dolu idi. Bana kalsa kocası işi için, evinin refahı için uzaklara giden bir kadın ne bu kadar boyanır ve süslenir, ne de vakitli vakitsiz sokağa çıkar. Dedikoduya pek kızarım. Fakat onun hakkında geçen sözlerde dedikodudan başka sabit ithamlar vardı. Nevsal kocasının bir, iki ay Avrupa'ya gitmesini fırsat bilip Kadıköyü'nde genç bir sporcu ile sevişiyormuş. Hatta onları Fenerbahçe'de, Kalamış'ta beraber görenler varmış. Bu rivayetlerde belki de mübalağa vardır. Fakat ateş olmayan yerden duman tütmez, derler. Her hâlde bir ufacık hakikat olacak.

Aşa[ğı]ya indiğim zaman onu teyzemle karşı karşıya buldum. Nevsal gazete okuyor teyzem dinliyordu.

- Bonjur [Bonjour] Nevsal, dedim. Teyzem gazete okutacak dostunu buldu değil mi?

Gülüştük.

- Sabahleyin seni de uyandırdım galiba Elvan, dedi, dün gece Erenköyü'nde Lerzan'da kalmıştım. Sabahleyin ona görünmeden çıktım. Mamafih akşamdan sana geleceğimi söylemiştim. Şimdi beni ortada göremeyince Göztepe'ye kadar gittiğimi anlayacaklar.

Lakırtı anlatırken her tarafı oynuyordu. Gözlerinin altında şüpheli bir karartı, dudaklarında parlak bir kırmızı vardı.

Benim cevabımı beklemeden devam etti.

- Seni Kadıköyü'ne bekledik, bekledik görünmedin. Hele Zeynep belki bir yıldır uğradığı yok. Ne hıyanet insanlarsınız. Bilmem ki!

Bir sürü vahi ve manasız itizar sayıp döktük[ten] sonra sordum:

-Kadıköyü'nde ne var ne yok. Nasıl vakit geçiriyorsun?

İpek maşallahının geniş yakası omuzlarından kayıyordu. Kıvrak bir hareketle onu düzeltirken cevap verdi:

-Kadıköy, o kadar tatsız ki! Artık hoşa giden bir yeri kalmadı. Gündüzleri her taraf yanıyor, akşamları da hemen herkes buluştuğu yer sinema! Sinemalar da artık sergi oldu. Herkes birbirinin süsünü, tuvaletini, başının iğnesinden iskarpinin tokasına kadar seyrediyor. Sonra aynı çehreler aynı insanlar, aynı dedikodu, işte Kadıköy.

- Ne mutlu, dedim. Ya biz burada handiyse mızraklı ilmihâle başlayacağız.

Gülüyordu. Onu biraz daha açmak için:

- Sabah, akşam bağda, bahçede, insan yüzü gördüğümüz yok. Artık birbirimizi gölgemizden bile tanır olduk.

- O halde Kadıköyü'ne bana gel, dedi. İstediğin gibi değişik manzaralar, çehreler görür, açılırsın!

- Eğlenebilir miyim acaba?

- Hiç şüphe etme. İstersen seni bugün alıp götüreyim. Şefik Bey müsaade eder değil mi?

- Ben istersem tabii eder. Fakat beni nerelerde gezdireceksin söyle bakayım.

Çapkın ve gevrek bir kahkahası vardı:

- Sen gelmeye karar ver de sonra a canım dedi. Bir iki gece kal, epey vakit geçirmezsek bir daha gelmezsin!

Sonra bana Kadıköy hayatına dair tafsilat verdi.

- Çok tuhafsın Nevsal, dedim. Bu kadar eğlenceli yeri bırakıp sen de Erenköyü'ne geliyorsun ha!

- Ne yapayım, dedi. Daima aynı hayat çekilir mi? Aynı insanlar, aynı yaşayış. Sonra çıkmasam, karışmasam daha fena, yalnızlık kadar ıstırap veren acı yok! Biliyor musun, beni böyle gezmeye, daha doğrusu sürtmeye mecbur eden şey nedir? Yalnızlık. Kocam işleri için hemen senenin sekiz ayını seyahatte geçiriyor. Bu mütemadi yolculuklara benim iştirak etmemin imkânı yok! Çünkü muayyen, muntazam bir zevk, eğlence seyahati değil ki! İlk zamanlar birkaç seyahatinde ben de vardım. Fakat işleri o kadar karışık ki bir şehirde uzun boylu oturmaya imkân yok. En çok kaldığımız Münih'te oniki gün oturduk. Orada bir fabrikanın mallarını alıp İstanbul'a gönderecekti. Bereket arada ihtilaf çıktı. O neticeleninceye kadar ben de biraz rahat ettim. Sonra daha fenası var. Mesela yedi sekiz ay böyle mütemadiyen gezdiği halde senenin bir buçuk iki ayını da tamamiyle burun buruna geçiriyoruz

İstirahat etmek için tatil yapıyor. O zaman artık hep beraberiz. Buna alışıyorum. Fakat tatil bittimi daha fena oluyor. Tam onun varlığına alıştığım bir zamanda evimin içi boşalıveriyor. Bir çocuğum olsaydı belki onunla avunurdum. Fakat oda yok!

Nevsal derdini anlatırken o yapmacıklı hâli kalmamıştı. O kadar samimi olmuştu ki lakırdı söylerken sesi titriyordu. Bu genç ve güzel kadın için söylenen lakırdıların adi bir dedikodu olması ihtimali de vardı. Onu biraz daha söyletmek için:

- Biraz bahçeye çıkalım mı Nevsal, dedim. Sana tenis yerimizi göstereyim.

Teyzem yalnız kalacağını anlayınca kızdı:

- Aman Elvan, dedi. Kadıncağız şunun şurasında rahatça oturup duruyordu. Kalkıp gidecek ne vardı sanki! Bir yerde de beş dakika oturamaz ki. Eski çılgın!

Teyzemin hırslanmasına rağmen Nevsal'i aldım. Birbirine giren zakkum ağaçlarının arasından, sık taflanların içinden geçiyorduk.

-Nevsal, dedim kocanı seviyor musun?

Durdu. Benim biraz münasebetsiz gibi görünen ani sualimin karşısında şaşırmış gibiydi. Onu sıkmamak için biraz tamir etmek, söyletmeye yol açmak istedim:

- Hayatın biraz gayrimuntazam geçiyor da onun için sordum, yani doğrusunu istersen böyle perişan bir hayatta mukavemet etmek için ya bağlandığı erkeği çok sevmek yahut...

Ve biraz durup kendimden cesaret alarak ilave ettim:

- Yahut bu hayata değişiklik verecek sergüzeştlere girmek lazımdır. Bu bir telakki meselesidir. Gönül meselesidir.

Mühim bir bahse girmeye hazırlanır gibi durdu. Ve beni her hâlde samimi ve teklifsiz bulduğu için açılmaya karar vermiş gibi derhal cevap verdi:

- Çok acı bir yarama dokundun Elvan, seni eskiden beri, mektepten beri severim. Seninle kızlığımızın pek çok hatıralarını paylaştık. Bugün hayatımız değişti. Sen de, ben de evliyiz.

Fakat benim yalnız adım evli. Dediğim gibi hayatımın yılda iki üç ayı ancak evli geçiyor. Kocam benden aylarca uzak kalıyor. İlk evlendiğimiz zamanlar ona bütün heveslerimi bağladım. Kızlığının ve gençliğinin taze arzularını kocasının başına koyduktan sonra mahrum kalmak bilir misin ne hazindir.

O acıyı tatmadın Elvan. Bir genç kadının yalnız kalışındaki derin ve görünmez ıstırabı hissetmedin. Fakat emin ol ki bu acı serbest ve istinasız bir kadının duyduğu kimsesizlik acısından pek başka ve her hâlde daha tahammülü güçtür. Kocalı bir genç kadının mahrumiyet ve yalnızlık içinde geçirdiği geceler bilir misin ne kadar uzun ve cehennemidir. Bazen, ilk zamanlar kocamın kalbimdeki sevgisi ve yatağımda uzun müddet hissettiğim sıcaklığı ile avundum. Fakat zaman ve muhit neye tesir etmez ki! Aynı yalnızlık kocam için hatra gelmezdi. Çünkü o gezdiği yerlerde binlerce kadınla görüşmekte serbestti. Hatta bunun düşündüğüm gibi bir hakikat olduğunu onun bana gelişlerindeki müstagni halinden bile anlardım. Buna ne hayret, ne hiddet etmeye hakkım yoktu. Genç bir erkeğin aylarca bir kadının hararetinden mahrum kalmasına imkân var mıdır? Bunu münakaşa etmek bile istemem. Yalnız aynı mahrumiyeti yaşayan bir kadının da bu yalnızlık hayatına mukavemet edip etmemesi düşünülebilir. Ben bunu da ahlak tarafından değil, arzu ve ihtiyaç cihetinden muhakeme ederim. İhmal edilen, gençliğinin en baharlı gecelerini yalnız geçirmeye mahkûm edilen bir kadın bu mukavemetin, bu tahammülün sonunda ne mükâfat görecek? Kocasından aynı vefayı, aynı sadakati mi? Buna imkân görür müsün? Aşka hürmeti anlarım. Seven bir kalp bütün maddi arzuları unutturur. Fakat ben insanın hissedebileceği arzu ve emellerle beslenmeyen bir sevginin akıbetinden emin olamam. Sevgiyi yalnız kalbin gizli bir köşesine kapayıp bütün maddi heves ve arzulardan mahrum etmek onu yavaş yavaş gönülden silip çıkarmakla müsavidir. Ben kocamı sevmiyor değildim. Fakat sevgim hiçbir vakit onun benden esirgediği, isteyerek, istemeyerek vermediği heyecanlardan kendimi mahrum edecek kadar değil!.

Hayatını anlatırken çok müteheyyiç oluyordu. Göğsünün sık sık kabarıp indiğini görüyordum.

Gözlerimin içini arar gibi yüzüme bakıyordu:

- Peki sen söyle Elvan, dedi. Akıllı bir kadınsın, kalp meselelerini iyi tahlil edebilirsin. Ben velev ki kalbime ait arzularda hodkâm olursam bir kabahat teşkil eder mi?

İtiraf ettiği günahı için benden af bekler, mazeret ister gibi cevap bekleyen Nevsal'e ne söyleyeceğimi şaşırdım. Kekeler gibi kırık dökük birkaç kelime dudaklarımdan döküldü:

- Bilmem, bu bir telakki, yahut gönül meselesi, sen onda bir vicdan azabı görmedikten sonra...

Omuzlarını asabiyetle oynatıyor, kopardığı taflan yapraklarını didikliyordu.

- Bana ilk defa kocanı seviyor musun, diye sorduğun zaman bu sualin altındaki manayı derhal anladım. Benden sana bahsedenler muhakkak benim, evinin samimi ve mukaddes hürmetini kirleten bir kadın olduğumu söylemişlerdir. Böyle rivayetler herkesin muhtaç olduğu dedikoduyu temin ettiği için bence hiç de ehemmiyetli değildir. Ben ancak gönlümün arzusunu düşünürüm. Genç bir kadınım. Sevmek, sevilmek hakkımdır. Bana gönlünü verecek bir adamı sevmemek ve onun bana duyurduğu zevklerden resmi rabıtaya hürmet karşılığı olarak kendimi mahrum etmek istemem.

Birdenbire sordum:

- Şu halde bugün kalbin boş değil Nevsal. Yalnız bir şey söylememe müsade et. İnsanların his ve hayale fazla düşkün olanları için sevmemek imkânı yoktur.

Bir genç kadının sevilmek ve sevmek ihtiyacını hiçbir engel kıramaz. Gönül çok serkeş bir mahlukdur. En kuvvetli manalara itaat etmez. Bunları hep takdir ederim. Yalnız bir noktaya ilişeceğim. Sevilen ve sevdiğini hisseden bir kadın bu bahtiyarlığı yalnız ismen bağlandığı erkeğin vaziyetine hürmet ederek, mesela onunla olan rabıtasını sükûnetle keserek temin edemez mi? Yani her tesadüf insanları mesut edemez. Vardığın erkeğin seni bahtiyar etmediğini görünce sana aşk ve zevk veren bir başka çehrenin hayatına karışmak, ötekinin mevkiini küçültmemek daha doğru değil mi?

Karşı karşıya idik dikkatle beni dinliyordu. Onu daha fazla incitmemek için bu bahsi artık bitirmek istiyordum.

- Dikkat ettiğin noktaya cevap vereyim Elvan, dedi. Demin izdivaçlardan bahsederken insanları bazen bedbaht eden tesadüfü ileri sürdün değil mi? Ben de sana yine onu söyleyeceğim. Bazı tesadüfler vardır ki insanın yalnız kalbini sevindirir. Bazıları olur ki sadece maddi hayattaki varlığını temin eder. Bunları birleştiren tesadüfler büyük ikramiyeler gibi enderdir. Onun için saadeti böyle birbirini ikmal eden tesadüflerle temin etmekten başka çare yoktur.

Nevsal'in bu mütalaasına fikren iştirak etmemekle beraber gülmekten kendimi alamadım:

- Fena hesap değil Nevsal, dedim. Hatta bu iki taraflı tesadüf bile seni mesut etmeye kâfi gelmezse bir üçüncü tesadüfü beklemek veyahut aramak pek tabii değil mi?

O da gülüyordu.

- O kadar değil, dedi. Ben insaflı ve fedakâr bir kadınım. Gönlümün arzuları temin edildikten sonra başka bir şey istemem. Artık dayanamadım:

- Sahi çok insaflı imişsin Nevsal, dedim. Bu fedakârlığı doğrusu her kadın yapmaz. Demek şimdi kalbin boş değil. Bari sevildiğine emin misin?

- İçli bir sevgi değil. Fakat her hâlde zevk ve heyecan verecek kadar kuvvetli ve taze.

- Seviyor musun?

- Duyabildiğim kadar. Kalbimin yettiği kadar. O benden biraz genç. Daha yirmisine yeni giren mektepli bir sporcu. Fakat o kadar çapkın, öyle cana yakın ki!

-Sevişmeniz nasıl oldu. Alalede bir tesadüf mü, yoksa uzak, yakın bir dostluk, ahbaplık mı?

- Tesadüf. Ben de biraz sporu severim, bilirsin geçen yaz Kalamış'ta denize giriyoruz, açıklara çıkıp yüzüyordum. Bir gün onu denizde gördüm. Benimle yarış etmek ister gibi yüzüyordu. İnadım tuttu. Moda açığında hani İngilizlerin denize girdikleri bir duba vardır. Oraya kadar yüzmeye karar verdim. Bu çılgınca bir cesaretti. O da anlamış gibi istikameti değiştirdi. Ben gitmekten ziyade dönüşü düşünüyordum. Mamafih dubaya çıkıp dinlenebileceğimi zannediyordum. Birdenbire nasıl oldu bilmem. Yanımda, suyun içinde siyah bir gölge gördüm. Büyük bir balık mı idi, ne idi. O kadar korktum ki gayriihtiyari haykırdım. Gölge kaybolmuştu. Muhakkak bir büyük balıktı. Belki de bir yunustu. Fakat korkum kuvvetimi kesti. Kendimi tutamaz oldum. Dubaya daha yirmi otuz kulaç vardı. O benden sekiz on metre açıkta yüzüyordu. Haykırdığımı görünce biraz daha yaklaştı. Suyun beni gittikçe çektiğini, vücudumun ağırlaştığını, kalbimin çarptığını hissediyordum. Artık dayanamadım haykırdım:

-Rica ederim bir dakika geliniz.

O yetiştiği zaman gözlerim kararıyordu. Beni bir müddet kollarında tuttu. Kendime geldim. Hayatımı kurtarmıştı. Şüphesiz o yetişmemiş olsaydı ben kesilecek ve boğulacaktım.

- Kahramanca bir tesadüf! İnsan hayatını kurtarana her şey feda eder. Doğrusu bu meselede haklısın Nevsal. Böyle facialı, heyecanlı bir macera ile başlayan dostluklar herkese nasip olmaz.

Hayatından memnun olduğunu anlatan ince, çapkın ve sevimli gülüşleri vardı:

-İşte benim için söylenen dedikodu bu maceradan çıkıyor. Mamafih ancak bir iki tesadüftür ki bizi onunla beraber gösterdi. Yoksa bütün hayatımız kapalı geçer. Yalnız dediğim gibi bir gün Fenerbahçe'de Belvu'da müsamere vardı. Beraber gidelim, diye ısrar etti. Hâlbuki bütün tanıdıkları orada idi. Müsamere kendi kulüplerinin menfaatine olduğu için beni kimsenin göremeyeceği bir kameriyeye saklayacağını söyledi. Nihayet razı oldum. İşte o gece birkaç kişi beni onunla görmemekle beraber, oraya yalnız geldiğimi, olduğum yere onun girip çıktığını da gördüler.... Bir defa da zannederim, aydınlık bir gecede Kalamış'a kadar gitmiş, dönüyorduk. Ihlamur'daki geniş meydanda beni tanıyanlardan birkaç kadın görmüşler. İşte bütün dedikoduların menbaı bu iki tesadüf!

-Her hâlde ihtiyatlı olmak lazım Nevsal, evli bir kadınsın, hayatına fırtına getirme. Heyecanını yalnız kendin hisset. Dile düşen bir münasebet emin ol ki aslından çok fazla gürültü yapar. Bak ben Göztepe'ye geldiğim günden beri sana ait bin bir havadis işitiyorum. Hâlbuki işittiklerimin yüzde biri ancak doğru!

O, kendine hak veren, sevgisini takdir eden bir candan dost bulmuş gibi seviniyordu. Dönüyorduk:

- Vaziyetimi anladın, şimdi Kadıköyü'ne, bana gelmeyecek misin Elvan, dedi.

-Niçin gelmeyeceğim, bilakis hemen bu hafta içinde gelmek isterim. Çünkü.

Dudaklarıma kadar gelen bir kelimeyi ağzımdan çıkarmamak için kendimi güç zapt ettim. Nevsal derhal anladı:

-Evet, çünkü, dedi. Derhal bir şey bulup söylemek lazımdı.

Hâlbuki benim Kadıköyü'ne gitmek isteyişimin sebebi Ziya'dan kaçmaktı. Onunla her gün yan yana karşı karşıya, göz göze geçen hayatımız beni müşkül mevkilerde bırakıyordu. Bu sebebi Nevsal'e itiraf edemedim.

- Doğrusunu istersen Göztepe'den sıkılıyorum, dedim. Biraz muhit değiştirmek isterim. Sen evde yalnızsın değil mi?

- Yalnızım, bizim emektar Habibe Hanım var. Yemeğimi pişiriyor. Bir de küçük kız, o kadar.

-Gelirsem hatta belki bir iki gece de kalırım. Fakat, bilmem, senin programına mani olursam şimdiden söyle...

- Rica ederim Elvan, dedi. Beni hatırlayıp evime gelen bir arkadaşım için programım olamaz.

-O halde hangi günler evde olduğunu söyle.

- Her gün!

- Peki onunla ne zaman buluşuyor sunuz?

- Her gece!

Şaşırmıştım. Nevsal'in bu kadar cesur ve açık kalpli olduğunu hiç tahmin etmiyordum. Gayriihtiyari sordum.

-Evde mi?

-Evet!

Cüretin bu derecesine hayret etmemek kabil değildi.

-Peki ben geldiğim zaman!

-O gelmez!

-Gördün mü ya, işte rahatınızı bozacağım!

– Hayır zaten bizim de her gece buluştuğumuz yok. Haftada bir, iki. Fakat bu yine arzumuza kalmış bir şey. İstersek her gece buluşmamız için de mani yok. Fakat ben böyle arzu ediyorum.

- Yani seyrek görüşmeyi!

- Evet! İnsan zevkini, sevgisini arayacak kadar özlemeli, Sevişmek ihtiyacını hissetmeli.

- Sana hayret ediyorum Nevsal. Bir hesap muallimi gibi her şeyi ölçüp biçip öyle hareket ediyorsun.

- Hayatı elde tutmak lazımdır Elvan. Hissi cereyanlara kendimizi kapıp koyuverirsek çabuk söneriz. Ben daima ıstıraptan kaçmak ve zevklerimi uzatmak isterim. Bütün heyecanıyla, çıldırasıya giden bir aşk iki taraf için de tehlikedir.

Sevgi insanda daima kaynayan, eksilmeyen bir menba halinde kalmalıdır. Onu kurutmak doğru değildir. Bilmez misin doktorlar bile sofradan iştihanız varken kalkınız, derler.

Nevsal'in içli bir gönül macerasından ziyade hesapla ve programla devam eden alalade bir çapkınlıktan başka bir şey olmayan sergüzeşti hoşuma gitmemişti. Bu genç ve akıllı kadın zevklerini tecrübeli bir erkek gibi ölçüyor. Hayatını kademeli bir çapkın gibi muntazam planlarla idare ediyordu.

Yavaş yavaş teyzemin yanına geldiğimiz vakit Nevsal elimi sıktı:

– Ben artık gideyim Elvan, Erenköyü'ndekiler merak ederler. Şimdi söyle bana bu hafta içinde gelecek misin, yarın bekle[ye]yim mi?

- Bir kere Şefik Beyle görüşeyim. Her hâlde yarın geleceğimi zannederim.

- Çok memnun olurum. Hanımefendi müsaadenizle..

Bırakıp gittiğimiz için biraz somurtan teyzemin elini öptü.

Teyzem bana olan öfkesini belli etmek için:

- Yine fiskosunuzu yaptınız değil mi? Ah şu Elvan, hâlâ hanım kadın olamadı vesselam. Kim bilir yine neler, neler yumurtlamıştır.

Nevsal hem gülüyor, hem onu temin etmeye çalışıyordu.

-Vallahi bir şey değil teyzeciğim, bana eski koşup, gezdiğimiz yerlerin bugünkü halini gösterdi. Hem artık bize fiskos yakışır mı? Teyzem, ben sizi bilmez miyim, gibilerde başını iki tarafa sallıyordu. Nevsal zarif endamıyla ağaçlar arasında kaybolduğu zaman arkadan Şefik Beyle Ziya'nın ayak sesleri geldi. Daha yatağımı toplamadığımı bahade ederek onlara görünmeden teyzemin yanından ayrıldım.

Kadıköyü'ne gitmek istiyordum. Orada birçok eski mektep arkadaşlarım vardı. Çoğu evlenmişlerdi. Onlar benim İstanbul'da olduğumu bilmiyorlardı. Hâlbuki hepsini ayrı ayrı özlemiştim. Bundan başka Göztepe'den biraz uzaklaşmak iyi olacaktı. Ziya'nın köşkte ne kadar kalacağı belli değildi. Biz onu birkaç gün kalıp gidecek zannettiğimiz halde dün annesine mektup yazdı. Kemanını ve birkaç parça notasıyla kitaplarını istetti. Aile arasında öteden beri samimi bir teklifsizlik olduğu için teyzemin bu köşkü âdeta hepimizin sayfiyesi idi. Öyle alışmıştık. Vaktiyle takım takım buraya gelirdik. Gün olurdu ki bahçeye otuz kişilik masa kurulurdu. Vaziyet böyle iken Ziya'ya kimsenin kalk, git, demesine imkânı yoktu. Onun daha ziyade Şefik Beyle dostluğu ileri götürmek istediğini hissediyordum. Onunla içli dışlı olursa aramızdaki teklifsizlikte muvazene olacaktı. Hâlbuki ben onun aramıza bu kadar karışmasını hiç istemiyordum. Bunun için bir iki gece Kadıköyü'ne gitmeyi, onları yalnız bırakmayı ve bu gidişin kendisi için bir istiskal olduğunu Ziya'ya hissetirmeyi muvafık buluyordum.

Ancak bir saat sonra, yemeğe indiğim zaman Şefik Beyin elinde bir telgraf gördüm. Bana uzattı:

- Ne var dedim. Nereden?

-Bizim amcadan. Bir iki saat için beni çağırıyor. Şefik Beyin Taksim'de eski çapkınlardan bir amcası vardı. Hayatında hiç evlenmemiş, ömrünü kadınlar, eğlenceler içinde geçirmiş hovarda şen, gamsız bir adam! Şimdi artık sızlayan bacaklarını apartmanın birinci katında dinlendiriyor. Bir Ermeni emektar hizmetçi işlerine bakıyor.

- Ne zaman gideceksin, dedim telgrafta ehemmiyetli bir şeyden bahis yok.

- Hayır, muhakkak, kiracılardan para toplayamadı. Onları sıkıştırmak için çağırıyor.

- Vah, vah, dedim. Demek Hidayet Amcamız artık kiracılarını kendisi sıkıştıramıyor. Fena değil, iyi vazife, bu sıkıştırılan kiracılar arasında kim bilir ne gönlü kırılamayacaklar vardır. Şefik Bey gülüyordu.

- Sen ne zaman İstanbul'a ineceğini söyle, ben yarın Kadıköyü'ne gitmek istiyorum.

-Kadıköyü'ne mi kime!

-Nevsal'e! Hatta bir iki gece kalacağım, demin burada idi. Biraz hava, muhit değiştirmek fena olmayacak. O da yalnızmış, çok yalvardı. Söz verdim.

-Pekâla, nasıl istersen. O halde, ben bugün öğleden sonraki ilk trenle iner, akşama belki dönerim.

-İyi edersin. Burada yalnız sıkılmazsın değil mi?

Şefik Beye bunu sorarken yan gözle Ziya'ya bakıyordum. Onun bu Kadıköy ziyaretime arzu ettiğim manayı vereceğini zannediyordum. Elinde oynadığı sigara ağızlığını hırsla ceketinin mendil cebine attı. Masa üzerindeki gazetelerden birini çekti. İki kanadını birden açtı. Koltuğa yerleşti. Hareketlerinde şiddetli bir asabiyet vardı. Ben onun hareketini takip etmekle beraber Şefik Beyle konuşuyordum:

- Göztepe artık tahammül edilmez oldu. Kadıköyü'nde ahbaplarım arkadaşlarım çok. Bakalım onlar da ne âlemdeler. Sonra hiç olmazsa bir iki akşam Fener'e, Moda'ya, Mühürdar'a giderim. Burası âdeta çilehane oldu.

Şefik Bey beni kızdırmak için:

-Haydi bakalım, git gez, diyordu. Ben de Beyoğlu'nda biraz iş takip edeyim. Görmeyeli kim bilir neler yetişmiştir. Akşama gecikirsem kimse merak etmesin, bilsinler ki amcada kalmışımdır.

Ben de gülüyordum:

-Evet, evet, söylemeye lüzum yok. Nerede kalacağınız malum, yalnız son trende çıkmadığınız takdirde Kadıköyü'ne akşamdan gideceğime emin olmanızı rica ederim.

123

Artık iddiasını kaybetmiş gibi yumuşamıştı:

-Vazgeçtim, vazgeçtim, diyordu. Seninle iddiaya girişmek mi, tövbeler tövbesi.

Ve sonra panamasını, bastonunu aldı:

- Ben şimdiden hazırlanayım, yemeği yer yemez trene giderim, dedi. İçeri gitti.

Bir gazete de ben aldım. Ve iki kanadını da açtım. Hiçbir şey okumuyordum. Ziya'ya hazırladığım emrivakiin zevki içimi titretiyordu. Onun gazetesi hışırdadı. Ya sahifeyi çevirmişti. Yahut gazeteyi bırakmıştı. Derin bir mütalaaya girmiş gibi davranıyordum. Birdenbire:

-Elvan, dedi. Benden mi kaçıyorsun?

Vücudumda soğuk bir ürperme oldu. Ne diyeceğimi şaşırdım. Bütün ciddiyetimi topladım. Gazeteyi yüzümden çektiğim zaman onun nemli gözleriyle yüzümü beklediğini gördüm.

-Niçin Ziya Bey, dedim. Geldiğimiz zaman siz burada mıydınız.

Sesinde kırık bir ahenk vardı.

- Dikkat ediyorum, dedi. Hatta benimle yalnız kalmak bile istemiyorsun, bense Göztepe'de senin için kalıyorum.

Eski asabiyetim yine başladı. Parmaklarım titriyordu.

-Niçin, dedim. Rica ederim Ziya Bey, hayatıma bu kadar karışmanız için ben bir sebep göremiyorum.

Sükûnetini bozmadan cevap verdi:

-Sizin istirahatinizi, sizin hayatınızı ihlal ediyorsam şimdi kalkıp gideyim.

- Hareketlerinize müdahale etmeye hakkım yok. Fakat benim varlığımla yakından alakadar olmanızı arzu etmem Ziya Bey.

Yüzü kızarmıştı. Derin bir buhran geçirdiğini hissediyordum. Sesinde hüzünlü bir ihtizaz vardı. Elindeki gazeteyi masanın üstüne bırakarak kalktı:

- Peki Elvan, senin muhitinden çıkacağım, madem ki öyle istiyorsun. Fakat kalbimin seninle meşgul olmasını da men edemezsin zannederim. Üç yıl evvel fena bir tesadüfün beni mahrum ettiği saadetin hayaliyle yaşamaya azmettim. Ben mesut olamayacağımı anladım Elvan, hayatıma hiçbir kadın gölgesi karışmayacak ve ben senin gönlümü tamamiyle dolduran sevginle yaşayacağım. Kadıköyü'nden avdetinizde burasını arzu ettiğiniz gibi sakin bulacağınızdan emin olabilirsiniz Elvan Hanım.

Ve yaşaran gözlerini bana göstermemek için arkasını döndü, hızlı adımlarla içeriye gitti.

Bu asabi ve içli olduğu kadar çok mağrur gencin hayatımdaki yerini intihap edememek yüzünden aramızda daima bir ıstırap vesilesi oluşu canımı sıkıyordu. Onun inatçı, içli ve kinli huyunu pek iyi biliyordum. Buna muvaffak olamayışı onu ebediyen mustarip edecekti. Üç yıl evvelki o tesadüf, Nimet'le olan şu halk macerası onun izzetinefsini kırmakla kalmamış, ümitlerini bitirmişti. Öyle hissediyorum ki o, uzun Avrupa seyahatinde bu eski yarayı kapatmaya çalıştı. Fakat avdetinde beni zahiren olsun mesut ve tamamiyle elinden çıkmış görünce bütün hıncı ve kinini ve hele teskin edilmesi müşkül içli inadı harekete gelmişti. İyi biliyorum ki bu vaziyet, bu hal onu ye'se, bedbinliğe her şeye düşürecek.

Şefik Bey gittikten sonra yukarı[da]ki salona çıktım. Ziya meydanda yoktu. Piyano'nun kapağını açtım. Birkaç günden beri çaldığım yoktu. Nota aramaya lüzum görmeden hatırıma gelen şeyleri çalmaya başladım. İlk partiye Çardaş tesadüf etti. Çardaş'ın her tarafını değil, fakat bazı parçalarını pek severim. Bu parçalarda musiki tamamen bir lisan olur. Âdeta insan neşeli, şuh biriyle konuşuyormuş gibidir.

Parmaklarım şura[da]n, buradan döne dolaşa o en çok çaldığım ve o kadar çok çalmakla berebar usanmadığım, bıkmadığım *Rüya*'ya geldi. Mama'fih onu çalmazdan evvel parmaklarımı daha ziyade alıştırmak için *Gece Kuşları*'na geçtim. Bilmem neden, bu parçadan sonra *Rüya* daha iyi gidiyor. Alaturka musikideki makamları kaynaştırmak usulü fena değil. *Rüya* bana her vakitki gibi yine eski geceleri hatırlattı. Musiki kadar hislere dizgin vurup zevke, hüzne, ıstıraba ve neşeye götüren kudret yok. *Rüya*'nın son nağmeleri kristal üzerine düşüp serpilen yağmur taneleri gibi damla damla dağılırken ensemde sıcak bir nefes hissettim ve birden iki el omuzlarımı tuttu:

- Sanaatkârsın. Azizsin Elvan. Yaralarımı deştiğinin cezası. Beni affet!

Bir hamlede tabureden fırladım, başım dönüyor, ayaklarım, ellerim titriyordu:

-Ziya Bey, dedim, evli ve evine hürmetkâr bir kadın karşısında bulunduğunuzu unutmayın ve size eski bir aile uzvu gibi ettiğim muameleden beni döndürmeyin.

Cüreti nisbetinde rücuu da serî' olan bu hasta delikanlı bir saat evvel aşa[ğı]da benden ayrılırken yaşaran gözlerini hâlâ kurutmamıştı. Ayakta duramayacakmış gibi yavaşça en yakın bir koltuğa düştü, hiçbir kelime ağzından çıkmayarak birçok şeyler söyleyecekmiş gibi yüzüme baktı. Dudakları oynuyor, sesi çıkmıyordu. Nihayet yüzü kıpkırmızı oldu ve birdenbire bir sağnak gibi şedit bir buhran ve ihtilaç içinde başını elleri içine aldı, acıklı ve içli akselerle ağlamaya başladı.

Asabiyetim, hırsım, ve hıncım bir müddet gözlerimi yakarak dişlerimi birbirine çarparak beni olduğum yere mıhladı. Bir günahkâr ve mahkûm karşısında vazifesini yapan cellat gibi hissiz kalmıştım. Bu hâl ne kadar devam etti bilmem, onun anlaşılmaz bir ıstırap menbaından kopup gelen ve sert ihtilaçlar, akseler içinde onu insanlıktan çıkaran buhranı acıklı ve sabredilmez bir hal alıyordu. Acı ve sert hınçkırıklarını hizmetçiler duyup gelecekler, münasebetsiz bir vaziyetten kuşkulanacaklar diye de endişe ediyordum.

Bu içli ve muvazenesiz gencin önümde canlı ve acıklı bir ıstırap halinde kıvranışı üç yıl evvel, onunla nişanlanmamızı[n] hazırlık gününde, odasının kapısından duyduğum acıyı kalbimden siler gibi oldu. O gün, onun bana yaptığı sadakatsizliğin intikamını almaya ahdetmiştim. Çünkü ben ona taze ve pürüzsüz bir gönül sevgisiyle elimi uzatmak için gidiyordum. O bir dakika, o kapının önünde kulağıma gelen bir iki cümle sade ümidimi, arzularımı değil hayatımı da altüst etti. Gururumun en hassas yerinden vurulmuştum. Benimle evlenmek için bütün çarelere başvururken ve ben en samimi bir kalp arzusuyla ona bahçemin çiçeklerini elimle toplayıp götürürken onun elleri basit bir komşu kızının göğsünde geziyordu. O gün gönlümdeki sevgi mücessem bir hınç ve kin oldu. O kin ki beni düşünmeden, seveceğimi aklıma getirmeden Şefik Beyin hayatına karıştırdı.

Şimdi o, sevgimin katili ve hıncımın haliki; önümde ümitsiz ve bahtsız ihtilaç ve ıstırap içinde kıvranıp acınırken kalbimdeki bu eski kinin gıdalandığını, gözlerimin, üç yıl evvel sevgimin matemine ağlayan gözlerimin vahşi bir sevinçle güldüğünü hissediyordum.

İçimden gelen bir isyan ile ona yaklaştım:

-Ağlama Ziya, senin gözyaşların, sevgisi komşu kızlarının macerasıyla öldürülen zavallının kaderi kadar acıklı değildir. Ben ıstıraba alıştım. Kalbimin bütün arzularına hâkim oldum. Buna sen de alış ve hislerini idare etmeye çalış.

Cevap verecek halde değildi. Sağnaklar birbirini takip ediyor, sarsıla sarsıla ağlıyordu. Ona bu elîm buhranı getiren hissin benden gördüğü lakaydı olduğuna şüphe yok. Ben bu eski gözağrısına daha yakın görünseydim hayalinde yaşattığı hayatı kuracak, belki de zaaf anlarımı kollayarak beni mağlup edecekti. Onun huyu, eski tabiatı hâlâ devam ediyordu. Hangi bahiste ve iddiada yarışa çıksak muvaffak olamayınca küser, hırslanır, hatta bazı defa bize göstermekten çekindiği gözyaşlarını gider, tenha bir köşede kana kana akıtırdı.

Aynı buhran şimdi de benim ona olan mukavemetimden doğuyordu. Ben ona komşu kızlarının laubaliliği gibi hareket etseydim şüphesiz nişanlanacak, buhranlara, ıstıraplara düşmeyecekti.

Bunları düşündükçe onun bu ıstıraplı gözyaşlarına karşı içimde birikmeye başlayan merhamet hisleri darmadağın oluyordu. Öyle içime geliyor ki onun bu ıstırapları karşısında piyanoya oturayım. En çılgın, en oynak parçaları çalayım ve hatta söyleyeyim. Uğruna bütün bir ümit ve emel feda edilen kinlerin zaferi insanı çılgın ediyor.

Buhranı ne kadar sürdü tahmin edemiyorum. Yalnız onun hıçkırıkları artık kesik kesik sadmeler haline geldiği zaman içimde merhamete benzer bir his belirdi. Yavaşça kalktım. Yatak odasından aldığım kolonyadan yüzüne ve başına serptim. Bileklerini oğmak lazımdı. Hiç arzu etmediğim halde aynı şefkat hissiyle onu da yaptım. Açılmaya başladı. Fakat hâlâ ağlıyor, ara sıra gayriiradi bir ihtilaç ile ayakları, elleri hareket ediyordu.

-Ziya, biraz kalk, dedim. Pencerenin önüne kadar gel, temiz hava al, açılırsın!

Ve elinden tutup kaldırdım. Bir yığın halinde idi. Yüzü gözyaşı ve gözleri kan içinde idi.

-Biraz kendine hakim ol Ziya, dedim. Seninle biraz ciddi görüşmek isterim.

Pencerenin önündeki kanepeye çöktü. İhtilaç durmuş, gözyaşları yüzünde kurumaya başlamıştı. Elindeki ıslak mendili aldım. Ve kendi medilimle gözlerini sildim.

Gözleri daldığı yerde kalıyor ara sıra hafif ürpermeler geçiriyordu. Vücudunun mukavemeti sayesinde şiddetli bir baygınlıktan kurtulduğunu zannediyordum. Kuvvetli bünyeler bayılamaz. Böyle buhran geçirir.

-Bir kahve söyleyeyim mi Ziya, dedim.

Başını salladı. Sonra ellerimi tutmak istedi. Hissettirmeden meşgul gibi göründüm:

- Biraz daha kolonya vereyim de alnına, şakaklarına sür. Gözleri kızarmış, ağlamaktan ve ovalamaktan dökülen birkaç kirpiği yanaklarına yapışıp kalmıştı. Bu hırçın ve asabi gencin karşısında ne söyleyeceğimi, ona nasıl muamele edeceğimi şaşırıyordum. Mütemayil ve uysal görünsem onu teşvik etmiş olacağım. Sert ve soğuk hareket etsem ıstırabını arttıracağım. Gururuna, izzetinefsine rağmen sevgisini saklayamayan bu hırçın genci mustarip etmeye hakkım yok. Fakat ortada hürmet etmeye mecbur olduğum bir adam var ki kalbimdeki mevkiinden hiç şüphe etmez. Onun saf ve pürüzsüz mevkiini küçültecek herhangi bir hareket benden olamaz.

Ziya'nın nefesleri yavaş yavaş tabii hâle avdet ediyor, gözlerinin kızarıklığı gidiyordu. Onunla aramızda halledilemeyen muammalı gönül davasını biraz kurcalamak, vaziyetimizdeki mütereddit şüpheli hâli kaldırmak lazımdı.

-Ziya dedim. Seninle biraz ciddi konuşalım. Beni dinleyecek misin?

Başını eğdi. Sesi titriyordu.

-Beni affet Elvan, dedi. Çok asabi oldum. Küçük bir serzeniş bile beni incitiyor. Seni rahatsız ettiğimi biliyorum. Fakat istediğin gibi yapacağım, buradan gideceğim.

Ve yeniden gözlerine hücum eden yaşları tutamadı. İkinci bir sağnak gelmesinden korktum. Başını avuçlarımın içine aldım.

Şimdiye kadar kalbimden hiç kimse için gelmeyen en masum ve şefkatli hislerimle onun perişan başını göğsüme çektim.

- Ziya, yalvarırım sana, beni de ağlatma! Ben yarın gitmeyeceğim ve sen kalacaksın!

Sinir buhranını geçiştirmek için bütün kolonya şişesini başına döktüm. Sert koku ve serinlik ona ani bir duş tesiri yaptı.

Daha sekiz on yaşımdan beri hayatıma ve hislerime karışan bu yaramaz, bu hırçın, bu kinli başı sıkmak, acıtmak, hırpalamak istiyorum. Fakat içimde kuvvetli bir düğüm bütün bu arzularımı bağlıyor. Gözlerimin önüne gelen bir hayal ellerimi tutuyor ve ben taş altında topraktan fışkırmak isteyen bir filiz gibi yeşermek ihtiyacıyla kıvranan sevgimi zorla zapt etmeye çalışıyorum. Bütün bu his ve arzu mücadelesi gönlümün kudreti ile vicdanımın iradesi arasında beni saniyelerce yordu ve hırpaladı. İçimden, gururumdan ve vicdanımdan gelen coşkun ve kuvvetli bir his benim o tazelenen sevgimin alevini söndürdü ve onun sıcak alnına yaklaşmak isteyen dudaklarımı geriye aldım.

Bir rüyadan uyanır gibi kendime geldim. Evli bir kadın gururuyla dolup taşan kalbim bu his ve vazife mücadelesinde mağlup olmamıştı. Böyle buhran dakikalarında küçük bir zaaf bütün hayatı zedeleyecek kadar mühliktir. Bu tehlikeli anda gönlümün o çok istekli heyecanına galebe ettiğim için şimdi seviniyorum. Onun gelip geçen buhranına nihayet vermek lazımdı:

-Ziya, dedim. Çocukluğu bırak. Biraz muhakemeli görüşelim. Senin böyle mustarip olmanı hiç arzu etmem, yalnız bu vaziyeti eski bir dost gibi, birbirini iyi tanıyan iki arkadaş gibi muhakeme edelim. Ben isteseydim sen buraya gelir gelmez bir bahane bulur, mesela Boğaziçi'ne geçerdim. Fakat beni dinle. Aramızdaki mazi nüksettikçe biz mustarip olacağız.

Birdenbire başını kaldırdı. Kızaran gözlerinde himaye ve merhamet isteyen perişan bir acı vardı:

-Maziyi uyandırmak istemez misin Elvan, benim bu gözyaşlarımın menbaı o mazide değil mi Elvan, senin o eski hıncın kurbanı ben değil miyim Elvan?

Bütün bu cevapsız sualleri sayarken dudakları titriyor, saçları diken diken oluyordu. Kalbim o kadar acıyordu ki dimağım hareketten kalıyor, muhakemem beni bırakıyor gibiydi. Ben de sinirleniyordum. O kadar ki eski infialimin, onun kin ve hınç diye ifade ettiği hırçın hislerimin yeniden köpürmüş bir volkan gibi dudaklarımdan akışına mani olamadı. Gözlerimin önüne gelen o tarihi sahnenin içinde imiş gibi titremeye başladım. Şimdi acıtmak ve kanatmak ve kahretmek isteyen bir hırsım vardı:

-Eski hıncımdan bahsetmeye senin hakkın yok Ziya, dedim. Ben şimdi çiğnenen sevgimin matemini çekiyorum. Sen de ihanetinin cezasını çekmeye mahkûmsun. Ben mesut olmadım ve olamayacağım. Fakat yalvarırım Allah'tan seni de mesut etmesin! Istırap çek. Korktuğun o ıstırabı ben üç yıldır çekiyorum Ziya! O ıstırap ki bana üç yıl evvel, elimde çiçeklerim ve gönlümde coşkun sevgilerimle sana gelirken beni senin kapının eşiğinde yakaladı. O dakika hayatımın dönüm yeri oldu. O zaman kalbime giren acı biraz olsun hafiflemeden ve ben biraz olsun o acıya alışamadan devam ediyor ve edecektir. Maziyi hatırlamak istemem. Çünkü acılarım, dertlerim de o hatıralarla beraber tazelenir. Bugün evli bir kadınım. Ümidim varsa aşkta değil, belki tabiatın her evli kadına nasip ettiği analıktadır. Bana daha yirmi iki yaşında bu hisleri getiren sensin, senin ihanetindir. Benim sevgimi sen komşu kızlarının göğüslerinde gezen ellerinde boğdun. Elvan temiz kalplidir. Sevdiğine canını verir. Fakat şerefini, izzetinefsini vermez Ziya! İşte aramızdaki fark ve işte bugün değişmek ihtimali olmayan vaziyet!

Onu bu mustarip halinde en can alacak yerinden vurup acıttığım için bütün kinim boşalmıştı.

Göğsüm heyecanla kabarıp iniyordu. İnfiallerimin, itaplarımın ağırlığı altında bir müddet sesini işitmedim ve gözlerini benden kaçırdı. Bu zaaf anında ona vaziyetimizi anlatmak lazımdı. Şimdi kalbim zehrini dökmüş, ferahlamıştı. Artık onunla sükûnetle konuşabilirdim.

Üç yıldan beri içimde biriken, kararan ve kabaran kin ve infial fırtınası nihayet kopmuş ve onun inkisar ve nedamet ifade eden gözyaşları önünde bu sindirici sağanakla nihayet bulmuştu. Ona yavaşça seslendim:

-Ziya, ben izzetinefsi çok yüksek bir kızdım. Sevgimin üzerinde ufak bir şüphe bulutunun gölgesine tahammül edemeyecek kadar mağrurdum. Kalbimde mesut etmek ve mesut olmak için tükenmez bir menba vardı. Fakat ilk adımda, ilk heyecanımda o menbaı sen kuruttun. Senin bir zaaf anın, fena bir tesadüf ve nihayet kader, kısmet bu neticeyi verdi. Kalbim kapanmaz bir yara aldı ve aşkım açılmadan yaprakları kuruyup düşen bir tomurcuk gibi kalbimde katıldı kaldı. Bu sade bir mazi değil benim için bir hayattır. Ne yapayım elimde değil. O ihanete tahammül edemedim. Gururum senin günahını affetmeyecek kadar incinmişti. O ümitsizlikle evlendim. Bana bugün mesut olup olmadığımı sorma! Mesut olmasam da şikâyet etmeye hakkım yok. Çünkü bu hayatı ben istedim. Kocam dürüst, ciddi ve bana çok bağlı. Gönlümün derinliğine varamasa bile izzetinefsime ve kadınlığıma çok hürmetkâr. Ben zaten kalbimin sesini işitmemeye alıştım. Hayatım artık böyle geçecek.

Sen üç yıl Avrupa'da gezdin, avundun. Ben üç yıl İzmir'de sakin sade bir ev kadını hayatı yaşadım. Zannederim ikimiz de avunmaya ve muhitimizin verebildiği sevince kanaat ederek yaşamaya alıştık. Ben bugünkü hayatıma taze bir buhran, yeni bir hareket getirmek istemem. Eski ve yaralı aşkım kalbimin hayalî bir gıdası olarak kalsın. Sana çok yalvarırım Ziya, benim bu hayalimi canlandırmaya çalışma. Bugünkü vaziyetimizi bilelim. Filizlenmeye müstait arzularımız, heyecanlarımız olursa onları zapt etmeye alışalım. Harap olmuş, zedelenmiş aşkları tazelemekten fayda yoktur Ziya. Onlara yapılacak en asilane hareket hatıralarına hürmet etmektir. Sen kendinde, kalbinde bu büyüklüğü hissediyorsan böyle hareket edersin. Benim hayatımın sadeliği, kalbimin mahrumiyeti bana ceza olmuştur. Sen de kendinde bu kudreti görüyorsan... Ben sustum. Yavaş yavaş başını kaldırdı. Gözlerinde hâlâ ümit isteyen, merhamet arayan bir tereddüt ve ıstırap vardı.

- Nefsine ve maddi arzularına galebe çalanlar en büyük insanlardır, dedim. Kendinde bana hürmet edecek ve hayatı arzulara karşı feragat gösterecek bir aşk hissediyorsan biraz mahrumiyete alış Ziya!

Uzanan elleri parmaklarıma kadar geldi. Onun çok içli ve gamlı hâli emniyet veriyordu. Ellerim avuçlarında kaldığı halde çekmedim, göz bebeklerinde her şeye razı görünen munis, muti bir nedamet hâli vardı. Dizlerimin altında idi. Alnına dökülen uzun saçları ve kurumuş gözyaşlarından birbirine yapışan kıvırcık kirpikleriyle bu asabi ve sevimli başı sevmemek için çok zahmet çektim. Terahhum ve af isteyen gözlerini mendilimle kuruladım. Kirpikleri açıldı. Bebekleri canlandı. O gittikçe artan inkıyat ve itaat haliyle yavaş yavaş o büyük feragat ve fedakârlığı kabul etti:

-Peki Elvan, dediğin olacak. Varlığımın eşi sen olacaksın. Maddiyatına karışmayacağım. Fakat senden yalnız bir söz istiyorum. Beni sevecek misin?

Eğildim ve lüle lüle saçlarının dağıldığı alnına dudaklarımı bıraktım. Kalbimin üç yıllık hicran ateşi bütün hüviyetimi tutuşturmuş gibi vücudum alev hâli aldı. Gözlerimden akan yaşlarla beraber hayatımın ilk ve son aşkı kalbimden ve dudaklarımdan onun alnına aktı. Ve gönlümün sesi rüyada bir inilti gibi bütün hırçınlıklarımızın günahını itiraf etti:

-Seni çok seviyorum Ziya!

... Yarım saatten beri sıcaktan anahtarları gevşeyen udunun akorduyla uğraşan Zeynep'in nihayet içi sıkıldı. Ve sazı, mızrabı bir tarafa atarak ayağa kalktı:

- Haydi Caddebostanı'na kadar gidelim. Kır kahvesinde oturur, biraz deniz havası alırız.

Akşam oluyordu. Güneş Göztepe bahçelerini boğucu bir ateşle kavuruyordu. Bu teklife ilk defa Şefik Bey el kaldırdı:

- Bravo Zeynep Hanım en doğrusu bu! Sabahtan beri yandık, kavrulduk. Güneş artık hafifledi. Duvar gölgelerinden denize kadar ineriz.

Ziya ilave etti:

-Ve miktarı kâfi toz tenavül ederiz.

-E o kadarı da olur beyim. Ne yapalım. Her güzelin bir kusuru olur. Eski iskarpinleri giyer, gideriz. Beş dakika sonra kafile yola düzülmüştü. Çok toz almamak için mümkün mertebe arka, sapa ve çimenli yollardan Caddebostanı'na indik.

Burası Zeynep'in dediği gibi genişçe bir kır kahvesi. Mamafih deniz kıyısı olmasından mı nedir pek hoşumuza gitti.

Ziya'nın teklif ettiği sandal gezintisine birkaç talep çıktı. Hamide Hanım terlediğinden bahsederek yerinden kalkmak istemedi. Şefik Bey bir kahve içmeden yerimden kımıldamam dedi. Nihayet Zeynep'le ben Hamit'le kardeşi kalktık. Beşimizi bir sandal almayacaktı. Hâlbuki iskeleye indiğimiz vakit bir sandaldan başka bulamadık. Zeynep ben bu kadar kalabalık binemem korkarım, diyordu. Orada, gemi şalupalarına [scialuppa] benzeyen fakat, daha ufak, daha ince bir futa [fuota] vardı. Sahibi ortada görünmeyen bu futa o kadar hoşuma gitti ki kimseye sormadan içine atlamamak için kendimi zor tuttum.

- Ziya Bey, dedim. Bu sandal işini çıkardınız. Bari şu futanın sahibini de buluverin.

Zeynep eteğimi çekiyor:

-Ufacık şeyin neresine binilir diye vazgeçirmeye çalışıyordu.

- Siz bu sandala atlayın, biz futanın sahibini bulursak size yetişiriz, dedim.

Onlar açıldılar. Ziya ortada yoktu. Nihayet yukarıki küçük balıkçı kahvesinden çıktığını gördüm ve seslendim:

- Ne haber?

Eliyle, atla! İşareti verdi. Beklemeden sıçradım. Ziya da koşa koşa geldi:

- Talihimiz varmış, futanın sahibi kahveci, siz kürek çekecekseniz alın, götürün, dedi. Herifin eline biraz bahşiş verdim. Ötekiler gittiler mi?

Zeynep kalmadı. Zaten futa iki kişiden fazla almaz ki! Sen dümene bak, ben[im] ne zamandır kürek çektiğim yok. Biraz idman edeyim. Ziya ipleri aldı. Karşıya geçti. Ötekilere yetişmek için bütün kuvvetimle küreklere asıldım.

Onlar da sandalcı almamışlardı, kürekte Hamit var. Bizim zaten yarış için yapılmış gibi narin futa suyun üzerinde hafif bir kestane kabuğu gibi gidiyordu.

- Yarış edelim mi Ziya, dedim.

Gözleri gülüyordu:

- Yine eski huyun kabardı değil mi Elvan!

- Huylu huyundan vazgeçmez, sen dümeni iyi idare edebilecek misin? Şimdi onlar iki çifte yapmaya kalkacaklar. Ben Mahmut'u bilirim. O da az inatçı değildir. Dikkat et kuzum, o, bu yarışa hiç taraftar görünmüyordu. Dudaklarını büzüyor, sinirli, sinirli omuzlarını oynatıyordu. Nihayet dayanamadı, içini döktü:

-Onların peşine takılacak ne var sanki! Biz ığrıp tarafına gidelim!

- Niçin, dedim.

Düşünceli gözleriyle yüzüme bakıyordu. Tekrar sordum:

-Niçin Ziya!

-Yalnız kalmak için!

– istiyor musun?

Öyle acı acı baktı ki gözlerimi indirmeye mecbur oldum.

- Benim yanımda olmayı kâfi bulmuyor musun Ziya!

- Hayır Elvan, sana verdiğim sözü tutmaya çalışıyorum, fakat biliyor musun, çektiğim ıstırap bazen beni tahammülsüz bırakıyor.

O, gayriihtiyari dümeni çeviriyor ve ben ifade edemeyeceğim bir arzu ile sola alıyorum.

Şimdi büyük villanın yeşil ağaçlarıyla beyaz rıhtımının denize vuran ziyalı aksları içindeyiz. O, gözleri yeşil suların derinliğinde, düşünüyor gibiydi. Kollarım gittikçe ağırlaşıyor, kürekler işlemez bir halde! Onun sağ elindeki ip mütemadiyen geriliyor, ve futa daima ağaçların örttüğü tarafa gidiyor. İkimizde de bize aşina gözlerden kaçmak, saklanmak arzusu var gibi!

O kadar iradesizim ki! Gün kararıyor. Akşam bu yeşil kıyılarda ne kadar gamlı. Ufukta gökle deniz aynı pembelik içinde birbirine sarılmışlar gibi! Sular o kadar durgun ki, bir yeşil göl, bir büyük havuz gibi.

Ziya'nın sesi daha yakından geldi ve bir anda onu dizlerimin yanında gördüm:

-Tekrar eder misin Elvan, beni sevdiğini bir kere daha söyler misin?

- Beni gözlerinle olsun seveceğini tekrar edeceksin değil mi Elvan?

Sandal durgun sularda kendi haline kalmış gibiydi. Titreyen ellerim onun başında gezdi:

-Daima seveceğim Ziya ve onun bulutlanan gözlerine dudaklarım yaklaşırken ilave ediyorum:

-Gönlüm senin sevginle doludur Ziya, bu aşkı benden hiçbir kuvvet alamaz.

-Ellerini ver bana öpeyim Elvan. Senin aşkına bütün gençliğimi vereceğim. Senin sevgin hayatıma başka bir kadın gölgesi karıştırmayacak Elvan. Ömrümün sonuna kadar senin yalnız gözlerinden gelen temiz ve şefkatli sevginin hayaliyle yaşayacağım.

İçimde mayhoş ve buruk bir meyve lezzetiyle varlığıma yayılan garip bir sevinç hissediyorum. Bu öyle bir sevgi ve sevinç ki kandırmayan bir zevki, mütemadiyen artan bir iştihası var. Bu çapraşık his ve kandırmayan zevk beni öyle hırslandırıyor ki gayriihtiyari onun yumuşak saçlarını avuçlayıp çekiyorum. Bu inatçı ve sevgili baş inanılmaz bir inkıyat ve itaatle göğsüme düşüyor:

- Hıyanet adam, diyorum. Bütün hayatımı zehirledin. Vücudunu titreten bir heyecan içinde göğsümde inliyor:

-Israr etme Elvan, serbest kal, seninle yarım kalan sevgimizi yeniden bağlayalım.

Eski hıncımın kalbimdeki yeri açılır gibi oldu. O derin, o kapanmaz infial yuvasından acı bir sitem serzeniş tufanı boşandı.

– Geç kaldık Ziya, maziye dönmek için hiç kuvvetimiz yok. Ve bunun gühanı senindir.

- Onu seviyor musun Elvan!

-Sevgiden bahsedemem Ziya, fakat yakında anne olacağım. Göğsümdeki başının sarsıldığını hissettim. Parmakları kapandı. Boynundaki damarlarının kabardığını görüyordum.

Yeni bir sağanak gelmesinden korktum. Onu kollarından tutup çektim:

-Ziya söz vermiştin. Bana hürmet edeceksin!

Hıçkıramıyordu. Fakat gözlerinden akan yaşlar içindeki acının şiddetini anlatmaya kâfi idi.

Islak yanaklarını sevdim. Yaşlı ve yetim sevgili kalbimin sızladığını hissediyordum.

- Ziya, dedim. Birbirimizi görmek ve bir muhitte yaşamak zevkini kâfi bulalım. Bize mukadder olan budur. Istırap ve imkânsızlık altında yaşayan sevgilerde çok mesut bir ebediyet vardır.

-Belki de sözlerimin, belki de kader ve talihin gösterdiği imkânsızlığın tesiri onu teskin etti. Bu kandırmayan ve bir cansız fidan gibi çiçeklenemeyen sevgilinin menbaı sade gönüllerde kalacaktı. O da artık buna inanmış gibi tekrar ellerimi aldı. Bulutlu gözlerinde acı bir inkıyat ve ümit vardı:

- Sevgin benim değil mi Elvan!

- Yalnız senin Ziya!

- Sev beni! Gönülden vicdanından geldiği kadar beni sev, Elvan.

Saçlarının arasından dudaklarımı alnına koydum.

- Sevgimiz ebedi kalacak Ziya ve ben seni böyle daha çok seveceğim! Benim varlığıma, hayatıma senden fazla karışan ve hâkim olan kimse yoktur. Fakat isterim ki bu sevgimize maddi ve dünyevi bir his karışmasın. Sevgime emin ol Ziya, kalbimin erkeği sensin!

Uzun uzun ellerimi öptü...

Güneş sönmüş, gün kararmıştı. Biraz evvel suların üzerine yayılan renkler ve akslar silinmişti. Ötekilere iltihak etmek için döndük.

Onlar da bizim dalyan tarafına gittiğimizi görünce biraz dolaştıktan sonra dönmüşlerdi. İskeleye yakın buluştuk. Zeynep uzaktan sesleniyordu:

-Elvan, Mahmut Bey yarış eder miyiz, diyor.

Ziya cevap verdi.

-Hazırız, hizaya gelin bakalım.

- Kendine güveniyor musun Ziya, dedim.

- Seninle olduktan sonra daima!

İki sandal hizaya gelmişlerdi. Hamit kürekteki yerini kardeşine verdi. Zeynep:

- Ben kumanda edeceğim diyordu. Bir iki üç deyince kürekler hareket edecek. Kim iskeleye çabuk varırsa. Mahmut ceketini yeleğini çıkarmış, gömleğinin kollarını sıvamıştı. Kürekleri kaldırdık. Zeynep işareti verdi.

- Bir, iki, üç!

Hiç telaş etmiyordum. Yalnız kuvvetli çekiyordum.

-Ziya dikkat et, dümen tam iskele üstünde olsun!

Mahmut'un telaşını, köpürttüğü sulardan anlıyordum. Zeynep mütemadiyen:

- Üstüm başım ıslandı, diye haykırıyordu. Yarışta telaşın zararını, hele köpük veren kürek kullanmanın tehlikesini biliyordum. Ve bu yarışta hemen iki dakika içinde bir daha anladım. Mahmut'un acelesi ve gürültülü kürekleri zaten ağır sandalı sağa sola sallıyordu. Onlarla aramız on beş kulaç açılmışken biz iskele[ye] yanaştık.

Yukarıya, kahveye çıktığımız vakit, çaylarımızı hazır bulduk.

Şefik Bey tebrik ediyordu!

-Bravo Elvan, bu yarışı da kazandın. Yorulduğunu görünce hemen çayları söyledim. Nasıl iyi ettim mi?

- Biz de sana bir sürpriz yapacak, dalyandan balık getirecektik. Ama daha çekmemişlerdi.

-Getirmiş kadar oldunuz. Sen terli değilsin ya!

-Hayır, yalnız çayları içince kalksak. Ay yok, karanlıkta kalırız.

Köşke döndüğümüz vakit İbrahim Bey bizi yolda karşıladı:

- Treni kaçırdım, diyordu. Caddebostanı'na indiğinizi bilseydim vapurla gelirdim.

Şefik Bey sordu:

-Yemekten sonra nerede toplanacağız. Biz de mi, sizde mi?

Hamide Hanım, ağır vücudunu bir yere bırakmak ister gibi sıklaşan nefesleri arasında:

-Allah aşkınıza bize gelin, bu yol beni öldürdü, bitirdi. Bir adım atacak halim yok! diye yalvarıyordu.

Akşamın loşluğunda bahçeler arasında dağıldık.

Mevsim ağır geçti. Şefik Beyin izni bitti. Eylül başında İzmir'e dönmek için hazırlanıyoruz. İstanbul'da daha iyisi bulunan ufak tefek bazı şeyler almak için sık sık İstanbul'a iniyorum.

Şefik Bey şirkete ait işleri buradan takibe başladı. Hemen her gün İstanbul'da. Bazen Ziya da beraber iniyor. Onun ne işleri var bilmem. Annesi ondan bir şey esirgemiyor ki. Yengemin biriktirdiklerine lüzum yok. Fakat muayyen geliri Ziya'yı ferah ferah geçindirir. Mamafih genç bir adamın işsiz kalması tabii doğru bir şey değil. Bir aralık Ziya'ya Avrupa'da ne yaptığını sormuştum.

– Ekol Normal'i bitirdim dedi.

Kim bilir, belki de muallimlik gibi bir şey istiyor.

Bu akşam Ziya ile trende buluştuk. Şefik Bey yine son trene kalmıştı. Elimdeki paketleri alan Ziya:

-Sana bir müjdem var Elvan, dedi.

İstasyonun loş merdivenlerini çıkıyorduk. Acele acele sordum:

– Ne var?

– Ben de İzmir'e geliyorum.

– Sahi mi?

Bilmem neden, içimden birdenbire parlayan sevince biraz üzüntü de karışıyordu. Galiba bu beraberlikten Şefik Beyin şüpheleneceğini zannediyordum.

– Gezmek için mi Ziya?

Sevincimi bulutlandıran düşünceyi anlamış gibiydi:

- Hayır, dedi. Oradaki Amerikan mektebinin tarih muallimi oldum. Ve sonra yavaşça başını yaklaştırdı:

-Elvan, senin şerefini zedeleyecek bir hareketi benden bekleme. Her şeyi düşündüm. Hatta İzmir'e sizden evvel gideceğim.

Ziya'nın eski inatçı ve huysuz halleri değiştikçe hoşuma gidiyordu. Onu böyle munis ve tedbirli gördükçe emniyetim artıyor.

Kalbimden gelen bir arzu ile ona sokuldum.

– Ziya, İzmir'e gelmeyi çok istiyor musun!

-Yalnız İzmir'e değil Elvan, hayatında seni bir gölge gibi kovalayacağım. Öyle zannediyorum ki tahammülüm, takatim nihayet bana sevgimin mükâfatını verecek!

Köşkten içeri girerken ilave etti:

- Biliyor musun Elvan, beraber koşup yürüdüğümüz, baş başa musikiye çalıştığımız şu yerlerde seni bir yabancı erkeğe bağlı görmek bana ne kadar dokunuyor.

- Yaramızı deşme Ziya, sen Göztepe'ye gelmezden evvel birkaç gece bu bahçeye, bu ağaçlara baka baka, içlene içlene ne kadar gözyaşı döktüm. Ben nedamet etmedim mi sanıyorsun Ziya! Fakat ne yapayım ki bence her şey bitmiştir. En büyük fedakârlığı göze alayım. Lakin aramıza bir de çocuk karıştıktan sonra!

Ve gözlerime gelen yaşları teyzeme göstermemek için:

- Yoruldum Ziya, dedim. Biraz elimi tutar mısın?

Halimdeki bitkinliği, gözlerimdeki cansızlığı o da görüyordu. Mesut olmadığımı da anlıyordu. Ben kalbimi ona bu kadar göstereceğimi ümit etmiyordum. Yaramaz gönül o kadar sabırsız ki en içli sırrını kendisi ifşa ediyor.

Bu heyecan öyle zannediyorum ki onun İzmir'e gelmesi haberinden doğdu. Bilmem ki bu havadis Şefik Beye bir şey ihsas edecek mi? Hatırıma birdenbire bir fikir geldi:

– Ziya, dedim. Sen bu İzmir haberini bu akşam söylemeyeceksin!

- Niçin?

- Yarın İstanbul'a inersin, dönüşte Şefik Beyle beraber gelirsiniz. Evvela ona söylersin. Bana bu haberi Şefik Bey getirsin.

- Peki Elvan, fakat bundaki inceliği anlayamadım.

- Sen dediğim gibi yap Ziya, neticeyi sonra anlarsın! Şefik Bey gelinceye kadar onunla musikiye çalıştık. Kemanına doya doya, başımı dizine dayadım, dinledim.

Musiki ile, baharla büyüyen gönlüm... Bu akşam aşkı kana kana hissetti.

Son tren gelmezden evvel aşa[ğı]ya indik. Teyzem şimdiden şikâyete başlamıştı.

-Yarın öbür gün kalkıp gideceksiniz. Bari şu günlerde olsun beni yalnız bırakmayın, diyordu.

Şefik Bey gelir gelmez:

- Her şey tamam, dedi. cumartesiye İzmir'e gidiyoruz. Bak Elvan üç gün var. Artık sen de işlerini bitirirsin değil mi?

- Tabii, dedim. Ben hazırım, hatta istersen yarın bile!

- İmkânı yok ki, ancak cumartesi günü Hidiviye postası var. Sen onlarda rahat ediyorsun, cuma günü Bandırma ekspiresi de var ama, biliyorsun ya. Tren rahatsız!

-Cumartesi gideriz, dedim. Zeynep bir ziyafet istiyor, onu yarın akşam yapsak nasıl olur.

- Mükemmel olur. Fakat onunla sen meşgul olursun.

- Bir şartla, yarın akşam dört şişe de şampanya isterim.

Şefik Bey gülüyordu:

- Fena değil, gider ayak şöyle hovardalık edelim. Nasıl Ziya Bey seninle bir keyif olalım mı?

- Fena olmaz, dedi Ziya, ve beni kızdırmak ister gibi ilave etti:

- Bir akşam sizinle Beyoğlu'nda kalsak, bir eğlence de biz bize yapsak!

Şefik Bey alay olduğunu anlamakla beraber bana gelecek herhangi bir şüpheyi dağıtmak için itiraz etti:

-Yok, azizim, öyle eğlence bize yasak.

-Yasak olmasa ister misin, dedim.

- Ne münasebet a canım, Ziya Bey, sen de olur muzip değilsin, şimdi, durup dururken böyle şey söylenir mi? Beyim bekâr ya, istediğini söyler de yapar da!

Öyle mi, gibilerde Ziya'ya baktım. O Şefik Beye cevap verdi.

- Bizden öyle şey çok geçti dedi. Dediğiniz gibi bekâr bir adam bütün bir yazı teyzesinin tekyesinde geçirmezdi.

Ben Şefik Beyin yerinde olsaydım bu cevaptan çok alınırdım. Onun kalbi o kadar temiz ki üzerinde hafif bir şüphe bulutu bile gölge yapmıyor. Böyle adama ihanet etmek için ne kadar küçülmeli? Ben bunu yapamayacağım. Sevgimi gönlümde yaşatacağım. Kalbimden onun hayatını ve hislerini değiştirecek hiçbir arzu ve heyecan sızmayacak. Ziya [için] belki de hâlâ ümit var. Fakat yarın öbür gün benden babasının adını isteyecek bir çocuğum da olduktan sonra bu harap aşktan ümit kalır mı?

Göztepe'ye ilk geldiğim günden beri içimde canlanmaya başlayan o coşkun ve sevgili mazi yeşermeden kararıyor. Gençlik, sevgi ve sevinç çağlarının en canlı hatırası olan bu eski köşke ayak bastığım günden beri bu mazi birkaç kere kalbime girdi, yaşadı ve çıktı. Yarın öbür gün İzmir'e döneceğim. Fakat her vakitki gibi burada sade bir hicran bırakmayacağım. Çünkü bütün hicranlarımı, arzularımı Ziya benimle beraber İzmir'e taşıyor. Bilmiyorum bu hayat ne olacak. Kalbimde Şefik Beye karşı namütenahi bir hürmet ve biraz da hicap var. Bu hürmetin bir gün gelip merhamet şekline döneceğinden korkuyorum. Kendisine merhamet edilen bir kocanın bence aile hayatında yeri olmamalıdır. Şefik Beyi bu dereceye düşürmemek için bütün kuvvetimi sarf edeceğim. Yapacağım fedakârlığı o bilmeyecek. Kendi şerefi için bütün bir aşka kıydığımı anlamayacak. Ve belki de biz, saçlarımız ağarıncaya kadar birbirimize yalnız isimlerimiz ve vücutlarımızla bağlı olarak yaşayacağız. Kalplerimiz ebediyen birbirlerini bulmayacaklar ve tanımayacaklar.

Kızlığımda böyle bir hayata imkân görmezdim. Sevişmeyen gönüllerin, kalpleri birbirini bulmayan vücutların kurdukları çatılarda bir gariplik, bir biçarelik ve ömürsüzlük görürdüm. Meğer hayatta mukadder olan çok şey varmış.

Ertesi akşam son trenden Ziya ile beraber gelen Şefik Bey bahçe kapısından girer girmez seslendi:

- Elvan, sana bir müjdem var ama bedava söylemem. İzmir'de bir ziyafet vadeder misin?

- Bugünlerde her ağızdan bir ziyafet lakırdısı çıkıyor, ne oluyor kuzum. Bu sevinç ne!

Şefik Bey müjdesini kolay kolay vermeyeceğe benziyordu:

-Lakırtı karıştırma, vadet bakalım. Sonra arkadan gelen Ziya'ya dönerek ilave etti.

- Ha, nasıl Ziya Bey, bu habere bir ziyafet az bile değil mi?

Ziya cevap vermeden gülüyor, Şefik Bey manalı manalı başını sallıyordu.

- Hayatımı dümdüz görmeyi o kadar benimsedim ki en ehemmiyetli haberler bile beni alakadar edemiyor. Bu müjde mucize olsa gerek.

Şefik Bey hayret etmiş gibi gülüyordu:

-Lakin sen muhakkak ereceksin Elvan. Bu haberde sahiden bir mucize hâli var. Dayanamayacağım, söyleyeceğim: Ziya İzmir'e geliyor.

Kalplerin sevinci çabuk belli olur. Ve gönül arzularını dudaklar ve gözler pek kolay ifşa eder. Onun için yerine ve zamanına göre ölçülü, hesaplı bir sevinci izhar etmek o kadar güç ki!

Şefik Bey verdiği haberin, bu mucize derecesindeki mühim havadisin tesirini gözlerimde arıyordu. Bu tahammül edilmez vaziyetten kurtulmak için epey telaş ettim. Nihayet hayatta olduğundan başka türlü görünmeye alışmamış benliğimde bulabildiğim sade ve tabii bir tavırla:

- Ne münasebet, dedim. Ziya Beyin İzmir'de ne işi var. O, güzel İstanbul'u, eğlenceleri, konserleri bırakabilir mi?

Ziya artık söz sırası kendisine geldiğini anladı. Hakkındaki fikirlerimi de değiştirtmek ister gibi ciddi bir vaziyet aldı:

- Affedersiniz Elvan Hanım, dedi. Beni tembel, haylaz bir adam olarak tanımanızı hiç istemem. Bakınız anlatayım epey zamandan beri tahsilimle mütenasip bir mesleğe girmek, bir iş bulmak istiyordum. Boş oturmaktan pek sıkılıyorum, sonra bildiğimi de unutuyorum. Maarif idaresine yazmıştım, nihayet bana haber verdiler. İzmir'de bir Amerikan mektebi varmış. Oraya tarih ve coğrafya dersi muallimeliğine tayin etmişler. Hem seyahat olur, hem vakit geçer. Öteki muallimler İngilizmiş. Öyle zannediyorum ki memnun kalacağım. Zaten orada sıkılırsanız sizi başka yere alırız dediler. Siz bu mektebi biliyor musunuz?

Artık vaziyeti ciddi telakki etmek lazımdı. Şimdi bir aile çocuğuna yapılması lazım gelen vazife vardı. Ve ben bunu dürüst bir ev kadını salahiyetiyle yapmaya mecburdum. Ziya'nın suali bana fırsat verdi:

- Evet, dedim. Kızıl Çullu'da bir Amerikan mektebi var. Çok güzel binalarını o tarafa gittiğimiz vakit görüyorduk. Fakat İzmir'e uzaktır Ziya Bey. Ne yapacaksınız?

-Mektep geceli, onun için mektepte kalmak kabil. Yalnız dersim beni haftada ancak dört gün işgal ediyor. Serbest kaldığım zamanlar tabii İzmir'e ineceğim. Artık bir pansiyon, yahut küçük bir ev bulurum.

Şefik Bey için burada yapılacak bir nazikâne teklif vardı. Fakat eve ait en sade ve ehemmiyetsiz şeylerde bile benim fikrimi almadan hareket edemediği için ağır bir sükût içinde kıvrandı. Söylemek için âdeta gözlerimden izin almak ister gibi melul melul bakıyordu. Artık benim müdahalem sırası gelmişti. Meseleye ehemmiyet vermez bir tavırla:

-Hayır Ziya Bey, dedim. Siz İzmir'e geldikten, biz de orada bulunduktan sonra artık ev, pansiyon aramanız ayıp olur. Evimizde rahatsız olmazsanız..

Şefik Bey birdenbire atıldı:

- Adam sen de, neden rahatsız olacak. Bizim zaten yalnızlıktan canımız sıkılıp duruyor. Hazır şurada birbirimize alıştık da. Buradaki ahenk bozulmamış olur. Bana kalsa, Ziya Beyin yerinde olsam hatta rahatsız olacağımı da bilsem yine bu teklifi kabul ederim. Madem ki samimi bir dost ve akraba teklifidir.

Ziya için artık itiraz edecek bir köşe kalmamıştı. Hürmetle başını eğdi.

-Lutfunuza teşekkür ederim, dedi.

Artık işin ehemmiyetli tarafı geçmişti. Şimdi Şefik Bey ona ısrar ediyordu.

- Sanki bir gün evvel gitmekten ne çıkar hem tren yolculuğu, Elvan'da bilir ya, çok rahatsızdır. Ayrıca vapuru da var. İyisi mi cumartesiye kal beraber gideriz. Hem göreceksin bak ne kadar rahat, Hidiviye vapurları âdeta apartman. Hiç canımız sıkılmaz. Bu vapurlarda ekseriya zengin Mısırlı yolcular bulunuyor. Öyle eğlenti yapıyorlar ki!

Ziya bunun için de biraz itiraz etmek istedi. Fakat Şefik Beyin sözünü kıramadı.

Bugün cumartesi. Rıhtımda bizi teşyie gelenler arasında Zeynep'le kocası, Hamit, Mahmut, Hamide Hanım, Nevsal var. Öyle zannediyorum ki Zeynep Ziya'nın bizimle beraber gidişindeki o derin sebebi anlamış gibi... Bir aralık yalnız kaldığımız zaman:

-Elvan dedi. Bu avdetten ben çapraşık bir mana çıkarıyorum. Öyle zannediyorum ki Ziya senden hâlâ ümit bekliyor.

Omuzlarımı silkiyor:

-Bilmem, diyorum. Fakat irademin söyletmediği bu bir tek kelimenin altında acıya, ıstıraba ve hülyaya benzer garip, kırık ve rüzgâr kadar geçici hisler, hadiseler ve hepsini çekip çeviren kuvvetli kader ve kısmet darbeleri görüyorum!

Birinci kısmın sonu.

İkinci Kısım

... İzmir'in kışı kesilmez bir yağmurla birkaç fırtınadan ibaret gibidir. İstanbul'dan geldik geleli hava her gün bulutlu. Ümitsiz gönüller gibi.

Şefik Bey bütün hevesiyle işlerine başladı. Ondaki meslek ve vazife aşkını hiçbir erkekte görmedim. Akşamları kahvesini içer içmez yazı odasına geçiyor ve artık onun yüzünü yatak odasına girerken görüyorum. Daha İzmir'e döndüğümüz ilk akşam İstanbul'dan getirdiği yeni ciltlerini kitap raflarına yerleştirirken kendi kendine söyleniyordu:

-Üç dört ay gezdik, eğlendik, bir sahife kitap okumadık. Kafanın içi çiftlik avlusuna döndü. Haydi artık iş başına!

Ve sonra bana sesleniyor:

-Elvan, kısmet olursa bu kış iyi zamanlar geçireceğiz. Bana bu rahatı, bu sükûneti her yılki gibi vereceksin değil mi?

Hayatı mütekabil bir vazifeden başka şekilde görmeyen bu adamın arzularını yapmakta bilmem neden o kadar tabii bir arzu hissediyorum ki. Onun çok sade zevklerini temin etmek büyük bir fedakârlık değil. Çünkü bu arzular, bu zevkler o kadar sade, o kadar sathi ki akıllıca, tertipli bir hizmetçi bu vazifeyi hiç şikâyet ettirmeden yapabilir. Şefik Beyin hayat çerçevesi muntazam bir ev idaresinden ibaret gibi. Dikkat ediyorum, her yıl geçtikçe o, daha uysal ve daha sakin oluyor. Yemeklerini tertipli ve zamanında isteyen, uyku vakitlerini geciktirmeyen ve evin ufak tefek, bıktırıcı işleriyle uğraşmaktan çekinen bu hodkâm adamı memnun etmek için ince ruhlu bir ev kadını olmaya lüzum yok. Akıllı ve tertipli bir hizmetçi görüşüyle onun bu arzularını takip etmek kâfi. Geldik geleli bir yere çıkmadık. Eskiden tanıdığımız birkaç aile geldiler. Onlarla eski kışlarda hemen her hafta bir gece buluşur, eğlenirdik. Şefik Beye bundan bahsettiğim zaman elinden yemişi, oyuncağı alınan arsız bir çocuk gibi sızlandı:

-Daha dün bir bugün iki a canım, İstanbul'da gezdik, eğlendik. Biraz başımızı dinleyelim.

Ve sonra beni incittiğini zannederek yavaşça ilave etti:

-Yok. Hayır, yani acelesi yok demek istedim. Sen ne zaman istersen olmaz mı Elvan.

Bilmem neden, onun acı, tok sözleri beni hiç müteessir etmiyor. O böyle asabi zamanlarda beni üzdüğünü, kırdığını zannederek hemen derlenip toplanıyor, meyus, mahcup olmuş gibi itizarlar ediyor. Hâlbuki onun asabiyeti, serzenişi, hatta hiddeti kadar rücuu, itizarı da beni meşgul etmiyor. Mamafih ona böyle dümdüz, alakasız görünmek istemiyorum. Onun benden beklediği hayatı ve maddi vazifelere ben kendi arzularımla fuzuli olarak birden alakadar görünmeyi ilave ettim. Ve gariptir, bunda o kadar muvaffak oluyorum ki!

İstanbul dönüşü Ziya doğru mektebe gitmişti. Ev[i] temizlemek ve biraz düz[en]lemek lazımdı. Ziya zannederim bunu takdir ettiği için bize bir hafta uğramadı. Nihayet Şefik Bey onu gidip mektepten aldı. Ziya'nın bu ağır ve temkinli hareketleri hoşuma gidiyor. Haftanın üç dört gecesini biz de geçirmesini kararlaştırmıştık. İzmir'e gelir gelmez Şefik Bey ısrara başladı. Nihayet Ziya için üst kattaki büyük odayı hazırladık. Şefik Beyin eski küçük yazıhanesini bir küçük kütüphane ile odasına yerleştirdik. Onun titiz, çekingen hallerini bildiğim için o katta yatan aşçıyı tavan arasındaki balkonlu odaya çıkardım. Ziya burada istediği vakit kemanını çalabilirdi. Salondaki nota etajerlerinden birini de odasına koydum.

İlk geldiği akşam henüz gün kararmamıştı. Şefik Bey onu elinden tutup yukarıya odasına çıkardı. Ben arkalarından geliyordum. Şefik Bey ona takılıyordu.

– Bundan âlâ pansiyon bulursan on paranı almayız. Bak azizim, şu manzaraya bak. Bütün İzmir körfezi ayak altında, sonra bu katta senden başka kimse yok. İstersen hora tep. Ha bak şunu da söyleyeyim, şu yanımızdaki köşkte güzel bir de genç kız var. Hani İzmir'in gülü derler, bilir misin onu[n] şarkısı bile vardır. Gözünü açarsan pencereden pencereye hoş beş etmeye cevaz var. Ondan ötesine karışmam ama, bak Elvan müsaade ederse.

Ziya kendisi için hazırlanan odayı tetkik ederken Şefik Bey mütemadiyen havadis veriyordu:

-Ben senin yerinde olsam hiç mektepte kalmam, ders günleri de gider gelirim, gençsin, o kadar yoldan ne çıkar, tren var, araba var, diyordu.

Ziya gece dolabının üzerine iliştirdiğim küçük bir çerçeveye eğildi. Bu resim beş yıl evvel İstanbul'da Göztepe'deki köşkün bahçesinde İbrahim Beyin çektiği bir fotoğraftı. Ziya, ben, Zeynep bir arada çay içiyorduk.

Şefik Bey kapalı olan bir panjuru açmakla meşgulken Ziya resimden başını kaldırıp bana baktı. Bu gülmek isteyen bakışlarda derin ve keskin bir acı vardı. Ben şaka etmek istedim.

-Ziya Bey galiba odasını beğenmedi, dedim. Öyle ya Avrupa'dan dönenlere pansiyon beğendirmek biraz güçtür.

Sözlerimi ciddi olarak dinleyen Şefik Bey birdenbire geriye döndü:

-Haydi a canım haydi, dedi. Avrupa'da ben de üç sene kaldım. Değiştirmediğim pansiyon kalmadı. Kartiyelaten'de içini bilmediğim, yemeğini yemediğim ev yoktur. Emin ol böyle manzaralı, hani nasıl derler ab[u] havası latif, etraf ve eknafı açık oda başka yerde bulamazsın. Ama elektrik yokmuş, ne yapalım, sağlık olsun, büsbütün mum yakacak değiliz ya. Elbette odaya tütmez kokmaz tarafından bir lamba koyarız.

Ziya beyhude teşekkürler etmeye lüzum görmüyormuş gibi yalnız gülüyor, her lakırdıya başını sallıyordu.

-Ziya Bey, dedim. Hava sertlenmeye başlıyor. Odanıza bir mangal mı koyalım, yoksa soba mı ister siniz?

Şefik Beyden vakit yoktu ki hemen atıldı:

-Soba, soba, aşa[ğı]da bir demir odun sobası vardır. Çabuk ısınır. Çini de var ama o kızıp seni ısıtıncaya kadar sabah olur.

Ve sonra kendi kendine söylenir gibi ilave etti:

- Yahu, oğlana evlat gibi bakıyoruz. Bakalım ne göreceğiz. İster misin bu kadar zahmete karşılık yaptığımızı beğenmesin de gitsin İzmir'de kötü bir Yahudi evine pansiyon olsun. Ha, Elvan bunu yapar mı dersin?

Artık ben de gülüyordum:

-Saçmalama Şefik Bey, odasını gördü ya, beğenmese bile, madem ki samimi bir akraba evidir, zannetmem ki başka yeri tercih etsin! Haydi aşa[ğı]ya inelim. Nasıl Ziya Bey, çantalarınızı odanıza çıkartayım mı?

Sitemli, serzenişli gözleriyle bana baktı:

-Rica ederim, dedi. Siz de Şefik Beyle bir mi oldunuz? Enişte Bey alayı sever. Fakat ben sizi daha ciddi tanırım.

Bu gece mu'tadının hilafına yahut Ziya'nın şerefine Şefik Bey de salonda oturdu. Uzun uzun mektepten, İzmir'den konuşuldu. Ziya, mektepteki muallimlerin çok ciddi Amerikalılar olduğunu, onlarla samimi bir dostluk kurmak imkânı olmadığını şikâyet eder gibi anlattı. Onun dersi haftanın dört gününü işgal ediyordu. Perşembe akşamından pazartesiye kadar İzmir'de kalacaktı:

-Gündüzleri İzmir'de nereye çıkmalı bilmem, diyordu. Vakit geçirecek bir büyük gazino, kulüp falan var mı acaba?

Ziya Bey uyku bastıran gözlerini kırpıştırıyordu:

- Öyle şey arama, dedi. Bir Haylayf var, daracık bir yer. Kramer Gazinosu da fena değil ama bilmem benim pek hoşuma gitmez; merak etme sana burada eğlence buluruz, bir akşam Nizami Beylere gidelim. Olmaz mı Elvan? Onlar Ziya Beyden hoşlanırlar.

-Yalnız onlar mı, dedim. Tabii sırasıyla bütün ahbaplara tanıtacağız. Her hâlde evimize çağırıp yerleştirmekle ona büsbütün çile çıkartacak değiliz. Şefik Bey masa üzerinden bir İstanbul gazetesi çekip alarak ayağa kalktı.

- Öyle ya, öyle ya, yavaş yavaş her şey olur. Kış, a canım nasıl olsa geçer.

Ve başıyla bizi selamladı:

-Abdiâciz uykuya gidiyor. Şimdilik bon noi. Yarın erken kalkacağım.

Onun gece kandilini hazırladıktan sonra salona döndüğüm zaman Ziya'yı ayakta buldum.

-Yatmak istemiyor musun Ziya! Her şeyin hazır.

Akşamdan beri her lakırdıya tek kelimelik cevaplar veriyordu. Öyle hissediyordum ki içinde yine gizli bir fırtına var. Benim bu pek tabii sualim kasırga bulutunu deşmiş oldu. Ve bir anda başımın onun sert ve sıcak avuçlarında kaldığını hissettim. Ani vakalar ve buhranlar karşısında kendimi kaybettiğim yok gibidir. Onun bu çılgın hareketinden gelecek tehlikeler bir yıldırım süratiyle önümde çaktı, geçti. Bütün kuvvetimle kendimi kurtardım. Bu can alıcı mücadeleden arzusuzlukla ve çok elim bir mecburiyetle ayrılmaktaki ıstırap tahammül edilir gibi değil. Fakat varlığıma hükmeden gölgenin mevcudiyeti bu çok ağır işkenceyi bana bir vazife gibi kabul ettiriyor. Bir saniyelik tereddüt ve zaafın o gölgeye ait şerefi söndüreceğini bilmesem bu tatlı der-aguşu ömrüm oldukça içime sindireceğim. Onun boşta kalan ellerini tuttum:

- Ziya verdiğin sözü unutma, evinde misafir olduğun bir adamın şerefini çiğneyecek kadar küçülme!

Dudakları bembeyaz olmuştu ve titriyordu. İstanbul'daki buhranlarında gelen şiddetli sinir sağanaklarının başlamasından korktum. Buz kesilen ellerinden tutup en yakın bir koltuğa çektim:

- Ziya, mukavemet edemeyeceksen yarın derhal İzmir'den git. Bu şerait altında burada geçecek her gün ikimiz için de tehlikedir. Benim muhitim, varlığım seni daima buhrana, ıstıraba düşürecekse bir arada bulunmaktan çekinelim Ziya.

Alev alev yanan yüzünü avuçlarıma bıraktı. İçinden kesile kesile gelen sesini ancak işitebiliyordum:

- Bırakma beni Elvan, diyor. Aşkım galebe çalacak, vücudum her acıya mukavemet edecek, fakat yalnız beni varlığından çıkarıp atma! Buhranlarım seni üzecek, senin korktuğun tehlikeleri getirecek değildir. Fakat senin gözlerinden ışık almağa o kadar ihtiyacım var ki! Gözlerini olsun benden esirgeme, olmaz mı Elvan! Gözlerinin altında istediğim kadar kalayım. Kalbimin acısını unutturan yalnız gözlerindir Elvan.

Yanındaki tabureye ilişiyorum dudaklarının ateşi avuçlarımı yakıyor. Etrafında dolaştığımız tehlikeye karşı bazen o kadar mukavemetsiz oluyorum ki bu aziz mahluku bir anda kavrayıp sıkmak ve onun alevli dudaklarına bütün vücudumu bırakmak arzusuyla kıvranıyorum.

Fakat birkaç adım ötede yuvasının saadetinden emin olarak hayatta yegâne aradığı kalp ve vücut rahatıyla sakin uykusuna varan garip insanın hayali o anda aramıza giriyor ve gönlümden gözlerime kadar gelen o coşkun sevgiyi öyle gaddarca sıkıp boğuveriyor ki sinirlerim bir lahzada taş kesiliyor ve kuruyası kafam kalbimin imdat isteyen kısık sesini en maddi düşüncelerle kısıp öldürüyor.

Şimdi soğuyan ve titreyen parmaklarımla onun saçlarını koparmak, yolmak ve onu bütün hıncımla hırpalamak istiyorum. Gönlümün bu taşkın sevgisinin katili her şeyden evvel bu hırçın, bu çapkın sevgili baş değil miydi?

Bir şimşek cereyanıyla vücudumda dolaşarak sinirlerimi altüst eden bu coşkun gönül ıstırabı; bir buhran, bir ihtilaç halini aldı. Akacak bir menfez bulamadan bütün hızıyla gönlüme avdet eden o tahammül edilmez aşk tufanı vücudumun her noktasını deşip dökülmek ister gibi varlığımı sıktı. Kendime, sinirlerime hakim olamadım. İliştiğim tabureden bir külçe gibi kayıp düştüm. Vücudumun birkaç şiddetli ihtilacından sonra bütün o tufan bir azgın sel halinde gözlerimden boşandı. Şimdi hiçbir şey düşünemeyerek, maddi hislerin hodkâmlıklarına alt olmadan hınçkıra hınçkıra ağlıyordum.

Buhran ne kadar sürdü, bilmiyorum akacak bir damla gözyaşım kalmadığı zaman boğazım kurumuş, vücudum, ezilmiş, zedelenmiş gibi bir yığın hâli almıştı. Fakat bu mebzul gözyaşları ne zamandan beri kalbimde biriken acıları, ihtirasları yıkadı, sildi. Gözlerimi açtığım zaman Ziya'nın başını dizlerimde gördüm. Halının üzerine yüzü koyu kapanmış, başı dizlerimde, hâlâ ağlıyordu. Bu halde hizmetçinin biri görmesi ne felaketti. Sonra üç dört adım ötede rahat uykusunda mesut rüyalar gören o, zavallı demeye dilim varmıyor, o gafil insanın küçük bir şüphesi ne feci akıbetler getirecekti. Kin, arzu ve namütenahi gönül ıstırabı içinde Ziya'nın hırçın başını tutup çektim. Ağlamaktan kızaran gözleri bu aşılmaz ve geçilmez sevginin ıstırabıyla yanıyor gibiydi.

-Fena adam, güzel adam, diyordum. Kalbime açtığın yarayı yine deştin. Sen benim hayatıma karışmayacaktın. Bana görünmeyecektin, beni bu mücadele de öldürmeyecektin. Ne yazık ki artık sana fenalık edecek, intikam alacak kudretim kalmadı. Acımızı ıstırabımızı beraber çekeceğiz. Sevgimiz böyle fırtınalar geçirecek, tufanlar getirecek, kasırgalar koparacak. Fakat biz mazideki günahın cezasını çekmek için bunlara mukavemet edeceğiz. Bütün zevkimiz birbirimizin yanında bulunmaktan ibaret kalacak. Senin ihanetin, benim kinim bize bu akıbeti mukadder kıldı Ziya, sevgimiz için ben mesut kandırıcı ve doyurucu bir rabıta göremiyorum. Bu aşk ancak içine maddi bir zevk ve heyecan girmeyen temiz bir gönül yuvasında yaşayacaktır. Ağlayacağız, ıstırap çekeceğiz, fakat bu temiz gönül yuvasını kirletmeyeceğiz Ziya!

Odayı aydınlatan lamba gittikçe sönüyor. Gece, gaz bitecek kadar ilerlemiş. Vücudum bir harabe gibi. Dudaklarım yanıyor. Onun korkulu ve bitkin bakışları hâlâ gözlerimde. İfade edilmez bir sükût, bütün bu taşmadan dağılan heyecanın acısı gibi bize kalplerimizin sesini işittiriyor. Onun ağlamaktan kızarmış gözlerine dudaklarımı uzatıyorum:

-Ziya, vicdanımızı kirletmeyelim. Maddi ıstıraba alışılır. Fakat günahın acısı gönülden çıkmaz. Zamandan ümit bekleyelim.

O, bu muammalı, bu hudutları kapalı gönül yuvasının manasını, nizamını anlamış gibi mütevekkil dertli başını eğiyor, hiç cevap vermeden hummadan yanan dudaklarının ateşini avuçlarıma, bileklerime bırakıyor. Bu hasta, bu hırçın, bu asabi mahluku bir anne, bir kardeş gibi ellerinden tutup kaldırıyorum. O, ağır adımlarla merdivenleri çıkarken ben canımdan, aşkımdan ayrılmanın gönlüme açtığı derin yarayı hissede ede odama gidiyor ağrıyan başımı yastığa bırakıyorum.

Kânunuevvel 17 İzmir

... Bugün hava o kadar güzel ki! Körfez mavi bir havuz gibi. Karşıda kale yamaçları yeşermiş. Gökte birkaç beyaz bulut var. ·Güneş ılık ve tatlı. Salonun açık penceresinden bu güzel ve sıcak kış gününün tepelerde, bahçelerde can yaratışını seyrediyordum. Arkadan bir ayak sesi duyunca içeri çekildim:

- Ne yapıyorsun Elvan. Kime bakıyorsun!

-Hiç, hava çok güzel de!

İki adımda pencereye yaklaşıyor ve acele acele aşa[ğı]ya, bahçeye, parmaklığın arasından yarı yarıya görünen tramvay caddesine bakıyor.

-Ne var Ziya, ne oluyorsun?

Bu sefer bütün hırsıyla ellerime sarılıyor, gözlerinde vahşi bir bakış var. Vücudumu sarsan bir hiddetle soruyor:

-Doğru söyle, kime bakıyordun!

-Kimseye bakmıyorum Ziya, çıldırıyor musun? Baksana hava o kadar güzel ki!

İnanmamış ve söyletememiş gibi ye's ve mağlubiyetle başını sallıyor ve deminki hırsının bir şey yapamadığını takdir etmiş gibi bu sefer gözlerinin bütün yumuşaklığıyla yalvarıyor:

-Yalvarırım sana Elvan, kuzum doğru söyle, kime bakıyordun!

Onu temin edecek lakırdı bulamıyorum.

-Yapma Ziya. Üzülme, vallahi kimse yok. İşte sen de baktın a canım. Bahçeye, denize bakıyorum. Kış gününde böyle hava bulunur mu, baksana ne güzel, ister misin seninle biraz çıkalım?

Gittikçe artan kıskançlığı son zamanlarda ona manasız bir şüphe ıstırabı vermeye başladı. Geçen gün ufak tekef almak için Hükûmet Caddesi'nden geçiyorduk. Birdenbire bir araba çağırdı ve beni âdeta sürükler gibi içine attı. Bu çılgın hareketin sebebini ancak eve geldiğimiz zaman anlayabildim. Meğer ben camekânlardaki eşyaya bakarken bir genç zabit birkaç kere dönüp yüzüme bakmış, hiç farkında olmadığım bu hareketi onun nasıl görüp hırslandığına hâlâ şaşıyorum. Mamafih evlilik hayatımda kendimle bu kadar alakadar olunmasına alışmadığım için bu hırçınlıklar, kıskançlıklar hoşuma gidiyor.

- Söylesene Ziya, biraz çıkalım mı?

Onun birdenbire parlayan asabiyetini daima tatlı bir sükûnet takip eder. Yanaklarına bir fiske vurdum:

- İster misin Kokar Yalı'ya, hatta Poligon'a kadar gidelim? Dudaklarına gelen cevabı sessizce parmaklarıma bıraktı, onun en büyük zevki gözlerime bakmak ve en coşgun ihtirası avuçlarımı, bileklerimi öpmek! Gönül yuvamızın büyük ibadeti yalnız bu kadar... Bu temiz mabette dünya ihtiraslarını getirmemek için gözyaşlarımızla ant içtik!

Göztepe'den Kokar Yalı'ya kadar sahilden gidiyoruz. Güneş âdeta yakıyor. Denizin üstüne gümüş pullar serpilmiş gibi. Mini mini kabartılara güneş vurdukça gelin teli gibi parlıyor.

Yol gittikçe tenhalaşıyor. Ziya'nın eli kolumda. İkimiz bir adım atıyoruz. Poligon tarafından gelen birkaç nefer birbirleriyle konuşur gibi bize taş atıyorlar.

- Yeni talim başladı. Bir, iki, üç...

Ziya da kızmıyor, o da gülüyor. Bugün neşesi fazla.

- İster misin Ziya, yarış edelim. Bak yol o kadar düz ki!

- Yarışı bırak, Poligon'a kadar gidebilecek miyiz? Bana orasını uzaktır, arabasız gidilmez diyorlardı.

-Ben kaç kere gittim. Benim yoldan, koşudan kaçmadığımı bilmez misin?

-Ondan fazla çok inatçı; çok mağrur, çok kinci olduğunu bilirim. Onlar kâfi değil mi?

-Artık kinim kalmadı Ziya. Sana çok hıncım vardı. Hayatıma karışmasaydın bu kin belki de ölesiye kadar kalbimde sıkışıp kalacaktı. Fakat sen yaramı deştin. İçimde söndürmeye çalıştığım sevgi arzularını alevledin. Şimdi yalnız gönlümün masum aşkıyla yaşıyorum o kadar.

Yanında çeşmesi ve üzerinde büyük çınar ağaçlarıyla Namazgâh gibi yüksekçe bir yere gelmiştik. Ayaklarımız gayriihtiyari bizi oraya çıkardı. Ziya kolundaki pardösüyü yere attı:

-Biraz oturalım mı Elvan?

Zayıf kış güneşinin beyhude bir gayretle canlandırmaya çalıştığı kuru otlara ayaklarımızı uzattık.

-Ziya, terliysen üşüyeceksin, pardösüyü arkana al. Zarar[ı] yok, yerler kuru, otların üzerine oturabiliriz.

Ve kalkmak isterken elimi tuttu.

-Terli değilim, rahatımıza bakalım. Ne iyi ettin de beni çıkardın.

-Memnun oldun mu?

-Çok!

-Peki evdeki hırçınlığın ne idi!

-Hırçınlık değil, kıskançlık. Senden hiç şüphem olmadığı halde kıskanıyorum ve öyle hissediyorum ki bu kıskançlık gittikçe artıyor.

-Niçin?

-Bilmem!

-Yanında değil miyim. Sevgimi itiraf etmedim mi?

-Çok seven bir kalp için bunlar kâfi mi Elvan? Geceleri geç vakte kadar oturup dertleştikten sonra senin bir anne, bir hemşire gibi yavaşça alnımdan öpüp odana gidişine nasıl tahümmül ediyorum, biliyor musun?

- O bir ıstırap. Acısını ben de hissediyorum Ziya. Fakat sevgimin, kalbimin seninle yaşadığına inanmıyor musun? Hayatıma öyle karıştın ki bana resmen bağlı olan adam aramızda belirsiz bir gölge gibi kalıyor. Ben de sana bu kadar düşeceğimi zannetmiyordum. Şimdi o kadar değiştim ve sana o kadar alıştım ki evim, yaşayışım, sevincim, her şeyim seninle beraber bütün maddi engellere rağmen ruhum çok mesuttur Ziya. Eski vakalar ve bugün bizi kana kana sevişmekten men eden düğüm kalbimde ara sıra sızlayan bir yara halinde kaldı. Gönlümde biraz olsun iz bırakmayan bir adamın gölgesi bana ancak bir vazife

159

hissi veriyor, o kadar. Ona hürmetten başka hissim yoktur Ziya. Sonra, senden başka bir erkeğin kalbimde yaşayacağına sen ihtimal verir misin?

Alnına dökülen saçlarını düzelterek tekrar sordum:

-Söylesene Ziya, gecesini gündüzünü seninle baş başa yan yana geçiren Elvan'dan şüphe ediyor musun?

Elimi çekip dudaklarına götürüyor:

-Şüphe değil Elvan, nasıl anlatayım. Seni bütün varlığınla hayatımda bulamadığımdan mı, sana istediğim gibi tahakküm edemediğ[im]den mi neden bazen çok hırslanıyorum. Uykusuz kalıyorum. Sonra bu hisler birike birike yolunu değiştiriyor. Seni hırpalamak istiyorum. Sen mukaddes bildiğin bağları çözüp atamıyorsun. Ben bu gönüllerin hududundan çıkmayan sevginin ıstırabına tahammül edemiyorum. Buhran başlıyor, üzülüyoruz, ağlıyoruz. Sonra ötede senin kalbine hücum edemeyen bir gölge benim mahrum kaldığım saadeti kana kana yaşıyor..

Ve biraz durup gözlerime bakarak ilave etti:

-Öyle değil mi Elvan, maziye giren bir günahın cezası bu kadar ağır olur mu? Senin o zapt edilmez hırçınlıkların, infiallerin, kinlerin bak ne acı akıbetler getirdi. Benim günahım bu kadar büyük müydü Elvan? O zaman bile ne içli bir sevgi ile sana düştüğümü hissetmiyor muydun? Bana ait olmayan bir tesadüfün, alalade çapkınlık hareketinin bütün hayatımı kurutmasına gönlün nasıl razı oldu Elvan?

Gözlerimin yandığını hissediyordum. Ağlamamak için dudaklarımı ısırdım. Boğazımda sert bir gıcık vardı. Onun hasta bir gönül ıstırabıyla anlattığı macera benim her vakit dimağımda ve kalbimde yaşayan o acıklı serencam idi. Bende bu gönlü viran eden sergüzeştin kurbanı olmuştum. Fakat kalplerin, sırf sevgi taşkınlığından gelen geçici kinleri ve infialleri bilmeyerek, istemeyerek iki hayatın arasını açmıştı. Bu aralığa bir başka gölge sığmamış olsaydı şüphesiz günün birinde o sevişen kalpler bütün arzularıyla, şimdiki gibi kinlerini, infiallerini unutarak birbirlerini bulacaklar, yalnız dostluktan ibaret kalan bir gönül yuvasında değil aşkın bütün manasını ifşa eden mesut bir aile çatısında sevişeceklerdi.

Hayata hükmeden tesadüf ve kader bazen öyle inkisar alıyor, infial görüyor ki!

Beş altı yıl evvel şenlik yuvası gibi neşe ve kahkaha veren gönlüm bugün karanlık bir buhran kaynağı olmuştu. Mamafih bütün ümitsizliklere ve mahrumiyetlere rağmen onun her günkü hayatımda beraber bulunuşu bana teselli hatta saadet veriyordu.

Ziya'nın eski hayatımıza dair içinden geçirip söylediği serzenişli, hasretli sözler bir iğne gibi kalbime işledi. Ben de hareketimle boğduğum bu sevgide şimdi garip, öksüz, buruk ve ham bir lezzet buluyorum. Bu sevgi susamış bir yüreği kandırmayan bir damla su gibiydi. Gönlüm, bütün iştihasını mevut bir ziyafete saklamış gibi hasret ve ıstırap içinde idi. Bu ye's veren düşüncelerden onun sesi beni uyandırdı.

Ellerimi tutup çekmiş yüzüme bakıyordu:

-Ne o, Elvan, derdim seni üzdü mü?

O zaman zapt edemediğim heyecanım gözlerimden taştı:

-Beni itham etme Ziya. Ben hareketimden memnun kalmış değilim. Senin kabahatinden intikam alayım derken aşkıma kıydım. Bilmiyordum ki o sevgi bütün hayatımda benliğimden çıkmayacak. Çok nadimim Ziya, yaptığımın cezasını çekiyorum. Fakat bizi çocukça kinler, infialler yüzünden birbirimizden ayıran tesadüf kim bilir, belki de bir gün bilinmez, tahmin edilmez bir sebeple hatasını tamir eder. Hayat yolu uzundur ve hep meçhullerle doludur Ziya, sen buna inanmaz mısın?

Gözlerimden damlayan yaşları siliyordu:

-Senden bir ümit alamadıktan sonra tesadüften ne bekleye-
bilirim. Tesadüfleri biraz da hazırlamak lazım, sen bilakis haya-
tına o kadar bağlısın ki?

-Sevgime emin ol ve artık üzülme Ziya, bu vaziyette en
ağır cezayı ve ıstırabı ben çekiyorum. Mücadelem iki başlıdır.
İstanbul'da, Göztepe'ye ilk geldiğin zamanlar bilmez misin seni
ne kadar hırpalardım? Şimdi görüyorsun ki seni ancak sevi-
yorum. Senin üzüldüğünü istemiyorum ve inan ki sana ancak
memnun olan alakayı gösterebiliyorum. Kalbim, zevkim sen ol-
duktan sonra... Mamafih benden ümit bulmadığını da söyleme
Ziya, bunu dediğim gibi İstanbul'da iken söyleseydin sana belki
de hak verirdim. Fakat Caddebostanı akşamı sandalda bütün
sevgimizi birbirimize döktükten sonra benden hâlâ şüphe etmen
doğru olur mu? Beni tazyik etme Ziya, bu derin ve içli sevgimize
ve her gün, her gece beraber bulunmamıza rağmen aramızda çok
kuvvetli engeller var. Bunlar münasebetimizi ne dereceye kadar
karıştıracaklar şimdiden kestiremiyorum. Yalnız yine tekrar edi-
yorum Ziya, bütün mücadele benim tarafımda, benim kalbimde
olacak. Bütün emelim ikimizin mesut gününü temin etmektir.
Buna artık emin ol Ziya. Mukadderat bize ihanet etmez, tesadüf-
ler bize yardım etmekten kaçmazsa...

Poligon tarafından bir genç kadınla erkek geliyorlardı. Kumlu
yolu bırakmışlar, yandaki ince çimenli patikada yürüyorlardı.
Kadın, sarışın ve kıvraktı, yan yana yürüdükleri dar yolda bera-
ber gitmek için sıkı sıkıya birbirlerine sarıldılar. Bulunduğumuz
yerin kısa çalıları, ağaçları bizi onlara göstermiyordu. Böyle âde-
ta kucak kucağa, başları birbirine karışır gibi giderlerken genç
erkek birdenbire ekidi. Kadının şen mesut çığlığı onun cüretini
ifşa etti. Şimdi kadın başındaki el örtüsü uçuşarak kıra doğru
koşuyor, erkek bütün hıncıyla kovalıyordu. Pek çabuk yakaladı.
Artık barışmışlar gibi tekrar yan yana, başları birbirine sokula-
rak, tenha dağ yolunda gidiyorlardı. Bir an geldi ki iki başı bir
gördük ve yeşil sırtın arkasında kayboldular.

- Ne güzel sevişiyorlar, dedi Ziya.

Bu çılgın ve çapkın sevgililerin hayatı genç kızlığımın en içli arzularındandı. İsterdim ki sevdiğim adamla çocuklar gibi kırlarda, dağlarda koşup sıçrayıp, sık ağaçlı ormanlarda saklanıp kendimi aratayım. Ve bütün ömrümüz tükenmez bir sevgi ve çılgın bir macera gibi geçsin.

Gayriihtiyari ben de tasdik ettim:

- Mesut çiftler!

Ziya başını avuçlarına almış düşünüyor gibiydi. Birdenbire ellerini tutup çektim. Gözlerinden yağmur gibi inen yaşları gördüğüm zaman hayatta işlediğim en büyük günahımın dayanılmaz acısını kalbimde duydum.

Hiçbir şey söyleyemeden, onu ıstıraptan kurtaracak bir şey yapmadan tutamadığım başımı omuzuna bıraktım. Bu kuruyan otlar, ve dökülen sarı yapraklar arasında melul gönüllerimiz bütün acılarını da döktü. Birbirimize bir şey söyleyemeden yan yana, baş başa öksüz ve içli çocuklar gibi hicran çeke çeke ağladık..

17 Kânunusani İzmir

... Kar yağıyor. Körfez dumanlı, karşı sahil görünmüyor. Doktorun her gün biraz yürümek tavsiyesine rağmen hatta bahçeye çıkmak imkânı yok. Şefik Bey yakında baba olacağını düşünerek seviniyor ve birçok şeylere özeniyor. Dün akşam gelirken ufak tepeli bronz bir çocuk karyolası getirdi.

-Daha bir aydan fazla var. Bu ne acele Şefik Bey? dedim.

İşini, vazifesini bilir bir erkek gururuyla başını salladı.

- Her şeyi zamanında yapmalı. Biz hazırlanalım da, o ne zaman isterse o vakit gelsin!

Yuvasını vazife hissiyle değil, gönül arzusuyla seven bir erkek ağzından çıkmayacak cevap!

Ben isterdim ki Şefik Bey benim o serzenişime karşı koşsun, hürmetle, sevgi ile alnımdan öpsün ve bütün maddiyatı unutturan o derin gönül lisanıyla bana aşkımızdan, sevgimizden, yuvamızdan ve yavrumuzdan bahsetsin.

Bedbahtlığı bu kadar yakından ve böyle içten hissetmek insanın bütün varlığını yıkıyor. Hayatta bir eşya gibi ihtiyaç temin etmekten başka işe yaramayan mahluklar acaba gönüllerinde bir eksiklik varlıklarında bir boşluk hissetmezler mi!

Hayatın böyle dönüm çağında insan etrafındakilerin kendine karşı daha hassas, daha müşfik olduklarını görmek istiyor. Aşkının ve kanının mahsulüni canını veren bir ıstırapla dünyaya tevdi ederken maddi düşünceler insana o kadar batıyor ki!

Dışarıda mütemadiyen düşen kar parçalarını seyrediyorum. Camlar gittikçe buğulanıyor. Soba sabahtan beri yanıyor. Ziya da mektepte. Bu havada o kadar yerden nasıl gelecek bilmem. Her ihtimale karşı onun da sobasını yaktırdım. Onun her şeyine kendim bakıyorum. Evinde o kadar itinalı yaşamaya alıştığını bildiğim için işlerini bir hizmetçiye bırakmıyorum. Mamafih bir müddet sonra, ben merdivenleri çıkamayacak hale gelince ne olacak bilmem. Geçen gün odasını yerleştirirken yazıhanesinin anahtarını üstünde buldum. Bilmem neden ona ait gizli şeyleri öğrenmek için geçilmez, feda edilmez bir tecessüs zevki hissediyorum. Anahtarı çevirip gözü çekerken yaptığım hareketin münasebetsizliğini hatırladım. Başkasına ait bir odada gizli, ehemmiyetli, hususi şeylerin saklandığı, her gün muntazaman kilitli durmasından anlaşılan bir yazıhaneyi karıştırmak pek çirkin bir tecessüs olacaktı. Bir dakika tereddüt ettim. Fakat anahtar parmaklarıma yapışmış gibi bırakmıyorum ki!

Dört beş yıllık karı koca olduğumuz halde bugüne kadar Şefik Beyin cüzdanına bakmış değilim. Ve hiçbir kıskançlık arzusu ellerimi onun ceplerine götürmemiştir. Fakat Ziya'nın yazıhanesi önünde o kadar iradesiz ve sabırsız kalmışım ki hiçbir ahlak düşüncesi beni zapt edemiyordu. Bilmem neden ellerim, dizlerim titriyordu. Birdenbire karar verdim sevgimi, gönlümü verdiğim adama ait şeyleri araştırmak için kendimde âdeta bir hak buluyordum. Bu düşünce bana öyle bir kuvvet verdi ki gayriihtiyari anahtarı çevirdim ve çektim.

Gözüme ilk çarpan şey ne zamandan beri aradığım resmim oldu. İstanbul'dan Göztepe'deki köşke gittiğimiz zaman bilhassa bir gün Beyoğlu'na inip çektirdiğimiz bu resimden en samimi dostlarımıza birer tane dağıtmıştık. Zeynep'te, Hamide Hanımlarda birer tane vardı.

Şefik Bey bir tane Edirne'deki hemşiresine yolladı. Ben de Bursa'ya, anneme bir çerçevelisini yaptırıp gönderdim. Kalan bir taneyi de teyzem ısrar etti, salonuna koydu.

Geleceğimize bir hafta kala resmi ortadaki büyük masanın üstünde görmedim. Kızlara sordum. Haberleri olmadığını söylediler. Seyahat kargaşalığı içinde bu resimle daha fazla meşgul olamadım. Demek hırsız Ziya'[y]mış. Ne sevimli hırsızlığı var.

Fotoğrafın altından podösüet bir portföy [portefeuille] çıktı. Bunu Caddebostanı'ndaki sandal âleminden sonra İstanbul'a indiğim zaman almış, ona hediye etmiştim. Baktım hiç kullanılmamış, fakat içinde el değmemiş yeni paralar var.

Köşedeki mendile sarılı bir demet mektup buldum. Bu mendili de hatırladım. Altı yedi sene evvel yine Göztepe'de ki köşkün bahçesinde oynarken parmağı taşa çarpmış-kanamıştı. Kimi tütün tozu aramaya koştu, kimi örümcek ağı toplamaya gitti.

– Hepsinden iyisi şimdilik saralım, mikrop kapmasın, köşke gider yıkarsın, dedim. Ve siyah önlüğümün cebinden eksik etmediğim beyaz keten mendilimi çıkarıp sardım. Köşesinde "E" işareti işlenmiş ufak keten mendili görünce derhal tanıdım. Üzerinde birkaç damla kurumuş sararmış kan lekesi var. Zavallı Ziya, bunu da sakladın öyle mi?

Mektupları karıştırmaya başladığım zaman hayret ettim. Bu yazıların hepsi benimdi, kimi zarflı, kimi zarfsız, çoğu sarı, çizgili defter kâğıtlarına yazılmış birkaç satırlık şeyler. Çoğunu hatırlamıyorum bile. O kadar eski, o kadar çocukluk zamanlarına ait.

Bunlara mektup da denmez. Mesela Sülemyaniye'de ki evde büyük babam saz yapılsın demiş, ben de Ziya'ya ayaküstü bir mektup yazıp bize çağırmış ama ne ifade, ne imla, görülecek şey. Fakat o zaman bile Ziya'ya karşı merhametsiz, alaycı imişim. Bütün pusulalarda, mektuplar da on, on iki yaşındaki çocuk kalbimden çıkmayacak ağır bir ifade var. Bir defa hepsine:

Ziya Beyefendi hazretlerine! diye başlamışım. Hele sonları daima:

Olbabda emir ve ferman efendimiz hazretlerinindir! diye bitiyor. Bu tabirleri büyük babama gelen mektuplarda öğrenmiştim manasını bile bilmiyordum. Fakat çocukluğum haremden ziyade, selamlıkta ulemadan, ricalden, kelli felli kalem efendilerinden mürekkep daimi misafirler arasında geçtiği için onların bütün lakırdılarını, tavırlarını ezber etmiştim. Hele bir Mualla Tahsin Efendi vardı. Büyük babamın karşısında âdeta Arapça kitap okur gibi konuşurdu. Söylediği kelimelerin manasını hiç anlamazdım. Gitgide kulak dolgunluğu mu, yoksa o kelimelerin nerelerde kullandığına dikkat ettiğimden mi, nedir, muhaverelerden mana çıkarmaya başlamıştım. Çocukluk hevesi olacak, öyle telifsiz kimselere yazı yazacak oldum mu hep bu kulaktan öğrenilmiş ağır cümleleri, kelimeleri, gelişi güzel kullanırdım. Zavallı Ziya, bütün hırçınlıklarıma olduğu gibi bu alaylı mektuplarıma da o muhatap olmuş.

Bu dağınık kâğıtları karıştırırken kapalı, âdeta el değmemiş gibi kalınca bir zarf gördüm. Üzerindeki yazı benim değil, Ziya'nındı. Okumaya vakit bulmadan zihnimde bir şimşek çaktı.

Mektubu birdenbire hatırladım.

Yengemin bana nişan teklifinin ertesi günü Ziya ile konuşmak için onlara gittiğim zaman Ziya'nın Nimet'le olduğunu dadıdan haber almış, onları kapıda dinlemiş ve hayatımın bütün yolunu değiştiren o mühim kararı verip dönmüştüm. Bu vakadan iki gün sonra Ziya her şeyi öğrendiğimi anladığı için bana bu mektubu göndermişti.

O zaman herhangi bir zaaf ihtimalinden korktuğum için zarfı açmadan geri yollamıştım. İşte o mektup şimdi, üç yıl sonra yine avucuma geldi. Fakat bu sefer onu ben arayıp bulmuş oldum.

Üç yıl evvel bana yazılan bu mektubu açıp açmamak için çok tereddüt ettim. Ziya'nın bunu niçin sakladığını düşündüm. Bana ait olduğu halde onu üç yıl evvel geri yolladığımı düşünerek açmaya cesaret edemedim. Bu saklayışında bir sebep olacaktı. Sırf bana ait şeyleri, mektupları sakladığı bu gözü her vakit kilitli görür, menbaını bilemediğim bir tecessüs hevesiyle merak ederdim. Bu sefer tesadüfen anahtarını üstünde bulunca tecessüm, yahut kıskançlığım bütün ahlaki kaidelere galebe çaldı. Bilmem neden, bu şüpheli göz şimdiye kadar insafsız bir kurt gibi içimi yiyip kemiriyordu. Bu ısrarlı gözün bana ait olduğunu anlayınca onları mukaddes birer vedia gibi saklayanı gönlümün bütün sevgisiyle takdis ettim.

Üç yıl evvel bana yazdığı mektubu ilk defa açmayıp iade ettiğim gibi o da yırtmayıp muhafaza etmişti. Hayatımızın yollarını ayıran o vakanın müdafaasına ait olduğunu zannettiğim bu mektubu yine açmadım. Kim bilir, belki bir gün onu iki el beraber açacak!

Ziya'nın içime dert olan bu çekme[ce]sini tetkik ettikten sonra onu kendime daha yakın, daha candan gördüm. Hele teyzemdeki fotoğrafımı çalıp saklayışı o kadar hoşuma gitti ki!

Şimdi karşı[da]ki dağları, körfezde ki gemileri göstermeyen kar tipisini seyrederken onun ta Kızılçullu'dan İzmir'e nasıl geleceğini düşünüyorum. Havanın sertliğinden çekinip mektepte kalması ihtimalini hatırıma getirdikçe canım sıkılıyor. Hâlbuki bu havada o kadar yerden gelirken üşüyüp hastalanmasından da korkuyorum. Üç yıldır ne tehlikeli, fırtınalı, tipili havalar gördüm geçirdim. Fakat Şefik Beyi hiç merak etmedim. O kendini o kadar düşünür ve korur ki! Hodkâm insanlara karşı şefkat hissi gelmiyor. Ben bilirim ki Şefik Bey sıhhati, rahatı için en kıymetli şeylerini feda eder. Gün karardıkça tipi artıyor. Geldiği zaman hazır bulması için çay semaverini ateşlettim. Geçenlerde Kokar Yalı'ya gittiğimiz zaman biraz terlemiş, üç gün hasta olmuştu. Onun nahif bünyesi, böyle tipiye nasıl mukavemet eder.

Artık ortalık tamamiyle karardı. Deniz simsiyah. Camlara çarpıp eriyen kar tanelerinden başka bir şey göremiyordum. Şimdi kulağım bahçe kapısının çıngırağında. Demir parmaklı kapı açılınca üstündeki çıngırağa vurur. Bilmem neden bu gece onu çok merak ediyorum.

Çay kadehlerini hazırladım. Aşa[ğı]dan konyak şişesini de getirttim, biraz portakal kabuğu çentiyordum ki çıngırağın sesi rüzgârın uğultusu arasında boğuk boğuk geldi.

-Acaba Şefik Bey mi, o mu?

Arkama örtümü alarak sofaya, merdiven başına kadar çıktım. Hizmetçi kız camlı kapıyı açtı. Ziya geldin mi, diye seslenecektim. Fakat gelenin kim olduğunu bilmiyordum. Şefik Beyse Ziya'yı çağırmam münasebetsiz olacaktı. Herhâlde geleni anlamış olmak için:

-Şefik Bey, nerede kaldın, diye seslendim.

O anda aşa[ğı]ki sofayı geçip merdivene gelen Ziya'nın başını gördüm. Hiç cevap vermeden merdivenleri çıktı. Onun gelişi içimdeki bütün endişeleri dağıttı. Ellerinden tutup sıcak salona, çay masasının başına götürmek için sabırsızlanıyordum.

O acele acele yukarı çıktı. Fakat yüzüme bile bakmak istemeyerek sadece bir bonsuar [bonsoir] dedi. Ve odasına çıkmak için yukarı giden merdivene doğru yürüdü.

Birdenbire ne olduğunu şaşırdım. Gayriihtiyari arkasından koştum, paltosunun ıslak eteklerinden tuttum:

-Ne oldun Ziya, bir şey mi var?

Yüzünde tahammül edilmez bir acı vardı. Evvela cevap vermemek istedi. Sonra istihza eder, hıncını döker gibi gülümsedi:

-Sizi sükûtuhayale uğrattığım için affedersiniz, dedi. Beklenmediğimi bilmeli idim.

Onu bütün kuvvetimle yakasından tutup çektim:

- Haydi içeri gel, sobanın başında muhakeme olalım.

Yalnız onu beklediğim halde sırf fena bir telakkiye uğramamak için Şefik Beyin adıyla seslenişimin böyle aksi bir netice vereceğini hiç tahmin etmemiştim.

Onun geriye giden adımlarını çevirdim. Salona girince kapıyı kapadım ve bu sefer omuzlarından tutup küskün başını kendime çektim.

- Bak bana Ziya, ömrümde yalan söylemiş bir kadın değilim. Bütün kalbimle temin ederim ki ben seni bekliyordum. Fakat senin ismini verdiğim zaman o gelmiş olsaydı böyle bir tesadüfle vaziyetimizin şüphe altında kalmasını sen de istemezdin değil mi Ziya?

Ortada hazırlanmış çay masasına gözü ilişince acı ve sitemli yüzü biraz daha buruştu. Kelimeler ağzından birer ateş ve kin parçası gibi dökülüyordu:

-Aile çayınız da mükemmel, dedi. Bu mesut yuvanın zaten her şeyi yolunda. Yalnız bu saadeti gölgeleyen bir vücut var.

Ve sıkılan parmaklarını ellerimden kurtarmak ister gibi çekti, bırakmadım. Onu masaya doğru âdeta sürüklüyordum.

-Beni kahretme, bunların hepsi senin için. Bir saattir şu camın önünde neler düşündüğümü bilmiş olsaydın beni bu kadar incitmezdin.

169

İçimi yiyip bitiren anlatılmaz ve anlaşılmaz bir üzüntü ile onu nasıl temin edeceğimi bilemiyordum. Kalbimin bütün arzularına rağmen vaziyetin bu hislerime zıt bir şekil alması karşısında ne yapacağımı şaşırdım ve masumiyetini ifade edecek başka bir silahı kalmayan kabahatsiz çocuklar gibi bir şey söyleyemeden, onu ikna edecek hiçbir şahit gösteremeden hıçkıra hıçkıra ağlamaya başladım.

Bu kadar ümitsiz ve istinatsız kaldığımı hiç bilmiyordum. Bütün günümü heyecan ve endişe içinde onu beklemekle geçirdiğim halde müdafaası imkânı olmayan bir tesadüf yüzünden sevgimin böyle çiğnenip geçilmesi bütün mukavemetimi kırdı. Şimdi teessürümü, derdimi gözlerimden boşanan yaşlarla söndürmeye çalışıyordum.

Sedir üstündeki yastıklara gömülen başım ağlaya ağlaya bir külçe halinde kurumuştu. Buz gibi iki elin bileklerime yapıştığını hissettim. Derinden gibi gelen bir ses:

-Elvan, yeter artık, Elvan yeter artık, diyordu.

Gözlerimi açtığım zaman onu dizüstü yere düşmüş, gördüm. Gözleri kıpkırmızı idi. Gözyaşı halinde kalbimden akıp boşalan ıstırabım şimdi yüreğimi kurutmuş gibiydi. İçin için kuru hıçkırıklar geliyor. Hâlâ ağlamak ihtiyacıyla iksalar geçirdiğim halde kuruyan gözlerimden bir damla boşaltamıyordum.

Ona lakırdı söylemek, sitem etmek, kendimi müdafaa etmek iktidarım kalmamıştı. Kalbimin ıstırabıyla beraber gönlümün arzuları, heyecanları da nihayet bulmuş gibiydi. Vücut, asap ve adaleden ibaret kalınca ne göz görüyor, ne dudak oynuyor. Dimağımda oğul alınmış bir kovan hâli vardı. Biraz evvelki faaliyet, hareketler, sesler, uğultular yok. Beynim âdeta bir pelte gibi!

Şimdi o bütün rücuuyla, bütün nedametiyle dizlerim altında beni teselli etmeye çalışıyor. Fakat hayatımda kalbime en yakından mağlup olup ağladığım kadınlığımın, sevgimin belki de en yüksek kudretini onu beklerken hissettiğim heyecan ve endişe ile tattığım halde sevgimin böyle hoyrat, böyle ters bir şekilde telakkisi bütün arzularımı kırıp geçirmişti. Ellerimi yavaş yavaş onun avuçlarından kurtardım. Saçlarım dağılmış, üstüm başım bozulmuştu. Kalkmak istiyordum. Denize düşen bir kıymetli şeye sarılır gibi birdenbire kollarımı tuttu. İçimde öyle inkisar vardı ki kalbimin acısı dudaklarımı bile harekete getiremiyordu. O ıstıraplı sesiyle hâlâ yalvarıyordu:

-Elvan, Elvan her şeyi anladım, affet beni!

Gündüzden beri pencerenin önünde şu çayı hazırlatırken duyduğum zevk ve heyecan sanki dışarıda gittikçe uluyan, azan fırtınaya karışıp erimiş gibiydi. Gözlerim yavaşça geridon'un [guéridon] üzerindeki küçük saate ilişti. Yediye gelmişti. Şefik Bey, her akşam altı buçukta, yedi de gelirken bu akşam gecikmişti.

Başım ağrıyor. Sinirim öyle bozuk ki! Masanın üstündeki yuvarlak çay semaveri ıslık çalarak kaynıyor. Fakat sobanın ateşi kararmak üzere!

Zile basıp hizmetçiyi çağırmak istiyorum. Ziya'nın kollarımı kilitleyen ellerinden kurtulmak imkânı yok. O hatasını anlamış bir çocuk gibi şimdi sürekli yalvarışlarla gözlerimi arıyor.

-Elvan, beni de ağlatacaksın, böyle anlaşamamazlıklar içinde birbirimizi yiyip bitirmeyelim. Bütün kıskançlıkları yaptıran sevgidir, Elvan. Seni her şeyden, herkesten kıskanıyorum. Bu akşam tramvaylarda yer bulamadım, araba bulamadım. Biliyor musun sırf senden mahrum kalmamak için İzmir'den buraya kadar ne zahmetle geldim. Tipi içinde rüzgâr beni kaç kere ters yüzüne çevirmek istediği halde bilsen nasıl mücadele ettim. Düşün ki bu arzu ile titreye titreye buraya kadar geldikten sonra...

Artık sabredemedim. Onun o hırçın başını avuçlarıma alıp sardım:

-Evet, geldikten sonra da seni düşünen bir kadının senin için hazırladığı çayı gördün değil mi?

Ve onun ye'sinden, üzüntüden nemlenen göz bebeklerindeki derin sevgiyi görünce bütün ıstırabımı unuttum. Saçlarını tutup çeken parmaklarım gevşedi ve omuzlarına düştü. Hırslanıp ateşlenen gözlerim eski hazin sevgisine avdet etti. Akşamdan beri yaşadığım intizarın lezzetini kalbim bir kere daha hissetti. Onun melul ve meyus bakışları ve onun için hazırlanan çay masası bir saat evvel tattığım, hayaliyle yaşadığım o lezzetli intizarı hakikat yapmıştı. Dudaklarımı tutan kalp acısı artık dağılmış, dilim çözülmüştü. Onu severken varlığımdan doğan munis bir inkıyat ile yanan elimi başına koydum:

-Ziya, ben bu çay sofrasını senin için hazırladımdı. Beni öyle acıttın, kırdın ki!

Akşamdan beri pencerenin önünde tipiye, fırtınaya bakarak seni düşünüyordum. Ziya gelirse ona yemekten evvel bir sıcak çay vereyim diye acele acele masayı hazırladım. Ortalık kararınca kapının zilini bekledim. İşitir işitmez sofaya koştum. Seni çağıracaktım. Fakat ya o olsaydı.. Hiç insafın yok mu Ziya, ben ne olursa olsun, gelenin kim olduğunu anlamak istiyordum. Nasıl anlatayım, öyle anlatılmaz ve anlaşılmaz bir dert ki!

Dudakları ellerimin üstünde idi, biraz evvel sofada vahşi bir mahluk gibi benden kaçan bu hırçın adam şimdi dizlerimin altında munis bir kedi kadar yumuşaktı. Bileklerimin hududuna varan dudakları mırıldanır gibi yalvarıyordu:

-Tahammül edemiyorum Elvan, beni huysuz eden, insanlıktan çıkaran hep o kıskançlık buhranları, Elvan, affet beni. Otur da çaylarımızı ben hazırlayayım.

Hisleri, heyecanları birdenbire parlayıp sönen bu azabı, hırçın ve sevgili adamı nasıl affetmem ki, onun elemini, ıstırabını artık ben de bütün varlığımda hissediyorum. Elleri buz gibi olduğu halde yüzü alev alev yanan bu sevgili çocuğun yanaklarını okşadım:

-Hep üzüntüleri sen çıkarıyorsun, sevildiğini anladığın için bunları yapıyorsun değil mi Ziya?

Dışarıda rüzgârın uğultuları arasında bahçe kapısının çıngırağı mahuf ve zalim bir haber verir gibi haykırdı. Gayriihtiyari ikimizde yerimizden fırladık. Birbiriyle didişen ve boğuşan hisler, menbaı tıkanmış bir akarsu gibi birdenbire kesilip durdu. Şimdi ikimiz de ayakta, korkulu gözlerle birbirimize bakıyorduk. Hiçbir günah işlemediğimiz halde şu oda içinde bütün varlığımızla birbirimizin olmamız o anlaşılmaz hayat manasını yabancılara karşı belki de bir cinayet kadar mühlik gösterbilirdi. Beni en çok düşündüren bu tehlike idi. Vicdanımın kirlenişinden çekindiğim kadar gururumun kırılmasından korkarım. Ziya'nın yüzü renkten renge giriyor. Onu tabiiliğe döndürmek için yine ben kendimi topladım.

- Soba sönüyor Ziya, yakıver.

Ve onu sobaya doğru sürükleyerek kendim dışarı çıktım. Merdiven başına geldiğim vakit Demir elinde bir mektupla yukarı çıkıyordu.

-Ne var, Demir, dedim. Şefik Bey yok mu?

-Hayır efendim, Vali paşanın emir-beri bu mektubu getirdi.

Zarfı kaptım ve koşa koşa salona döndüm.

Ziya Şefik Bey geldi zannıyla gayet tabii görünmek için arkası kapıya dönük, sobaya odun yerleştiriyordu. Zarfı yırttım, açtım. Şefik Bey, Vali Paşa'ya davetli olduğu için yemekten sonra geleceğini yazıyordu.

Ömrümde bu kadar ferah nefes aldığımı bilmiyorum. Bir şeyden haberi olmayarak sobaya odun yerleştirmeye uğraşan Ziya'yı omuzlarından tutup kaldırdım.

-Haydi Ziya, şimdi onu bırak. Kız yapsın, sen çay mı istersin, yoksa hemen yemek yiyelim mi?

Gözlerindeki ürkeklik hâlâ gitmemişti. Mektuptan haberi olmadığı için lakırdılarıma, hareketlerime hayret ediyordu.

-Şefik Bey yemeğe gelmeyecek, mektup yollamış dedim.

Ve elimdeki kâğıdı uzattım.

Mektubu okuduktan sonra kendine geldi. Şimdi numero kâğıdını alıp sevinçten ne yapacağını şaşıran deli, dolu bir mektep çocuğuna dönmüştü. Biraz evvelki küskün ve ye'sli adam o değilmiş gibi birdenbire gözleri parladı ve üstüme atılmak ister gibi kollarını boynuma sardı. Geldiğinden beri sevinç, ıstırap, hırs, gözyaşı gibi birbirine zıt buhranlar içinde parlayıp kararan gözlerimiz şimdi uzak yollardan cefa ve mihnet çeke çeke gelip birbirine kavuşan iki hasretli gibi derin bir sükût içinde birbirlerini seviyorlardı. O kadar kendimden geçmiş, o kadar zevke kanmıştım ki, ayakta, onun elleri omuzlarımda ve gözleri gözlerimde o nihayetsiz hicran ve sevgi menbaını içmiş gibi kalbimde derin bir sükûnet hissediyorum. Fırtınadan sonra gelen bu munis sükûnette asabımı ateş ve heyecan veren mühlik, iğvalı, şeytanet-kâr bir hava vardı. Bu mühlik cereyandan kaçmak için gözlerimi kapadım. Hayalimde yaşadığım o mest edici aşkın yalnız adını dudaklarım ifşa etti:

-Ziya!

Derinden gelen bir enin gibi onun sesini duydum:

-Elvan!

Yemekten sonra salona çıktığımız vakit Ziya hafif bir titremeden şikâyet etti.

-Yemek üstü olur, Ziya merak etme, dedim. Hazım zamanı geçsin, bir şey kalmaz. Kahveden evvel bir Benedictine [Beyendik Likörü] içelim. Hem ısıtır, hem yemeği çabuk hazm ettirir.

Onun likörünü büyücek bir kadehe koydum.

-Koltuğu sobaya yaklaştır Ziya, ben de çekeyim.

Şimdi hafif, gayrimuntazam çıtırtılar alev alev yanan sobanın karşısında kahvelerimizi içiyoruz, dışarıda fırtına gittikçe azıyor. Az sonra sordum:

-Nasıl Ziya, biraz hafifledin mi?

Başını salladı:

- Geçer, gelirken biraz üşümüştüm, galiba onun tesiri, dedi.

-Bana biraz keman çalar mısın Ziya!

-Beraber olmaz mı?

Tellerin tiz akordu damla damla bir musiki yaratıyor gibiydi.

-La gösterir misin Elvan?

Parmağımı üste basıyorum.

-Bir de mi!

-Peki!

Artık aramızdaki keman, piyano rekabeti yok. Eskiden piyanonun başına gelince birbirimizi üzmek, incitmek için çareler, bahaneler arardık. Şimdi hatta nota aramaya ve çalacağımız parçaya dair bir kelime konuşmaya lüzum görmeden hislerimiz ve parmaklarımız harekete geldi. Bu fırtınalı gece, dışarının sağanakları, kasırgaları ve akşamdan beri geçirdiğimiz buhranlar, ıstıraplar asabımızı bozmuş hislerimizi sarsıp dağıtmıştı. Bu ruhi tahavvüller ve darbeler maneviyatımıza işlemiş gibi parmaklarımız beraber hareket etti. Farkında olmayarak Veber [Carl Maria von Weber]'in *Oraj*'[Orage]ını çalıyorduk.

Fırtınalı, karlı bir gece. Rüzgâr dallardan, saçaklardan ıslık çalarak geçiyor. Derinden gelen bir deniz uğultusu, yarı aydınlık bir oda, üzerine büyük bir palmiyenin dalı eğilmiş piyano ve yanında genç bir adam keman çalıyor. Gözlerimi yumduğum zaman bunları görüyorum. *Oraj* bu gecenin musikisi mi, yoksa bu gece ve bu musiki bir hayal mi?

Parmaklarım bazen beni bırakır, maddiyatımdan ayrılır, tamamiyle kalbimin olur. Bu gece de öyle! Akşamdan beri geçirdiğim parça parça ıstıraplar, acılar, gönül buhranları bana hayatımın belki de en fırtınalı saatlerini yaşattı. Dışarının saçaklarda ve dallarda haykıran azgınlığı ile gönlümün ıstırap ve haşyet veren fırtınasını bu musiki ne sert ve ne ürpertici bir velvele ve huşûnetle ifade ediyor.

Ziya'nın kemanı piyanonun gök gürültüsüne benzeyen derin ve müselsel fırtınası içinde keskin ve acı bir ıstırap gibi feryat ediyoruz. *Oraj* meğer ne canlı ne tabii bir esermiş. Onu bu akşamki kadar hiç sevmemiştim. Parmaklarım bir tehlikeden kaçar gibi bütün kuvvetiyle tuşların üstünden atlayıp geçiyor ve nağmeler derinden gelen bir volkan gürültüsü gibi gazap ve haşyetle fışkırıp dağılıyor. Ve nihayet gittikçe seyrekleşen bir dolu gibi tane tane, damla damla dökülüyor. Arada bir sağanak şeklinde savruluyor ve sonra yine teker teker, serpile serpile sönüp bitiyor.

Bu gece kalbimin fırtınası da böyle başlamış böyle bitmişti. *Oraj* bittikten sonra başım piyanonun üstüne düştü. İçimde şimdiye kadar varlığını duyamadığım yaraların açıldığını, kalbimin derin derin ağrıdığını hissediyorum. Öyle çetin bir mücadele içinde idim ki adım başında sendeliyordum. Şimdiye kadar hayatım dümdüz geçmişti. Kalbimdeki sevgi gizli bir gönül yuvası gibi zararsız, tehlikesizdi. Hayatıma çirkin bir macera karıştırmamak için verdiğim karar, beni gittikçe müşkül mevkilere düşürüyor. Şimdiye kadar bana sevgisini veren adamın hislerini idare etmeye uğraşıyordum. Fakat artık kendi hislerimi zapt ve onlarla mücadele etmeye başladım. Bu birbirine zıt vaziyetlerde derin bir aşka hayat vermek ne kadar güç!

Kemanı, yayı piyanonun üstüne bıraktı. Ellerimi tuttu. Yüzü, dudakları hararetten yandığı hâlde elleri buz gibiydi. Sesinde bile garip bir ihtizaz vardı:

-Titreme geçmedi, Elvan, ateşim de var.

Elimi şakaklarında gezdirdim. Hakikaten ateşi vardı. Gözleri çakmak çakmak oluyordu.

-Şimdi bir çay istersin Ziya, sen üşütmüşsün! Gel sobanın yanındaki koltuğa otur da hazırlayayım. Ve onu kolundan tutup sobanın yanına götürdüm.

Akşamdan hazırladığım çay takımı duruyordu. Semaveri tazeledim. Fırtına aynı şiddetle devam ediyor. Soğuk gittikçe artıyor. Hazırladığım punçu yudum yudum içti. Odasında soba yanıyordu. Mamafih bir kere de kendim çıktım, baktım.

Ben de rahatsızdım.

Sinirlerim bozulmuştu. Başımda hafif bir ağrı vardı. Gece kandilini yaktım. Salona indiğim zaman sobanın önüne çökmüş ısınmaya çalışıyordu.

-Çok üşüyor musun Ziya.

Elimi alnına koydum. Başı ateş gibiydi. Vücudu titrediği halde başının yanması bir hastalık başlangıcı gibi görünüyordu. Yatak odama kadar gittim. Evde her zaman işe yarayabilecek ufak tefek ilaçlar bulundurmak âdetimdir. Ona ihtiyaten iki purjen [purgene] tableti verdim. Evladının üstüne titreyen bir ana gibi onu kolundan tutup yukarıya, odasına çıkardım.

- Oda da hararet tamam yirmi bir. Fakat sen derhal soyun ve yat Ziya bir şey ister misin?

Gözlerinin rengi solmuş gibiydi.

- Teşekkür ederim Elvan. Sana çok zahmet verdim. Bir şey istemem.

-Dilber sofada yatsın istersen, gece lazım olursa çağırırsın.

-Hacet yok Elvan, yalnız söyle de, sabah erkence gelsin, sobamı yaksın.

-Merak etme Ziya. Ben daha evvel kalkar yollarım. Bon noi.

-Bon noi!

Ona ilk defa elimi uzattım. Hararetten yanan dudaklarını elimin üstüne bıraktı. Eğildim ve onun uzun, dağınık, siyah saçlarına içimdeki sevgi ve şefkat yuvasının en samimi hislerini bıraktım. Gözlerim yaşlı, kalbim mustarip, vücudum bir külçe gibi merdivenlerden inerken bahçe kapısının çıngırağı acı acı haykırdı. Saçakları parmaklayan bir şiddetli esen rüzgâr çıngırağın sesini kaptı, götürdü ve boğdu. Şimdi ani bir heyecan içinde her tarafım titriyordu. Ağır bir kabahat yapmış gibi ne yapacağımı, nereye gideceğimi şaşırmıştım. Kendimi toplamak, tabii görünmek istedim. Eskiden pek kolaylıkla yapabildiğim bu harekete şimdi mukavemetsiz kalbim tahammül edemiyordu. O kadar gayret ettiğim halde hareketlerime tabiilik getiremediğimi zannediyordum. Salona girdim. Demin Ziya'ya öğrettiğim meşguliyeti kendim yapmak istiyordum. Şefik Bey, soğuktan uflaya puflaya gürültü ile içire girdiği vakit beni sırtım kapıya dönük, sobaya odun yerleştirirken gördü.

-Olur hava değil yahu! Paşa da beni çağıracak zamanı buldu. Aferin Elvan. Salon hamam gibi oh, ala, hazır çay da var.

Onun bu laubali, bu lakayt hâli bana cesaret verdi. Artık hislerime, hareketlerime tamamiyle hakim olmuştum. Ayağa kalktım:

-Ne kadar geç kaldın, dışarısı nasıl?

-Sorma! Bereket Paşa arabasını verdi de defterdarla buraya kadar geldik. Yerde belki bir arşın kar var. Ziya gelmedi mi?

-Ziya hasta, gelir gelmez yattı.

-Ya, nesi var?

- Belli değil, fievre[fiévre]si var. Yatmazdan evvel purjen aldı. Çay içti.

-Havalar tehlikeli, aman kuzum sen de kendine iyi bak, durup dururken şu sırada başımıza bir de hastalık çıkmasın. Bu akşam yemekte sıhhıye müdürü de vardı, onun ihtisası viladiyededir. Söyledim, cumartesi günü gelip bir kere muayene edecek!

-Sormadan niçin böyle şey yaparsın a Şefik Bey. Artık rastgelen doktora da muayene olacak değilim ya a canım!

Bu geceki eğlentiyi affettirmek için bana yaranmak fikriyle çıkardığı bu doktor meselesine lüzumundan fazla kızmış göründüm:

-Bana sormadan böyle şeyler yapma Şefik Bey, bilirsin ki kendime ait şeylerde biraz titizim.

O, geç geldiği için benim hiddetlenmediğimi görerek bu meselede derhal rücuu etti:

- Belki arzu edersin diye söylemiştim. Mamafih ben bir yolunu bulur, bir bahane çıkarır, onu buraya göndermem. Zaten gelirken tabii bana soracak.

Daha fazla ısrar etmedim:

-Bir çay içersin değil mi?

-Tabii, tabii.

O geç gelişinden kopacak fırtıyayı hafif geçirdiğinden memnun, hazırladığım çayı büyük bir iştiha ile içiyor. Bana kışın şiddetli olacağından bahsediyordu. Nihayet:

-Yarın beş çeki odun daha göndermeli, ne olur ne olmaz, istersen merdiven başına bir camekân yaptıralım. O zaman sofaya da bir soba koydurduk mu bu kat tekmil ısınır. Bana kalırsa yarın ve öbür gün sen rahatsızlanınca bunu yaptırmaya mecbur olacağız. İyisi mi şimdiden çaresini düşünmek daha iyi.

Ve çayını bitirip ayağa kalkarken ilave etti:

-Lakin bu akşam vali paşada bir tatlı vardı. Olur şey değil. Ben sıkıldım soramadım. Fakat defterdar pişkin adam, bir biçimine getirdi. Paşam, aşçıbaşı kulunuza emir buyursanız da şu tatlının tertibini söylese! dedi. Meğer Valinin aşçılığı varmış. Hacet yok ben anlatayım. Zaten Tosun'a da ben öğrettim, dedi.

Uzun uzadıya anlattı ama pek aklımda kalmadı. Sade içinde bayat francala içi, süt, kaymak bir de tereyağı var. Yarın unutmadan şunu bizim Emine'ye sor. Biliyorsa yapsın. Enfes bir şey!

Ve ayakta bir iki kere gerindikden sonra gözlerini uyuşturdu:

-Gece yarısı oldu yatmayacak mıyız.

-Benim biraz dikişim var. Hem gündüz uykusuna yatınca gece erken uyuyamıyorum.

-Anladım sıcak salondan çıkmak işine gelmiyor. Doğru buz gibi odaya gidip yatmak benim de canım istemez ama, sabah erken kalkmak var. Yarın direktörle Nazilli'ye kadar gidip hattı teftiş edeceğiz. Kapalı drezin var. Rahatsız olmasaydın beraber giderdik.

Daha salonda yakalığını, kravatını çıkarmaya başladı.

-Soğuk odada soyunmak felakettir. Bari en zahmetli şeyleri şurada çıkarıvereyim.

-İstiyorsan yarın akşam yatak odasının sobasını yaktırayım.

-Sakın ha yattığım odada ateş istemem. Ben onu senin için kurdurdum. Yarın öbür gün lazım olacak.

-O zaman nerede yatacaksın?

-Çaresiz bir müddet yazı odasına geçeceğim. Hem senin rahatın için lazım değil mi?

Sesimi çıkarmadım. Gömleğine varıncaya kadar çıkardı ve sonra hepsini sırtına aldı. Yavaşça kapıyı açtı kayboldu.

Yaklaşan günlerime ait konuşmalar ve düşünceler eskiden bana sevinç ve ümit veriyordu. Göğsüme bastırıp seveceğim bir yavru, hayatımın kırık emellerini sarıp tazeleyecek sanıyordum. Hatta, İstanbul'da, teyzemin köşkünde Ziya'nın hücum dalgalarına mukavemet ederken bu düşünceden kuvvet alıyordum. Fakat şimdi bu kat'i günler yaklaştıkça içime bir garip üzüntü, ezici bir ümitsizlik çöküyor. Öyle hissediyorum ki aramıza karışacak masum bakışlı mini mini bir baş beni kocama, evime ne kadar yaklaştırırsa ötekinden o kadar uzaklaştıracak. Ben yalnız kalbimde, gönlümün yuvasında saklamaya karar verdiğim bu sevgiyi bütün şefkat ve hürmet hislerimden yüksek tutacağım. Fakat gittikçe hislerine mukavemet edemeyen, beni en tabii rabıtalarımdan kıskanan Ziya'yı ne yapacağım. Öyle zannediyorum ki o, beni aile hayatına daha kuvvetli bağlaması tabii olan bu vaziyetten büsbütün ümitsiz düşecek, kıskançlıklarına mukavemet edemeyecek ve eski hırçınlığı eski asabiyeti nüksedecek ve o zaman kim bilir ne buhranlar, ne fırtınalar kopacak!

Bunları düşündükçe vücudum dikenleniyordu. Onun İzmir'e gelişine o kadar sevinmişken şimdi yaklaşan buhran ihtimalleri beni korkutuyordu. Mamafih onun mevkiini, onun sevgisini kalbimde o kadar kudretli ve emniyetli buluyorum ki yanımdan, muhitimden ayrılmasına tahammül edemeyeceğim gibi geliyor. Gittikçe müşkül vaziyetlerde mücadele etmeye mecbur olduğumu ve dört yıl evvel, hırçın ve mağrur bir genç kız çılgınlığıyla yaptığım hareketin beni ne elîm bir maceraya attığını anlıyorum. Bir dakikalık heyecan bir ömürlük hayatı zehirledi. Ve bu hayat beni o kadar kavradı, bağladı ki avdet imkânı yok. Sevgisi önünde vicdanını ve zevkini hatırlamayan bir kadın olsaydım bu vaziyetten kurtulmak ümidi vardı. Ne çare ki öyle bir ihtimali düşünemeyecek kadar zevkimi tok ve nefsimi mağrur görüyorum.

Artık kadere muti olmaktan ve her gün tazelenecek, yeniden başlayacak kalp ve hayat mücadelelerine hazırlanmaktan başka çare yok.

Ziya'yı iradesine hakim tutmak için ümitsizliğe düşürmemek, vaziyeti idare etmek içinde ona fazla düşkün görünmemek lazım. Hasta bir vücut, tahammülsüz bir gönülle buna nasıl muvaffak olacağım bilmem.

Şefik Bey yattıktan sonra salonda yalnız başıma bir saat kadar oturdum. Ara sıra yukarıyı dinliyordum. Ziya'nın hastalığı bana endişe veriyordu. Yattığı oda salonun üstüne tesadüf ettiği için küçük bir hareketi duyabilirdim. Termometre koymamakla beraber hararetinin yüksek olduğu belli idi. Bu fievre ya geçici bir şeydi, yahut devamlı bir hastalık başlangıcı idi. Her hâlde sabah olmayınca bir şey anlamak imkânı yok.

Yatağa uzandığım zaman bugünkü yorgunluğumun derecesini anladım. O sürekli sinir buhranları hissedilmez bir ıstırap içinde vücudu öyle hırpalıyor ki! Her tarafımın kırılır gibi acıdığını, ancak başımı yastığa koyduğum zaman hissettim. Bin bir düşünceden kurtaramadığım dimağım bütün gayretime rağmen beni uyutmuyordu. Gözlerimi kapattığım halde Ziya'nın soluk yüzünü, hararetten kavrulan dudaklarını, sık sık nefes alışlarını görür gibi oluyorum. Biraz olsun kendimden geçmeden yatağın içinde sağdan sola kıvrandım. Şefik Bey yanımdaki karyolada yorgana sarılmış geniş gürültülü nefeslerle bir kere dönmeden uyudu.

Halsizlik, kesiklik içinde bitap kalmışım. Dalgınlığın ne kadar devam ettiğini bilmiyorum. Gözlerimi açtığım zaman Şefik Beyin yatağını boş gördüm. Kırıcı bir soğuk var. Yorganın altından yavaşça kolumu çıkarıp baş ucumdaki düğmeye dokundum.

-Dilber kapıyı açtı.

-Şefik Bey gitti mi Dilber.

-Gitti efendim.

-Yukarıya, Ziya Beye baktın mı?

-Sobasını yaktım. Ihlamur istedi, onu kaynatıyorum.

- Çok rahatsız mı?

-Ateşi var galiba. Derece istemişti, götürdüm.

-Peki, salon ısınmadı mı?

-İki de bir odun atıyorum. Fakat çok kar var hanımefendi.

-Peki, haydi sen git, ıhlamura bak.

Vücudum kımıldanmıyor. Omuzlarım o kadar ağrıyor ki, daldığım zaman örtüsüz kalmış olacak.

Üzerime almak için ilk elime geçen şey Şefik Beyin kalın ev paltosu oldu. Soğuk odada giyinemedim. Salona koştum. Dilber elbiselerimi getirdi. Bütün gece kar yağmış. Panjurların arası o kadar kar dolmuş ki dışarısı görünmüyor. Giyindikten sonra ilk işim yukarı çıkmak oldu. Ziya odanın çok sıcak olmasına rağmen yatağın içinde örtülere sarılı, büzülmüş yatıyor.

-Nasılsın Ziya dedim. Ateşin çok var mı?

Gözlerini yavaş yavaş açtı, elimi alnına koydum.

-Termometre istemişsin, çıkarıp baktın mı?

Dudakları bembeyazdı. Güçlükle kımıldattı:

-Bakamadım Elvan, vücudum kırılmış gibi.

-Hangi tarafında?

-Sol.

Elimi sobada ısıtarak gömleğinin arasından yavaşça uzattım çektim. Termometre otuz sekizden fazla gösteriyordu.

-Hastasın Ziya, ne olur ne olmaz ben doktor Arif Beye haber göndereceğim.

Sesini çıkarmadı. Halsizliğinden O'da korkuyordu.

-Miden, nasıl, süt içtin mi?

-Ihlamur içtim.

-Doktor gelinceye kadar sana bir şey vermeyeceğim.

Gözleri gülmek istiyordu. Fakat halsizliği, neşesizliği o kadar beliydi ki!

-Hava berbat, dün gece üşütmüş olacaksın. Süleyman'ı doktora göndereyim gelsin.

-Aşağı mı ineceksin.

-Evet ama. Doktor gelince tabii beraber çıkacağım.

Gözlerimin içine bakıyordu:

-Gelmezse!

-Elbette yine gelirim.

—O gitti mi?

-Gitmiş, ben görmedim.

-Beni seviyor musun?

Hararetten yanan yanaklarını parmaklarımla okşadım.

-Hastalığın geçinceye kadar kalbinle oynamayacaksın Ziya, şimdi farz et ki başında seni tedavi eden bir hasta bakıcı kadın var. Yaramazlık edersen bir daha yukarı çıkmam.

-Yapar mısın?

-Yapmak istemem. Fakat sen de beni üzme e mi?

-Şimdi gidiyor musun?

-Daha hiçbir iş yapmadım. Aşçı bile beni bekliyor. Doktora da adam göndereyim. Sen hararetine bakma, yine örtülerine sarıl, yat, bir şey lazım olursa..

Dilber daima aşa[ğı]da bulunurdu. Hâlbuki Ziya'nın birini çağırmak için yataktan çıkmaması lazımdı. Kilerde küçük bir zil vardı. O aklıma geldi.

-Sana bir çıngırak yaptırayım, dedim. Yukarı katta lüzum yok diye soneri [sonnerie] yaptırmamıştık. Zarar[ı] yok, o işi çıngırak da görür. Süleyman Ağa gelsin bunu yapsın!

Onun, yanından ayrılmamam için yalvaran gözlerini okşadım, örtülerini sıkıştırdım. Aşa[ğı]ya indim.

Merdiven beni çok rahatsız ediyor. Bu sekiz on ayak merdiveni inip çıkmak ara sıra gelen ağrılarımı sıklaştırıyor. Salona girdiğim zaman gayriihtiyari bir koltuğa düştüm. Eskiden hafif bir ağrı halinde hissettiğim acılar şimdi sancı gibi ıstırap veriyor.

Her vakit mutfağa iner. Her şeye ayrı ayrı bakardım. Bu sabah inemedim. Herkesi yukarı çağırdım. Yapacaklarını söyledim.

Kar yağmur, hatta hava açık. Buna rağmen İzmir'in pek ender soğuklarından biri. Tam Kânunusani sonu.

Doktor Arif Bey öğleye yakın geldi. Canım yana yana onu yukarıya kadar çıkardım. Ziya'yı dikkatle muayene etti. Hararetine baktı. Hareketlerini merakla takip ediyordum. Nihayet her vakitki şen haline avdet etti. Ziya'nın sırtını okşayarak:

-Sapasağlamsın, delikanlı, dedi. Şiddetlice bir grip geçiriyorsun. Hastalık ehemmiyetsizdir. Fakat çok dikkat etmek lazım. Havalar berbat, bir hafta yataktan çıkma. Biraz da perhiz, dizlerinde ağrı var değil mi?

-Kırılıyor!

-Tamam, üç dört gün devam eder. Yataktan çıkmazsan bir şeyin kalmaz. Fakat iyi oldum, kesiklik kalmadı diye sıkılır, dışarı fırlarsan bir komplikasyon yapmak tehlikesi vardır.

Hararetin bir grip neticesi yükseldiğini anlayınca ferahladım. Buna rağmen doktoru teşyi ederken yavaşça sordum:

-Ehemmiyetli bir şey yok değil mi doktor?

Biraz ciddi, biraz imalı temin etti:

- Hayır, fakat dediğim gibi çıkmaması lazım.

Doktor bu cevabı verirken onunla neden bu kadar alakadar göründüğümü anlamak ister gibi yüzüme bakıyordu. Yahut bana öyle geldi. İzmir'de bulunduğumuz müddetce hepimize ayrı ayrı bakan eski doktorun bu bakışlarından sıkıldım. Arif Bey bizim aynı zamanda yakın komşumuzdu. Hemen bütün Göztepe halkına o bakardı. Yakın bir aile dostu gibi hususiyetimize karışan doktorun bu bakışları beni çok düşündürdü. Ziya'nın Göztepe'ye gelişi burada tanıştığımız birkaç ahbap arasında zaten küçük küçük dedikodular çıkarmıştı. Hatta geçen gün İstanbul'dan Zeynep'ten aldığım bir mektuptan bu dedikoduların oraya, İstanbul'a kadar gittiğini anladım. Buraya geldikten sonra eski ahbaplarla olan temasımız seyrekleşmişti. Bu ziyaretlerin azalmasına ben rahatsızlığımı bahane ettim. Fakat başkalarının hayatıyla çok meşgul olmak isteyenler bu çekinişin, bu feragatin manasını büsbütün başka şekilde verdiler. Ziya'nın eski bir nişanlı ve sevgili gibi benim hayatımdan çıkmadığı söylenip duruyordu. Bu dedikodular ilk zamanlar canımı sıkmadı değil, fakat ben bu hayatın zevkine o kadar gömülüp kaldım ki etrafın serzenişi, itabı, iması beni alakadar edemiyor.

Lakin doktor Arif Beyin benim endişeli sualime cevap verirken gözlerine vermek istediği mana kalbimi acıttı. Ziya'nın bu evdeki mevcudiyetini bile hazım edemeyenler benim onunla bu kadar meşgul oluşumu gördükten sonra elbette hakkımızda iyi bir hüküm vermeyecekler. Ben kendi gururumu ve bana ismini veren erkeğin şerefini kurtardıktan sonra etrafın dedikodusundan müteessir olmam. Buna rağmen doktor Arif Beyin manidar bakışları uzun müddet gözlerimden gitmedi.

Onu teşyi ettikten sonra tekrar üst kata çıkamadım. Dinlenmek, uzanmak isteyen ağır vücudumu salondaki yumuşak sedire bıraktım.

Hayatıma her gün bir iki acı karışıyor, öyle hissediyorum ki yarın, öbür gün ben yatağa düşünce bu manevi ıstıraplar daha artacak. Ziya kendisine verdiğim sakin ve şefkatli sevgi ile avunuyor. Onu, kutsiyetine ve ebediyetine inandırdığım masum gönül yuvasının temiz bir mabet hayatı veren saf havasına ısındırdım. Hisleri asabından kuvvetli olan Ziya bu hayata alıştı. Onun kalbini sızlatan yegâne ıstırap, Şefik Beyin kendisi! ... Fakat onun benim hislerimle, kalbimle, gönlümle hiçbir rabıtası olmadığını temin ettiğim için onunla da o kadar meşgul olmuyor. Yalnız yarın öbür gün aramıza karışacak bir çocuk sesi zannederim ki onun sakin ve küskün duran ruhunu yine azdıracak! Bilmiyorum ki hislerine kolayca hükmedemeyen bu genç adamı o zaman ben nasıl zapt edeceğim.

-Hanımefendi, Ziya Bey sizi istiyor.

Dilber'in başı kapıdan çekildi. Anlıyorum ki Ziya'nın hastalığı beni de hasta edecek. Soğuk sofalardan sıcak odalara girip çıkarken bir şey olmamak kabil mi? Mamafih onun hırçın ve asi gözlerini görmek için içimde garip bir sabırsızlık var. Merdivenleri tutuna tutuna çıktım.

-Ne var Ziya, bir şey mi istedin.

-Evet!

-Peki ne istedin?

-Seni!

Karyolasının yanındaki küçük koltuğa düştüm.

-Fena adam, ben sana geleceğim, demedim mi?

-Dedin.

-Peki niçin çağırdın.

-Göreceğim geldi. Bana elini verir misin? Hastalığım sana geçer diye korkma. Grip eve girdi mi zaten kimseyi yoklamadan çıkmaz. Şimdiye kadar sen de mikrop aldınsa aldın. Öyle değil mi Elvan? Hem benden gelecek hastalıktan o kadar korkar mısın?

Örtünün altından uzattığı elini tuttum:

-Senden en büyük hastalığı aldıktan sonra maddi ıstırapların beni acıtmaz Ziya. Fakat hani bana söz verdindi, hani hastalığın geçinceye kadar kalbine ait arzulardan bahsetmeyecektin.

Halsiz ve sıcak parmaklarıyla elimi sıkmaya çalıştı:

-Sana bir şey daha rica edeceğim, koltuğu bu tarafa çevirip oturur musun? Rahat rahat yüzünü göremiyorum.

Hastalığında bir kat daha hırçınlaşan bu sevgili başın istediğini yaptım. Koltuğun ayakları vidalı olduğu için bana zahmet vermeden döndü. İki aydan beri evin içinde vücudumun değişikliğini göstermeyen bol bir robdöşambr [robe de chambre]la dolaşıyorum. Buna rağmen bazen açılan eteklerimi tutup kavuşturmaya mecbur oluyorum. Bu halimle kendimi aynanın önünde birkaç kere tetkik ettim. Kadın için bu vaziyete girmek her hâlde muvakkat bir zaman için de olsa hoş bir şey değil, bazı pek beğendiğimiz şık, lostrin ıskarpinler vardır. Bütün parlaklığı ve düzgünlüğü ile ilk zamanlar ne kadar hoşumuza gider ve ne şık durur, fakat biraz fazla giyilince buruşur, kırışır, çarpılır, bütün manasıyla deforme olur. İşte kadının bu vaziyeti, genç de olsa böyle deforme olmuş bir vücut! Her hâlde hoşa gidecek bir manzara değil. Bu gayritabii değişikliği belli etmemek için bütün gayretimi gösteriyorum. Belki de muvaffak oluyorum. Fakat çektiğim ıstırap, daralan nefeslerim her hâlde bir kadın yüzünden eksik olmaması lazım munisliği ve tebessümleri çürütüyor.

Bilhassa Ziya'nın yanında tabii görünmek için çok eziyet çekiyorum. Şu koltuğu çekmek ricasını bir başkası yapsaydı benim için kabulüne imkân yoktu. Ziya'dan çekindiğim, her hâlde onun gözünde hoş görünmemek endişesinden değil. Bana öyle geliyor ki yakında anne olacağımı ima edecek her şey, her söz her vaziyet onu sinirlendirecek. Ziya'ya tabii görünmek isteyişimin yegâne sebebi bu!

-Elvan, doktor hastalığım için ayrıca sana bir şey söyledi mi?

-Söyledi. Hararet düşsün vücuttaki kırgınlıklar geçinceye kadar yataktan çıkmasın, dedi. Fakat daha mühim bir şey söyledi.

-Ne?

-Kendini üzecek, sıkacak şeylerle meşgul olmasın, dedi.

-Yalan. Griple kalbin ne münasebeti var. Bunu sen söylüyorsun. Niçin söylediğini de anlıyorum. Merak etme Elvan, seni üzmemeye çalışacağım. Rahatsız oluyorsan hatta hastalığım geçinceye kadar yukarı da çıkma. Ben ıstıraplarımla yalnız kalmaya alışkınım.

Dudaklarımı acıtacak kadar sıktım:

- Yine mi başladın Ziya, yine mi serzeniş edeceksin. Seninle bu kadar meşgul olduğumun mükâfatı bu mu Ziya! Hayatıma karıştığın, kalbimde ki yerinden emin olduğun halde bu hırçınlıkları ederken bana acımıyor musun Ziya? Hakiki hayatımızda [bu] vaziyet sana hiçbir hak vermez Ziya, fakat şu evin içinde nazı geçen, sevilen ve hükmeden yalnız kendin olduğunu biliyorsun değil mi?

Gözleri bulanıyordu:

-Hiçbirini istemiyorum Elvan, ben mevkimi takdir etmiyor değilim, ne şu evde, ne de senin üzerinde hiçbir hakkım yok. Şurada geçici bir misafirden başka bir şey değilim. Hatta sığındığım evin kadınından sevgi isteyecek kadar küstahlık ettiğimi de...

Ani bir hamle ile üzerine atıldım. Parmaklarım dudaklarını kapattı. Zaten o da sözünü bitirecek halde değildi. Söylerken boğazı düğümleniyor, sesi titriyordu. Pek çabuk içlenen bu mağrur, kinli ve sevimli mahluku kucakladım.

-Bunları bir daha aklından geçirmeyeceğine söz ver bakayım. Kendine ait kalbi söyletip sevildiğine inandıktan sonra bu hırçınlıkları nasıl yapıyorsun hırçın adam.

Zapt edemediği gözyaşları hararetten yanan yüzünü ıslatıyordu. Gözlerini kapadığı, kendini tutmak istediği halde kirpiklerinin altından damla damla yaşlar sızıyor. Bütün varlığı kin, infial ve inkisar dolu bu hırçın mahluku teskin etmek için ne yapacağımı şaşırdım. Onun geçirdiği gönül buhranını kendi kalbimde gibi hissediyorum. Buradaki vaziyeti ona, bütün samimi aile bağlarına rağmen tabii değil gibi görünüyordu. Sonra hayatıma bu kadar yakınlaştığı halde ufak bir vesile ile benden henüz pek uzaklarda olduğunu anladıkça kırılıyor, küsüyor. Sonra kim bilir, belki de bütün hayatını dadı, mürebbiye, kalfa nevazişleriyle geçirdiği, Avrupa'da istediği gibi yaşadığı için bugün bana ait bir yerde himayeye, bakılmaya muhtaç bir vaziyette kalışı onu müteessir ediyor. Yengem ona bütün sevgisiyle bütün servetini vermiş gibiydi. Hayatında hiç kimseye hesap vermeye mecbur olmadan istediği gibi yaşayabilirdi. Fakat yakın bir aile uzvu gibi İzmir'de bizim evde kapanıp kalışı bir sevgi ihtiyacıyla da olsa onun benliğini zedeliyor. Sade ve samimi düşünenler için pek tabii görünmesi lazım olan bu vaziyet bilhassa böyle hastalık gibi başkalarının yardımına ihtiyaç olan zamanlarda onu tazip edecek bir ıstırap oluyor.

Onun seri-ül-infial ruhunu o kadar iyi anlamıştım ki teselli etmek, teskin etmek için artık yeni, başka, değişik sözler bulamıyordum. Hiç yoktan ağlamak isteyen, kendi kendini üzen bu hırçın mahluku susturmak için çok çalıştım. Dudaklarımın alnına geldiğini hissedince gözlerini açtı.

- Beni de üzüyorsun Ziya, artık yapma e mi? Hasta halinde kendini manasız sebeplerle hırpalıyorsun. Bana inanmıyor musun Ziya?

Onun ara sıra deşilmek, coşmak isteyen en ehemmiyetsiz sebeplerle böyle ağlaya ağlaya acısını bırakan tabiatını, huylarını, hislerini o kadar biliyorum ki! Yüzünü okşaya okşaya onu teskin ettim. Bu kadar mağrur ve içli bir erkeğin neticesiz bir gönül davası peşinde bu hayata tahammül edişi kolay değildi. Onun küçük bahanelerle bulutlanan yüzünde daima derin bir izzetinefis mücadelesinin izlerini görürdüm. Hilkaten bu bedbin mahluku bu hayat içinde incitmeden, kırmadan yaşatmak çok güçtü.

Nazlı, haşarı bir çocuk gibi daima sevilmek okşanmak isteyen bu hırçın ve kalbi infial, inkisar dolu genci hayatımdan çıkarmadıktan sonra ıstıraplarına tahammül etmek lazım.

Dilber onun et suyunu, yoğurdunu getirmişti. Kalktım.

- Ben biraz dolaşayım Ziya, yine gelirim. Gelen, giden olur. Sen yemeğini ye, ben gazeteleri gönderirim. Onları okuyup bitirinceye kadar yine yanındayım.

Hizmetçi kızın yanında ısrar edemedi. Bir şey söyleyemedi. Yalnız yalvaran bakışlarını ben kapıdan çıkıncaya kadar gözlerimden çekinmedi.

.... Bu gece gözlerimi kapamadan, sabaha kadar ıstırap içinde kıvrandım. Şefik Bey yanı başımda, ben biraz sükûnet bulunca dalıyor. Acılarım beni haykırtacak kadar artınca gözlerini açıyor. Bir hafta mütemadiyen yukarının merdivenlerini inip çıkmak zaten ara sıra gelip giden buhranları birdenbire süregelen bir sancı haline getirdi. Dün akşam gelen doktor artık intizar günlerinin nihayet bulduğunu söyledi.

Şefik Beye yalvardım:

-Bugün beni bırakma olmaz mı?

Uykusuzluktan kararan gözlerini kırpıştırıyor.

-Merak etme, üzülme, her şey hazır diye teminat veriyordu. Onun kanaati her işi vazife olarak yapmaktı. Benim en çok teselliye, nevazişe muhtaç olduğum şu dakikalarda bile o en fazla fedakârlığını vazife bildiği şeylerde yapıyor. Daha akşamdan iki hasta bakıcı getirtti. İzmir'in en maruf akuşör [accoucheuse]'u güneşle beraber geldi.

Odanın köşesinde küçük bir eczaneyi* dolduracak alet edavat, ecza var. Fakat bütün bu maddi varlıklar arasında en çok aradığım candan bir kimsem yok. İki gündür yukarıya Ziya'nın yanına çıkmadım. O tamamiyle iyileşti. Fakat bu vaziyette onun yanıma gelmesi kabil değil. Onu yanımda görmeye tahammülüm yok. Mamafih şu halde bile onun yukarıda ne yaptığını ne düşündüğünü merak ediyorum. Dün gece Dilber'e her şeyi tenbih etmiştim. Kâfir kızın benim telaşımla onu ihmal etmesi ihtimali vardı. Bir fırsat bulup bir şey söyleyemedim.

Sancılar dalga dalga gelip gidiyor. Bu sağanaklara tahammül ederken haykırmamak için kendimi güç zapt ediyorum. Acılarım arasında gözlerimi yumdukça annem, kızlık hayatım gözümün önüne geliyor. Ara sıra sancılar rahat bıraktıkça etrafıma bakıyorum. Hep yabancı çehreler. Şefik Bey en ehemmiyetsiz bir fır-

---

* Metinde eczahane olarak geçmesine rağmen Yazım Kılavuzu [2005] dikkate alınmıştır.

191

satla dışarı çıkıyor. Şu dakikalarımda sıkı sıkıya ellerini tutacak, gözlerine bakacak, canımın acısıyla onu da acıtacak birine o kadar ihtiyacım var ki! Düne kadar bu ıstırabın sonuna ait birçok şeyler düşünebiliyordum. Yatağımın yanından sesi gelecek bir yavrunun hayatım üzerinde yapacağı tesirleri tahlil edebiliyordum. Fakat şimdi dimağım durmuş gibi. Yalnız içimde garip bir arzu var. İstiyorum ki bu sancı sağanakları arasında bana yarını, yarının muhakkak bildiğim elemlerini göstermeyecek şiddetli bir ateş gelsin ve kapadığım gözlerimi bir daha açtırmasın. Bana öyle geliyor ki bu ıstırapların sükûn bulduğu dakikadan itibaren hayatım sürekli bir elem ve mücadele buhranına girecek. Hatta bu buhran içinde beni çok korkutan daha çetin ihtimaller ve akıbetler var.

Bir humma nöbeti gibi beynimi oğuşturura oğuştura devam eden bir buhran ve bütün vücudumu parça parça edercesine gelip giden sancılar arasında kıvrana kıvrana yüksek bir yerden yuvarlanmış gibi bitap, kendimi yatağa yapışmış buldum. Etrafımda derin bir uğultu gibi inceli, kalınlı sesler var. Vücudum buza düşmüş gibi. Üşüyorum. Kekremsi ecza kokuları genzimi gıcıklıyor. Gelip gitmeler, telaşlı lakırdılar rüyada gibi dimağımda belirsiz izler bırakıp dağılıyor.

Yavaş yavaş sinirlerimin harekete geldiğini, damarlarıma yeniden kan yürür gibi asabımın canlandığını hissediyorum. İçimde uzun uzun yatmak ihtiyacını duyuran derin bir yorgunluk var. Uzak uzak yerlerden koşa koşa gelip bir yere uzanıp kalmışım gibi. Şimdi etrafımdaki sesleri daha tok ve daha yakın hissediyorum. Doktor hasta bakıcılara çabuk çabuk bir şeyler söylüyor ve en son sesini biraz daha yakından işitiyorum:

-Banyo, günde iki defa olacak. Derece koymayı unutmayın!

Demek her şey olup bitmiş. Göz kapaklarım kalkmak istemiyor. O kadar uykuya ihtiyacım var ki! Kirpiklerimin arasında birçok gölgeler görüyorum. Fakat yine onlar yine doktor ve hasta bakıcılar. Dudaklarımı güçlükle kımıldatıyorum. Sesim çıkıyor mu bilmem, yalnız arzumu anlayan doktor hizmetçiye sesleniyor:

-Koş beye haber ver. Artık gelsin a canım.

İnsafsız adam, demek benim en tehlikeli dakikalarımda yanımdan kaçmış. Hayatta korktuğum şey en müşkül anlarımda kimsesiz ve tesellisiz kalmak... O kadar yalvardığım halde onun beni doktor eline bırakıp gitmesini hiçbir zaman affetmeyeceğim.

Doktor yavaşça kulağıma fısıldıyor:

-Geçmiş olsun hanımefendi, kurtuldunuz. Karanfil gibi bir kızınız oldu.

Garip bir heyecanla bütün vücudumun ürperdiğini hissettim. Yarı sevinç, yarı ıstırap arasında kalbim burkulur gibi, tazyik edilmiş gibi şiddetli çarptı. Düne kadar hayal gibi dimağımdan geçen her şey artık dinen maddi acılarımla beraber bir hakikat olmuştu.

Şefik Beyin kalın sesini yakınımda işittim:

-Çok şükür, hepimize geçmiş olsun. Elvan, nasıl, rahatsın ya!

Göz kapaklarım açılmak istemiyor. Beni baygın gibi görünce doktora sordu:

–Nasıl, bir rahatsızlık falan yok ya?

Doktorun cevabını ben de merakla bekledim.

-Hayır, dedi. Yalnız istirahate, uykuya ihtiyacı vardır.

-Öyle ise ben İzmir'e kadar gidip geleyim.

Doktor sesini çıkarmadı. Kirpiklerimin arasından baktığım zaman, onun da çantasını hazırladığını gördüm.

Biraz sonra odada sıcak bir sükûnet kaldı. Şimdi hakikaten doktorun dediği gibi vücudumun, zihnimin dinlenmek ihtiyacını hissediyorum. Gözlerim açılmıyordu. Dimağımda birdenbire şimşek çakmış gibi bir şey parladı. Kırılmış gibi halsizleşen vücudumu yatakta döndürecek kudretim kalmamıştı. Bütün kuvvetimi ancak dudaklarıma toplayabildim.

-Dilber.

-Efendim.

Ne söyleyeceğimi şaşırdım. Onu mu soracaktım. Yoksa bana bütün ıstıraplarımı unutturacak yavruyu mu isteyecektim. Dilber'i bu iki arzudan hangisi için çağırdığımı tayin edemiyordum. Bilmiyorum, tecessüs hissi mi, yoksa birdenbire kalbime doğan yeni bir kadınlık duygusu mu dudaklarının hareketine hakim oldu:

-Bana kızımı gösterir misin?

Şimdi başımı güçlükle çevirerek yanıma uzatılan gül kadar pembe yuvarlak, yumuk bebek başını seyrediyordum.

−Size ne kadar benziyor değil mi hanımefendi.

Hasta bakıcı, kırmızı, soğuk yüzlü bir İngiliz kadını kundağı yavaşça kızın elinden aldı. Mırıldanır gibi Fransızca rahatsız olmamamı söyledi.

-Dilber, yukarıya, Ziya Beye baktın mı?

-İki defa çıktım, aşağıda lazım olursun diye, beni geri gönderdi.

-Yatıyor değil mi?

-Hayır, sabahtan beri odada dolaşıyor.

-Haydi bir daha çık bak. Bir şey isterse haber ver.

Dilber çekildi. Artık vücuduma yayılan tatlı rehavetten kendimi kurtaramadım. Suratsız İngiliz kadını dizlerimin örtüsünü sıkıştırırken gözlerimde karıncalanan hayaller, gölgeler arasında mahrum kaldığım derin uykuya daldım.

....

.... Bugün bir hafta tamam oldu. O kadar arzu ettiğim halde soğuk yüzlü İngiliz kadını beni yataktan çıkarmıyor.

Doktor onun söylediklerini behemehal yapmam icap ettiğini söylemeseydi bu istakoz kadar biçimsiz şimal mahlulunu dinlemeyecektim. O, hatta yatakta yatışımı bile kendi bildiğine göre tanzim ediyor.

Dilber artık benim elim ayağım oldu. Bir haftadan beri evin elebaşısı o. Bir yukarıya koşuyor, bir bana. Ziya acılarıma tahammül edemeyip haykırdığım gün çırılçıplak sofaya, merdiven başına kadar çıkmış. Bu sefer daha ağır bir fievri ile yatağa düşmüş. Bunu ancak dün söyledi. Söyledi değil yazdı.

Onun ve benim rahatsızlığımız ikimizi de yatağa bağlayınca ilk aklıma gelen mektuplaşmak oldu. Dilber'in şimdi en mühim vazifesi bu. Doktor, Ziya'ya bu defa on beş gün dışarı çıkamayacağını söylemiş. Benim de bu İngiliz istakozunun elinden kurtulacağım yok. İlk defa ben yazdım ve günde dört beş posta mektuplaştık. Birinci mektuplar hal hatır sormadan ibaret birkaç satırlık şeylerdi. Yapraklar ve sahifeler gittikçe büyüdü. Bu sabah aldığım mektup tamam beş büyük sahife! Gece uykusu kaçmış, mütemadiyen yazmış...

Bunları okuduktan sonra Dilber'in eline veriyor, gözümün önünde sobaya attırıyorum. Mamafih istakoz merak ettiği yukarıki hastayı gidip gördükten sonra mektupların böyle okunur okunmaz sobaya gidişindeki manayı anlayabildi. Bu sabah Dilber beş safihelik mektubu getirdiği vakit otuz iki dişini gösteren soğuk bir gülüşle arkamı okşadı.

-Vuzet öruz bel anj! [vous êtes heureuse belle ange: güzel melek, mutlusunuz]

Fransızcası da buz gibi soğuk ve bozuk.

O kundağın yanına döner dönmez mektubu açtım. Yatakta yazıldığı için harfler kısalmış, uzamış. Noktalar o kadar perişan ki sinirle, hiddetle savurulduğu belli.

Ziya'nın bu coşkun mektubunu başımı yastığa bırakarak derin derin okudum.

Mektup hitapsız, ser-levhasız, öyle rastgele başlıyordu.

Anlıyorum ki kalbini bana bıraktığın halde hayatını benden uzaklaştırmak için her şeyi kabul ediyorsun. Kızına isim bulmak için benim fikrimi soruşun bunda şüphe bırakmıyor Elvan. Ben senin hayatına karışmak isterken sen benimle olan gönül rabıtasını çürütecek mevcudiyetleri hayatına karıştırmaktan ve onları bahane tutup benim izzetinefsimi hırpalamaktan zevk alıyorsun. Bir hafta evveline kadar benim için hayatımızı, gönül yuvamızı yıkacak bir tehlike görmüyordum. Fakat bir haftadan beri, seni yatağa bağlayan rahatsızlıktan kalkınca seni büsbütün taze sevgilere bağlayacak olan kalbinde kendimi değil, hayalimi bile bulacağımdan şüphe ediyorum. Senin varlığını dolduran taze şefkat ve sevgi ile hissediyorum ki bana vadettiğin, beni içinde yaşamaya çağırdığın o mukaddes gönül yuvasını da sana unutturacak.

Senin varlığına yakınlaşmak samimiyetine ve güzelliğine inandırdığın gönül yuvasının ümit ve sevgi dolu hülyalı köşelerinde yaşamak, şu viran ömrümü, avare gençliğimi avutuyordu. Fakat şimdi öyle hissediyorum ki kalbini dolduran taze şefkat ve sevgi hisleri bana duyurduğun bu hülyalı ve munis hayattan beni mahrum edecek. Ömrünün mahsulünü seven dudakların artık bana bir şey vadedemeyecek. Onun sana açtığı yeni ve zengin sevinç ufukları bana bahsettiğin hayali gönül yuvasından çok cazibeli değil mi Elvan!

Şu evdeki vaziyetimi düşündükçe biçare bir sevda peşinde ancak bu kadar avunmak imkânı olduğuna karar veriyorum. Şimdiye kadar her şeyim sendin. Her mahrumiyeti senin gözlerin telafi ediyordu. Fakat zaten bana çok zaman matem veren o siyah gözler artık yeni sevgilerin ateşiyle tutuşacak. Bir tarafında mukaddes vazife hisleri bir yanında samimi şefkat duyguları yaşayan vazifeşinas bir aile kadınından artık ne bekleyebilirim. Hâlâ gönül yuvası mı? Fakat bu yuvaya öyle kuş-

lar girdi ki bana verilen sevgilerin hepsini aldı, zapt etti. Ben yuvada artık iğnelendiğimi, fazla geldiğimi anlıyorum. Zaten İstanbul'da, teyzemin köşkünde bile ben bir aile evladı gibi değil, lütfen himayeye alınmış bir komşu çocuğu vaziyetinde idim. Orada bana ettiğin mualeme sırnaşık, sığıntı misafire edilen muameleden farksızdı. Sonraları, kim bilir, belki de merhamet hislerin bana karşı seni daha mülayim olmaya alıştırdı. Bense bunu samimi bir muhabbet alameti zannediyordum. Yanında seni seven, aşkından bahsederek seni oyalayacak zararsız birinin bulunmasından zevk almaya başladın. Ne bileyim ki benim hicran acısı tatmış, felekzede aşkım böyle bir merhamet ve eğlence hislerine alet olmuştur. Bunu anlamak için mukaddes aile rabıtanızın masum bir başın vücuduyla kuvvetlenmesini beklemek mukaddermiş. Aranızda karanlık bir hayal gibi bulunuşumdaki manasızlığı şimdi şimdi anlıyorum. Mamafih zaten mesut olmayan varlığımın bir müddet olsun seni meşgul etmeye yaramasını bu viran ömrümün duyabildiği yegâne zevk olarak kabul ederim. Şüphe yok ki ben bütün gece pansiyonun sakin odasında dışarıdaki fırtınayı dinleyerek kimsesiz bir talebe gibi boş duvarlara bakar, düşünürken sen bir yanında taze masum nefesleriyle uyuyan yavrunu, bir tarafında mesut gürültülerle varlığını ihsas eden hayat arkadaşını seyrederek yeni duyduğun şefkat hislerini mukaddes bildiğin aile hislerine bağlayarak hayatının yeni ve mesut programını hazırlıyorsun. Bu arada sevgisi için İzmir'e kadar gelen zavallı bir amcazadeye verilecek ehemmiyet nihayet hizmetçi vasıtasıyla ara sıra hatırını sormak, gönlünü hoş etmekten ibarettir değil mi?

Şimdi anlıyorum ki İzmir'e kadar gelişim o mukadder inkisarı senin en mesut gününde idrak etmek içinmiş. Elvan, öyle anlıyorum ki artık senin kalbinde bana verilecek yer kalmamıştır. Şimdiye kadar belki de kalbin heyecansızdı. O mahrumiyeti benim daima artan sevgim az çok telafi ediyordu. İstanbul'da

Göztepe'de başlayan hayatımız benim için güneşli ve ümitli bir çılgın sevgi idi. Şimdi anlıyorum ki o zaman bile, gözlerimin ve kalbimin aşk lezzeti ve istikbal ümidi ile mest olduğu mesut günlerde bile sen ta eskiden yaptığın o insafsız istihzalarında devam ediyormuşsun! Ben hayatımızda bir değişiklik olduğunu zannediyordum. Avrupa'dan gelip seni bulduktan ve senden samimi hislerim için ciddi mukabeleler gördükten sonra kendimi sana o kadar emniyet ve sükûnetle bıraktım ki bir gün gelip yeni bir insafsızlığa, yeni bir istiskala uğrayacağımı hatırıma bile getirmiyordum. Ne yazık ki senin hodkâmlığın benim gafletimden çok kuvvetli. O kadarki en emniyetle baktığım gözlerin bile kalbinin o başa çıkılmaz şeytanetini benden sakladı. Artık şikâyete lüzum yok. Hayatını kurmuş ve yuvasında bütün ömrünü dolduracak yeni yeni saadet menbaları temin etmiş bir kadına acı gönül ıstırapları dinletmek hatta saygısızlıktır değil mi? Belki de bu hakikati biraz geç anladığım için o meşhur istihzalarını gizleyemiyorum ve benim samimi ve içli bir sevgi bulutu altında silinen idrakımın zaafıyla eğleniyorsun! İtiraf edeyim ki bana en buhranlı zamanlarda itiraf ettiğin alaka ve temayülün ciddi bir anlaşmaktan ziyade avunmak ve avutmak gibi hodkâm bir arzudan doğduğunu anlamakta çok geç kaldım. Bu gafletin bana bugün duyurduğu acıya yıllardan beri çektiğim ıstıraplar gibi tahammül edeceğim. Şu mesut aile yuvanızda sükûnetinizi manasız aşk buhranlarıyla bozmaya çalışan amca çocuğu yakında huzurunuzdan, muhitinizden çekilip gidecektir. O, akşamları anne şefkatinden, baba sevgisinden gelen mesut sesleri işitmeyecek ve siz tavan arasında hapsedilen bir yabancının vakitli vakitsiz şikâyetleriyle rahatsız olmayacaksınız dört başı mamur olarak kurulmuş yuvanızın bir mevsimlik saadetini vücuduyla ihlal eden amca çocuğu itiraf edilmiş sevgilere inanacak kadar gafil ve saf olsa bile en küçük istiskallerden alınıp haddini bilecek kadar da hassastır.

İstanbul Göztepe'sinde geçen yazla İzmir Göztepe'sinde niha-
yet bulacak kış arasındaki mesafe mesut rabıtalarınıza engel
olan amca çocuğu için çok uzun bir ömürdür. Kalpleri samimi
arzularla dolu olanlar için hayat birbirini takip eden ümitler-
den tesellilerden ibarettir. Çok memnunum ki varlığımı idrak
ettiğimden beri tabiatın o hiç değişmeyen mevsimleri gibi beni
elemden ümide, ıstıraptan teselliye götüren hayat geçen yaz ve
bu kış bana en katı hükmünü tebliğ etti. Artık itiraf edilmiş gö-
nül bağlarına bile itimat edilmeyeceğini anlattı. En mesut da-
kikalarınızda sizi, size ait olmayan gönül meseleleriyle meşgul
ettiğim için affınızı rica ederim. Emin olabilirsiniz ki bu mek-
tup sırnaşık amca çocuğunun en son gevezeliğidir. Bu satırla-
rım size aynı zamanda mesut yuvanızın pek yakında yabancı
ayaklardan kurtulacağı müjdesini de verdiği için üç sahifelik
malayani gevezeliğimi affettirir zannederim. Hayatınızdan çe-
kilmem, size yeni yeni yavrularla saadetinizi her yıl tazelemek
fırsatını verirse ne mutlu.. İki güne kadar yuvanızdan ayrıla-
cağım. Henüz rahatsızsınız. Gürüşmek ihtimali olmadığını na-
zarıdikkate alarak şimdiden veda ediyorum. Küçük yaştan beri
size musallat olan amca çocuğunu artık hayatınızın yakınında
görmeyeceksiniz. Bedbaht olanlar hodkâm değildirler. Onun
için yıllardan beri beklediği saadeti bulamayan garip gönlüm
siz[in] için daima neşeli ve mesut bir ömür temenni eder.

Hamiş: saadetinizin mahsulü için benden isim soruyorsu-
nuz. Ömürleri elem ve ıstırap ile geçen insanların idrakları her
köşesi sevinç ve saadet dolu bir rabıtanın mahsulüne o saadeti
ifade edecek bir isim bulmaktan acizdir. Çok rica ederim, haya-
ta geldiğine bile nadim olan amcazadenizi bu ıstıraptan olsun
kurtarınız!

Ziya'nın evvela senli, benli başlayıp sonlarına doğru tek-
lifli hitaplarla devam ettiği uzun mektubunu bitirdiğim zaman
İngiliz kadını kundağı kollarına almış, gözleriyle masanın üs-

tündeki saati işaret ediyordu. Uzun mektup kâğıtlarını yastığımın arkasına koydum. Süt vakti gelen küçüğü kucağıma aldım. Bon marşe [bon marché] nin lastik bebeklerine benzeyen bu mini mini mahlukta nasıl bir cazibe vardı ki kucağıma alır almaz bütün hislerimi toplayıp kendine çekiyordu. Kalbimde sevgiye şefkate ait duyguların böyle birkaç gün içinde yolunu değiştireceğine hiç ihtimal vermezdim. Bu bir kucaklık mahluk bilmiyorum nasıl bir kudretle yigirmi iki yıllık hayatımın zevklerini, heyecanlarını hatırlatmayacak kadar bana, kalbime hükmetmeye başladı. Onun yumuk göz kapaklarını titrete titrete süt alışını seyrederken aylardan beri özlediği bir oyuncağa bayram günü bin bir neşe içinde kavuşmuş haşarı bir kız çocuğu sevinci hissediyor, öyle azgın bir hırsla onu göğsüme bastırmak, oynatmak, konuşmak ve hırslanmak istiyordum. Küçükken sevdiğim oyuncaklarla oynarken sevinçten ve hırstan kaç tanesini kırıp ezmişimdir. Aylardan beri varlığımda yetiştiği halde hayatımın ve kalbimin tamamiyle Ziya ile dolu oluşundan zevkini, sevincini hissedemediğim bu mahluk hareket eden, bakan ve ses veren bir mevcudiyet halinde kucağıma gelir gelmez kalbime, dimağıma, varlığıma girdi. Ve öyle sakin ve görünmez bir nüfuz ile yerini kuvvetlendirişi, kalbimin en dolu köşelerine hulul edişi var ki!...

Şimdi dimağım Ziya'nın serapa elem ve şikâyetten ibaret mektubuyla dolu olduğu halde bu ne his, ne elem, ne zevk ve ne heyecan ifade etmeyen ufacık mahluku kucağıma alır almaz buhranlı, heyecanlı aşk hadiselerinin birike birike kuvvetli bir gönül yuvası haline getirdiği kalbimin menfezleri gevşemiş bir büyük bent gibi akıp boşalmak tehlikesi geçirdiğini hissediyorum.

Kaş yerleri şişkin, kabarık birer sarı tüylü gölgeden ibaret, beyaz tülbentler içinde pembe bir avuç içi gibi görünen bu ufacık yüze bakarken kalbimin alıştığı ve sevdiği hislerin kovandan kaçırılmış arılar gibi rehbersiz, hedefsiz boşluklarda uçuştuklarını görür gibi oluyorum. Bazı sevgiler, samimi gönül bağları zamanla, temasla ve anlaşmakla yavaş yavaş, damla damla kalbe akar ve kuvvetlenirler. Hâlbuki hararetli bir sevginin mahsuli olmasa bile yumuk yüzünü annesine gösteren bir mahluk hayatı ve kalbi en heyecanlı aşk maceralarıyla dolu bir kadın kalbinde derhal yıkıcı ve yaratıcı bir inkılap yapıyor.

İnce ve yumuşak dudakları bir fındık kurdu gibi kımıldayan büzülen, açılıp kapanan mahlukun bilmiyorum ki sevilecek, kalbi harekete getirecek güzelliği neresinde. Hele hissettiği yegâne ve büyük sevgisi musiki, şiir ve ifadesi güç gönül heyecanlarından ibaret hassas bir kadın kalbinde bu bir avuçluk mahlukun yer buluşu o kuvvetli ve olgun gönül bağlarını gevşetecek kadar hükmedişi bir maceradan başka bir şey değil.

Menbaını bulamadığım, fakat iradesiz bir incizap ile bağlandığımı hissettiğim bu yeni ve kuvvetli sevginin küçükten beri kalbimde büyüyen, hırçın, içli ve samimi aşka zarar vermesinden korkuyorum. Zavallı Ziya, sahifeler tutan şikâyetlerinde sana hak vermemek için kendimi, kalbimi o kadar zayıf buluyorum ki!

Hayatta müşterek sevgiler ve müşterek saadetler ender gibi... Şu anda başkalarına hiçbir his ve mana ifade etmeyen bu avuç içi kadar pembe yüzün bana duyurduğu nakabili ihfa zevki ve heyecanı belki Şefik Bey bile hissetmiyor ve etmeyecek. Fakat ne yazık ki şiirde ve musikide ve gönül heyecanlarında birleştiğimiz Ziya için bu mini mini mahluk gün geçtikçe büyüyen ve büyüdükçe aramızdaki bağları çözüp gevşeten canlı bir ıstıraptan başka bir şey değil!

Onun mektubunu okurken yüzümü görmediği için yine her vakitki vehmlere düştüğünü zannediyor, dedikodulu şakalı bir cevap yazmayı düşünüyordum. Fakat kucağımda, hâlâ pembe dudaklarını bir kurt gibi göğsümde hareket ettiren yavruya baktıkça Ziya'nın bahsettiği tehlikenin bir vehimden ibaret olmadığını kendim de anlıyorum. Şimdiye kadar kalbimde izine tesadüf edemediğim bu iki hissin asabıma kadar hulul eden kuvvetli bir sevgiyi kırıp hayatıma hükmedeceğini tasavvur bile etmemiştim. Fakat anladım ki takarrür etmiş his ve telakkilerden ziyade hayata hükmeden vakalar ve hadiselerdir. Kalbimi birbiriyle mücadeleye girişen iki sevgi arasında taksim edebilecek miyim? Şu anda dimağım o kadar kararsız, asabım öyle bozuk ki bunu düşünürken bile korkuyorum.

İstakoz, artık dudaklarını göğsümden çeken pembe fındık kurdunu yavaşça kucağımdan aldı. Ufak karyolasına götürdü. Yatak içinde aynı vaziyette durmaktan omuzlarım ağrımıştı. Şimdiye kadar hissetmediğim bir zaaf ile başım yastığa düştü. Vücudumda kırıklık, kesiklik hâlâ devam ediyor. Yarın oda içinde dolaşabileceğimi söylediler. Hasta yatmaktan, hasta taziye etmek kadar sıkılırım.

Başım yastığa düşünce elim gayriihtiyari acele ile buruşturup koyduğum kâğıtlara gitti. Onları bir kere daha okudum. Sonra sütümü getiren Dilber aldı sobaya attı.

Ziya bir iki güne kadar bana görünmeden gideceğini yazıyor. Eski ve masum bir sevginin kuvvetiyle ona kalbimi açmışken her vakitki infiallere benzer bir buhranın onu hayatımdan uzaklaştırmasına müsaade etmeyeceğim. Lezzetine, heyecanındaki munis ıstaraba uhrevi bir inkıyat ile bağlandığımız gönül yuvasında onun beni yalnız bırakmasına tahammül edemeyeceğim. Kalbimi kaplayan yeni ve heyecanı lezzeti büsbütün başka sevginin yanında hasta bir nabz gibi için için, ağır ağır hareket eden o eski, o derin aşkı hâlâ hissediyorum. Kalbimde karşılaşıp birbirini yenmeye çalışan bu menbaları ayrı ve birbirinden kuvvetli hislerin mücadelesine nasıl tahammül edeceğim bilmem. Bu iki cereyandan birinin ötekine galebesi belki beni bu müşkül ıstırap verici vaziyetten kurtaracak. Fakat buna imkân var mı, bilmiyorum.

Bugün ilk defa odadan çıkıyorum. Hava biraz yumuşak. Buna rağmen bulunduğum katın hemen her odasında soba yanıyor. Şefik Bey hâlâ yazı odasında yatıyor. Öyle hissediyorum ki küçük geceleri vakitli vakitsiz uyanıp ağlamasından rahatsız olacağını bildiği için birkaç gün diye ayırdığı odasından çıkmak istemiyor.

Yatak odamın yanında küçük bir oda daha vardı. Burasını şimdiye kadar elbise ve tuvalet odası gibi kullanıyordum. Yatak odama kapısı olduğu için hoşuma giden bu odayı küçükle mürebbiyeye ayırmak fena olmayacaktı.

Öğleye kadar sofadaki yumuşak meşin koltukta oturup bu işi yaptırdım. En son eşyayı yerli yerine koyan Dilber yanıma geldi:

-Hanımefendi Ziya Bey sabahtan beri yatıyor, bir kere bakayım mı?

-Ya, nesi var?

-Bir şeyi yok, fakat sabahleyin gittiğim vakit gözleri kıpkırmızıydı. Uyamadığını söyledi. İki saat sonra bir daha baktım, dalmıştı.

Birdenbire hatırıma bir şey geldi. Kemdimde merdivenleri çıkacak kadar kuvvet görüyordum. Ona bir sürpriz yapmak pek hoş olacaktı.

-Peki Dilber, dedim. Ziya Beye ben bakayım. Sen benim uzun kürkümü getir.

Merdivenler ve koridor soğuktu. Yavaş yavaş yukarıya çıktım. Dizlerim titriyordu. Fakat kuvvetsizlikten mi, heyecandan mı anlayamıyorum. Yavaşça kapıyı açtım. Başı pencereden tarafa, sağ eli örtüden dışarıda kalmış, saçları karma karaşık. Odada keskin bir kolonya kokusu var.

Yatağın yanına kadar geldiğim halde uyanmadı. Bu hırçın ve içli mahlukun sevimli yüzünü seyrediyordum. Uzun kirpikleri göz altlarına ince gölgeler yapmış, siyah, sık saçları lüle lüle alnında, şakaklarında.

Yüzündeki eski pembelik yok. Hatta bana şakak kemikleri biraz fırlamış gibi göründü. Onu yakından doya doya seyrediyordum. Şakaklarından ağzına doğru inen hatta eski pembeliğin hafif izleri var. Yüzünün ayva tüyleri pencereden gelen aydınlığın altında ince bir kadife gibi görünüyor.

Bu hırçın sevimli başı tutup sevmemek için kendimi güç tutuyordum. Birdenbire kirpikleri hareket etti. Başını çevirince beni görecekti. Saklanmak istedim. Fakat hareket etmeye bile kalmadan yüzünü çevirdi:

-Elvan.

-Ziya.

Çevik bir hareketle doğruldu. İki elimi birden uzattım. Bileklerimden tuttu. Soluk dudaklarının ateşi avuçlarımda, parmaklarımda hissettim.

-Nasıl oldun Ziya, bak ilk gelen yine ben oldum. Acaba o fena şüphelerin, hırçınlıkların hâlâ var mı?

Beni yanındaki koltuğa yerleştirdi. Birçok şeyler söylemek ister gibi göz kapakları açılıp kapanıyor, dudakları titriyor, büyük damarları kabarıp iniyordu. On günden beri görmediğim o çiçek gibi gözler ne kadar renksiz kalmıştı.

-Söylesene Ziya, sebepsiz, lüzumsuz kinler, şüpheler devam ediyor mu? Seninle hesap görmeye geldim. Anlat bakayım, o sahifeler tutan mektubunu niçin yazdın.

Bu sefer ben onun ellerini yakalamıştım. İlave ettim:

-Hep yaramazlık, huysuzluk değil mi?

Gözleri yüzümde, gözlerimde dolaşıyordu. Azarlandıktan sonra eline oyuncakları verilmiş bir çocuk gibi sevinçten göz bebekleri titriyordu.

On günlük yalnızlığın verdiği itiyattan mı, yoksa bir anda zihnine gelen fikirler arasında kararsız kalıp şaşırmaktan mı bilmem, söyleyeceğini unutmuş gibiydi. Onu tabii haline getirmek için başka şey sordum:

-Nasıl, artık tamamiyle iyileştin değil mi Ziya, Arif Bey dün bana da uğradığı zaman tehlikeyi atlattığını müjdeledi.

İlk defa cevap verdi:

-Bu haberi müjde mi telakki ediyorsun!

- Tabii değil mi?

İtimatsız bir hareketle dudaklarını büktü.

-Niçin müjde olmasın, dedim. İnsan kalbini bağladığı bir dostun afiyet haberini müjde telakki etmez mi?

Gözlerinin yine çiçeklendiğini görüyordum. İstihza etmek nazlanmak ister gibi kaşlarını kaldırdı:

-Demek Elvan Hanımefendinin kalbinde eski dostun yeri hâlâ duruyor öyle mi?

-Durmaması, hatta kuvvetlenmesi için ne sebep var.

-Çok, kökleşen aile münasebetleri, yeni yeni rabıtalar...

- Ziya, sen tehlikeli bir hastalık geçirdin. Ben daha bugün odamdan çıktım. Zannediyorum ki ikimizin de sinirlerimiz, vücutlarımız, kalplerimiz gibi zayıftır. Istırap verici münakaşalara girmesen olmaz mı?

Ciddi görüşmeye hazırlanır gibi dirseğini yastığa dayadı. Gözlerinin rengi karardı. Yüzüme bakmadan, yastığı düzeltmekle meşgul görünerek cevap verdi:

-Ben de bunu istiyorum Elvan Hanım, dedi. Seninle bütün dostluğumuz şu evin içinde geçen birkaç aylık hayattan ibaret olsaydı buna, fikirleri ve kalpleri birbirine az çok yakın görünen kadın erkek aşinalar arasında maceralar gibi bakabilirdik. Öyle zannediyorum ki aramızdaki dostluk, çocukluk zamanlarının saf sevgileriyle başlamış ve sonra bu masum hisler gizli gizli kuvvetlenip içli, kıskanç, hırçın bir aşk haline gelmiştir. Ben varlığımı idrak ettiğim anda kalbimde, gözlerimde seni buldum. Ve seninle yaşadım. Bunu saklamaya lüzum yok Elvan, benim sergüzeştim zahirde sakin bir sevgiden ibaret gibi görünür, fakat ben bu sükûneti senin şerefin ve istirahatin için muhafaza ederken ruhen ne ıstırap çekiyorum biliyor musun?

Şimdiye kadar senden bulduğum teselli ve ümit beni avutuyordu. Zannediyorum ki kalbinin bana ayrılan köşesinde kendim için daima biraz sevgi, biraz teselli, biraz ümit bulacağım. Senin ve benim büyük saadetimiz için keşfettiğin gönül yuvası bu sergüzeşte emniyetli bir istikbal vadediyordu. Daha yirmi gün evvel aşağıda beraber musiki yaparken kendimi o hayali gönül yuvasında o kadar mesut görüyordum ki hiçbir hadisenin bu gözlerde ve gönüllerde yaşayan sevgiyi kıskanıp bozacağını hatırıma getirmiyordum. Fakat...

Sesi bitmiş gibi sözünün burasında tevakkuf etti. Nefesleri sıklaştı. Yüzünün kızardığını görüyordum. Acısını belli etmemek için gülmeye çalışan bir hasta gibi yüzüme baktı. Istıraptan, yorgunluktan fersiz kalan gözlerinde öyle derin ve o kadar aşikâr bir teessür vardı ki bu hassas insanın ruhundaki bütün ıstırabı ifade ediyordu.

Onun, fakat... diye başlamak istediği halde beni incitmek endişesiyle feragat ettiği sebepleri onun gibi ben de biliyorum. Yeni rabıtalar, yeni beliren hisler benim de dimağımı ve kalbimi müthiş bir imtihandan geçirdi. Bu bir hafta içinde maddi acılardan ziyade bu hissi ve manevi ıstıraplara tahammül ettim. Fakat bu kısa ve çetin mücadelenin sonunda kalbimdeki buhran yavaş yavaş sükûnet buldu. Tabii ki sert bir kasırgadan sonra dışarıya çıkıp kırılan dallar ve sökülen ağaçlar arasında kıymetli çiçeğini arayan bir insan gibi kalbimin sükûnu avdet ettiği zaman ruhumu tahlil edebildim. Ve ilk korkunun, ilk fena ihtimallerin hilafına olarak gönül yuvamın bu mühlik fırtınadan masûn kaldığını gördüm.

En kuvvetli hislerin mücadelesine sahne olan kalbimde hayatımın bu en büyük buhranından sonra iki geniş yol açıldı. Ümit, arzu, sevinç gibi hayatı çiçeklendiren şeylerle dolu gördüğüm bu yolların biri büyük tehlike geçiren gönül yuvamıza açılıyor. Ötekinin başında o mühlik fırtınayı halk eden mahlukun ufacık pembe yüzünü görüyorum.

Akıbetinden benim de korktuğum buhran bu neticeyi verince kalbime derin bir sükûnet geldi. Şimdi daha salim bir fikirle ruhumu tahlil edebiliyorum. Onun için Ziya'nın kalbimdeki yeri hiç değişmeyen bu hırçın çocuğun inkisarını beyhude buluyorum. Onun hadiseler, rabıtalar diye ifade etmek istediği yeni vaziyetin, sevgisinden bir şey kaybettirmediğini ona inandırmak lazımdı. Sathında elem bulutlarının gölgeler, hareler yarattığı gözlerini aradım. Tahammülden, mukavemetten kalmış gibi onları benden kaçırıyordu. Yuvarlak başını avuçlarıma alıp yalvardım:

-Ne tesadüfler, ne hadiseler hayatımdaki varlığını bozmayacak Ziya. Sen her zamankinden ziyade kalbimdesin. İster misin on günlük ayrılığımızın hatırasını bu sevimli başına bırakayım.

Ve içimden gelen derin bir ihtiyaç ile dudaklarımı alnına koydum. Bu bir saniyelik temas kalbimin en son tereddütlerini, şüphelerini sildi. Onu teselli etmek için değil, fakat o anda asabımı, kalbimi raşelendiren leziz heyecandan anladım ki Ziya'nın sevgisi bütün varlığımda bana hakimdir.

-Emin ol Ziya, hayatımın hiçbir köşesi yoktur ki orada senin hayalin, senin izin olmasın. Hiçbir his, hiçbir rabıta, bana senin kalbimde yerleşen sevgin kadar heyecan veremez. Küçüklüğümden, genç kızlığımdan beri kendime ait görmeye alıştığım bir başı hangi hadise, hangi tesadüf benden ayırabilir Ziya. Buna ihtimal verdiğin gün ebedi olması için ant ettiğimiz gönül yuvasını inkâr etmiş olursun.

Şimdi içimden bu hırçın mahluku üzmek, acıtmak hisleri gelip geçiyordu alnına dökülen saçlarını çekiyor, hafif traşlı çenesini sıkıyor, omuzlarını tutup sarsıyorum. O, munis bir kedi yavrusu gibi bu haşarılıklarıma gülüyor, gözlerinin içi çiçekleniyordu.

Ara sıra sevilmek, okşanmak, kalbine emniyet ve teselli verilmek isteyen bu hırçın adamla belki iki saat meşgul oldum. Yalnız odada, konuşacak kimsesi olmadan düşüne düşüne gelen buhranla yazdığı mektubu unutmuş gibiydi. Dilber süt vaktini haber vermeye geldiği zaman yine yüzü değişti. Bir şeyler söylemek istedi. Dudaklarını parmaklarımla örttüm:

-Artık ben ayağa kalktım, sen de iyisin. Her zaman beraberiz, öyle değil mi?

Sözlerim ve hareketlerim taşmaya, sinirlenmeye hazırlanan hırçın adamı yumuşattı. Şimdi ellerimi avuçlarına almış, yüzünde alnında gezdiriyordu.

-Haydi Ziya, sen aşa[ğı]ya inmezsen ben akşama kadar yine gelirim. Artık fievre, falan yok değil mi?

-Bugün hatta ben sokağa bile çıkmak istiyordum.

- İmkânı yok. Pek sıkıldınsa salonda sana bir sedir hazırlatayım, bugünlük oraya inersin.

Artık gözlerinin asıl sevdiğim rengi ve sevinci gelmişti.

-Teşekkür ederim Elvan, dedi. O kadar zahmete hiç lüzum yok. Şimdi kendimde öyle kuvvet buluyorum ki hiç hasta yatmamışım gibi. Pembeleşen yanaklarını okşadım:

Öyle ise bugün aşa[ğı]ya gel de yemeği beraber yiyelim.

...... Aramıza karışan küçük mahluk, bu çatı altında teessüs eden hayatın ahengini ancak bir hafta şaşırttı. İlk buhranlar ve manası, menbaı henüz meçhul hislerin çarpışması beni ne kadar korkutmuştu. Ziya ile göz göze gelip görüşünce bütün tereddüt ve şüphe noktaları silindi. Kızımın sevgisi eksilmedi. Fakat bu iki kuvvetli hissin kalbimdeki yerleri ayrıldı, onun için ilk hamlede bir muamma gibi içinden çıkamadığım vaziyeti şimdi sükûnetle ve emniyetle idare ediyorum. Hayatımızın eski itiyatları, eski neşeleri avdet etmeye başladı. Buhran ve ıstırap içinde geçen bu on beş gün hakiki rabıtaları biraz daha kuvvetlendirdi. Ziya'nın kalbimdeki yerini en tehlikeli tesadüflere karşı muhafaza edebileceğimi bana anlatmış oldu. Bu on beş gün, bir kasırga gibi geldi geçti. Ve bu fevkalade hadise aramızda yalnız bir kişiyi değiştirdi. En derin hislerin ve telakkilerin birbiriyle çarpıştıkları bu vakaya en uzak, en alakasız kalan Şefik Bey! O, çocuğu olduktan sonra artık hayattaki bütün vazifelerini yapmış, işini yoluna koymuş, itiyatlarına, telakkilerine alışmış kalender yaşlı, başlı bir insan hâli aldı. Bizim gönüllerimizde fırtınalar, buhranlar koparan bu hadiseden onun böyle makus bir şekilde müteessir oluşu ilk zamanlar beni hayrete düşürmüştü. Fakat bu hayret, ilk defa kendimde gördüğüm ve tahlil edilmez his ve telakki şaşkınlıkları gibi çabuk geldi, geçti. Şefik Beyin yaratılışındaki düzgünlük, sadelik daha doğrusu vazifeperverlik onun en heyecanlı hislerini bile hayatın maddi çerçevesi içine alıp kalbini samimi ve lezzetli gönül arzularına kapıyor. O, evlenmeyi nasıl hayata ait bir vazife telakki etmiş ve üç yıllık evlilik hayatının başladığı günden beri itiyatlarını değiştirmemişse bir çocuğu oluşunu da aynı vazife hissiyle karşılamıştı. Şimdi artık kurduğu binanın atisini temin etmekle meşguldü. O hayırlı bir baba, vazifeşinas bir koca idi.

Vazifelerini böyle ciddi bir kanaatle yapışı onun yegâne sevgisi ve arzusu idi. Şefik Bey maddi hayata ait şeylerde çok hassas görünmekle hem bu yegâne hissedebildiği kalp arzularını tatmin ediyor, hem de sevgisini en kestirme yoldan bana ispat etmiş oluyordu.

Hayatın tahassüse ince ve içli gönül arzularına ait heyecan buhran ve zevk verici öyle temayülleri, rabıtaları var ki bunlar zevahiri en mesut görünen aile yuvalarında bile insanı varlıktan refahtan iğrendirecek bir ihtiyaç şeklinde gelip buluyor. Kim bilir Şefik Bey gibi ne kadar dürüst aile reisleri vardır ki maddi vazifelerini yapmaktan mütevellit bir kalp ve gönül rahatı ile ile yaşarlarken ruhlarını, hislerini, temayüllerini ihmal ettikleri genç kadınları çok mühlik bir vicdan ve aşk mücadelesinden harap olup giderler.

Şefik Bey şimdi ev ihtiyaçlarını vaktinde düşünüp tedarik eden bir büyük baba rolü aldı. O kadarki yalnız beni değil süt ninenin sabah kahvaltısını bile düşünüyor. Kendi ufak tefek ihtiyaçlarını temin eden bir karısı, akşamları yüzüne bakınca neşe verici bir de çocuğu ve bilhassa sükûneti muhafaza edilen evi onu hayattan memnun etmeye kâfi geliyor.

Çocuk bahanesiyle ayırdığı odasını tekrar birleştirmekten hiç bahsetmiyor. Hâlbuki bir haftadan beri çocukla İngiliz dadı bitişik odadalar. Şefik Bey şimdi doya doya kitapları ve notlarıyla meşgul olabiliyor. Hatta akşamları gittikçe geç gelmeye başladı. Arkadaşları ve işi ile meşgul olmaktan daha çok zevk alıyor.

Hayatımız tabii hale döndüğü zaman değişmiş olarak yalnız Şefik Beyin kalacağını hiç hatırıma getirmezdim. O şiddetli fırtınadan sonra kendimize geldiğimiz vakit Şefik Beyi büsbütün başka bir hüviyette gördüm. Aramızda kıymetli bir rabıta vücut bulduğu halde bu birleştirici ve sevdirici mahluk zaten mütekabil bir hürmetten başka bir şeyi olmayan münasebetimizi birbirine dost iki arkadaş vaziyetine getirdi.

Bu neticenin onun hakkında hissettiğim ciddi hürmeti ihlal etmemesi için çalışıyorum.

Ziya artık tamamiyle iyileşti. Kış devam ediyor. Gece konserlerimize tekrar başladık. Eski sakin ve iki cepheli hayatımız ahengini buldu. Ziya kendisini belki eskisinden daha müşfik bir samimiyetle sevdiğimi anlıyor.

Şefik Bey gece toplanışlarımızda bir varlık olmaktan kaçıyor gibi. Eskiden zevk aldığı alaturka musiki bile onun uykusunu vaktinden evvel davet etmeye yarıyor. Konu komşu ile alakamız hemen hemen kesilmiş gibi. Eskiden tanıştığımız birkaç ahbap ziyaretlerini birkaç kere iade etmediğimiz için   gücendiler...

Lohusalığımdaki resmi ziyaretlerden sonra gelen, gide ı yok... Ve ben bu tatlı inzivadan o kadar memnunum ki!

Geceleri evde herkes yattıktan sonra yeni bir âlem başlıyor. Salondaki büyük çini sobanın yanında, seccadeler, örtüler, ipekli yastıklarla dolu bir sedir yaptık. Musikiden sonra ben buraya uzanıyorum. Ziya yanımdaki taburede, bana hatıralarından ve tahassüslerinden bahsetmediği zaman roman okuyor. Marsel Prevo [Marcel Proust]'yu ben okudum. Oda bana Anatol Frans [Anatole France]'ı [Jacques Anatole François Thibault] okudu. Ahir vaktinde bile on sekiz yaşında bir genç muharrir ateşi ile eser yazan bu büyük insanın ne çetin bir üslubu ve ne sert fikirleri var. Hayat ve tahassüsler onun kaleminde âdeta hareket ediyor, hislere ve kanaatlere bu kadar can veren muharrir okumadım.

Çok defa bir sahifeyi bütün bir gece tahlil ediyoruz. Ziya bu gece sohbetlerinden benim kadar memnun... Eve her avdet edişinde kolunda birkaç cilt eserle geliyor. Saat on ikiden sonra çay içiyoruz. Bazen daha geç vakitler bütün kapıları örtüp ona keman çaldırıyorum. Ve bu geceler, hayatın ters ve çözülmesi güç muammalarına karşı isyan duyduğum geceler oluyor.

Çünkü ruhumdan, asabımdan toplanıp gelen coşkun sevgi bana onun yuvarlak başını göğsüme çekip sevmekten başka bir hareket yaptırmıyor. Dışarıda uğuldayan rüzgâr, odanın sıcak havası, evin her köşesine çöken ağır sükûn hislerimizi, asabımızı görüp kamçılıyor. Yalnız kalplerin ve gözlerin seviştiği bu gönül yuvasını büyük aşkların doğup büyüdüğü bir mabet gibi temiz tutmak için mücadele ediyoruz. Gönüllerden asaba geçen arzuların müntehasında mukadder bir inkisar var derler. İctinap edilmez gibi görünen cereyanlar belki bu akıbeti getiriyor. Fakat sıcak bir aşk havasında bulutlanan başların o mukadder inkisarından uzaklaşmak için giriştikleri his ve asap mücadelesi o kadar raşe ve heyecan verici ki yudum yudum içilen bir güzel içki gibi bu heyecanı, daima artan ve ateşlenen bir zevk içinde hissetmek o müntehayı bulmaktan daha çok leziz!

Ufak bir arıza, bir korkulu buhrandan sonra hepimiz tabii halimize döndüğümüz vakit evin içinde yarısı sevgi ve samimiyet dolu, yarısı her evin her günkü meşgalesine benzer maddi ve donuk bir hayat başladı.

Şefik Bey hatta kızının ismini bulmak vazifesini bile bize bırakmıştı.

-Ben mühendis adamım, şiirden, edebiyattan o kadar anlamam. Evimizin içinde Avrupa edebiyatını okumuş şair ruhlu dostlar var. Onlar dururken istediğin gibi güzel şık isim bulmak bana düşer mi?

diyor, sonra kalın kahkahalar içinde:

-İşi bana bırakırsanız ya Ayşe koyarım, ya Fatma diye tuhaflık yapıyordu.

Ayşe ismi o kadar kullanılmamış olsa fena değil. Onda öyle ince ve yumuşak bir ahenk var ki!

Bu bahsi Ziya'ya açmaya korkuyorum. İlk defa mektupla sorduğum zaman ne fena cevap verdi. Mamafih o zaman aramızda birdenbire bulunmuş duyguların acıları vardı. Şimdi artık asabımızda hayatımız gibi sükûnetli, kendi kıskançlıklarımız, kendi samimi buhranlarımızdan başka bir karanlık dolu ve sağnak bulutu gibi hayatımızda görünen bu sevimli mahluka güzel bir isim bulmak için Ziya'nın yardımını istiyorum.

Ziya'nın mektepten döndüğü bir gece idi. Şefik Bey yemekten evvel bir tezkere gönderdi. Direktörün evinde toplanacakları için ancak gece gelebileceğini yazıyordu. Son zamanlarda çok sıklaştırdığı bu gece ziyaretlerinden şikâyet etmiyordum. O, bu sükûtumu belki de küçükle olan meşguliyetime veriyor. Çocuğu olduktan sonra hayatına çöken kalenderliğin ona bu zannı vereceğinden şüphe ettim. Hayatta zaten en büyük hata insanın kendine yakın olanları kendi görüşü ve kendi düşünüşüyle görüp tanımasıdır. Şefik Bey gibi doğuşunda hodkâm bir insanın beni artık hareketli hayattan elini eteğini çekmiş, kendisini çocuk bezlerine ve işlerine vermiş bir kadın olarak görmesi için ne sebep var.

Mektepler onu mükemmel bir mühendis olarak yetiştirmiş ve fıtrat ona bütün mahluklardan esirgemediği tabii arzu ve ihtiyaçlardan başka bir şey hissettirmemiş. Bu hilkatte insanlar ne çabuk mesut olurlar...

Çocuğu, karısı ve eksiksiz, muntazam idaresiyle kurulu duran evi Şefik Bey için hayatta son gaye idi. Ona yeniden hareket verecek hiçbir şey kalmadı. Ne yazık ki onun için biten hayatın her adımında ben henüz aç, susuz bir mahluk gibi iştiha verici tazelikler görüyorum. Evli bir erkek kalbinde arkadaş sevgileri ve dışarı ihtiyacı belirdiği gün karısına verilecek hiçbir zevki kalmamıştır. Hâlbuki Şefik Bey zaten evinde hareket ve heyecandan neşe alan bir erkek değildi ki!

Şimdi onun sık sık şurada burada, yemeklerde kaldığını gördükçe eski hayatına avdet ettirmek için kendimde samimi bir arzu duymuyorum. Evvelce benden habersiz yarım saat geç kalmayan Şefik Beyin şimdi gittiği yerden yemeğe beklenmemesi için ufacık bir pusula yazıp gönderişi beni sinirlendirmiyor. Geç geldiği geceler beni yatmış buluyor. Ve sabahleyin ben küçükle, ev işleriyle o kadar meşgul görünüyorum ki akşamki kabahati için ondan hesap sormaya vakit bulamıyorum. Benim bu telaşlı ve meşgul vaziyetim onu sevindiriyor ve belki de artık çoluk çocuk gailesine düştüğüm için gençlik heveslerimden kaldığımı zannediyor. Hatta bu zan ona daha keyfine göre, daha avare yaşamak cesaretini de veriyor. Zahire bakarak kendi kendine verdiği bu hükümler onu gittikçe bir eski zaman erkeği haline getiriyor.. İhtimal beni hizmetçileri, alışveriş yolunda bir evin her istediği yapılan kadını gibi gördüğü için saadetimden şüphe bile etmiyor. Öyle ya, bu kadar varlık içinde bir de çiçek gibi kızı olduktan sonra... Hayattan başka ne bekleyebilirim ki!

Şefik Beyin yeni hareketlerinden bulup çıkardığım bu manalarda bilmem ne kadar haklıyım.. Yalnız kanaatim şu ki kadınlarının kalbini fasılasız bir inhimak ile tetkik etmeyen ve gözlerinde zaman zaman beliren yeni yeni hisleri, temayülleri arzuları görmeyen erkekler bu hatalarını çok ağır mahrumiyetler ve günahlarla öderler...

Bu gece Şefik Beyin yemeğe gelmeyeceğini haber veren küçük pusulasını buruşturup atarken bunları düşündüm. Hisseden ve herhangi bir aile sevgisini paylaşmak isteyen bir kadın için ihmal, en büyük acı!...

Yemekten sonra salona geçtiğimiz vakit Ziya'nın eline Nedim Divanı'nı tutuşturdum.

-Her akşam Fransızca romanlar okuyoruz, biraz da eski şeylere, eski şiirlere bakalım olmaz mı?

Sedirin yanındaki yerine oturdu, gülüyordu:

-Anlaşıldı. Artık eskilere rağbet başladı. Bu temayül eski hatıralar için fali hayr olursa ne mutlu...

Uzun ağızlığa iliştirdiğim sigarayı onun havanasından yaktım.

-Artık baht işi, dedim. Hele şu divan bu akşamlık bizi eğlendirsin de!

Yaprakları yavaş yavaş çevirirken durup başını çevirdi:

-Öyle ya. Sizin için her şey, her hadise, mazi, istikbal hatıra, hülya hepsi eğlenceden ibaret. Ne bahtiyar insansınız... Canını acıtacak kadar saçlarını çektim.

-Beni sevindirmek için buna razı olmaz mısın?

Başını dizime bıraktı. Gözleri güneşe gelmiş nergis gibi parlıyordu:

-Her şeyi yaptırmak için istemek kâfidir Elvan.

Hislerimi ve arzularımı anlayan bu sevimli başı okşadım. El sürülmekten hoşlanan yumuşak tüylü bir van kedisi gibi gözlerini kapadı. Ona verebildiğim en büyük sevgi bundan ibaretti.

- Gazeller tarafını aç da okuyalım Ziya..

Sedire uzanmıştım. O alçak taburede oturduğu için başlarımız yan yana gelmişti. Çevirdiği yaprakları beraber okuyorduk. Nedim Divanı'nı bana, büyük babam okutmuştu. İçinde sevdiğim çok yerler vardı. Hatta o zamanlar aşka, sevgiye dair fikirlerim olmadığı için gördüğü her güzellik boyuna, bosuna, rengine, yanağına şiir yapan bu adamla alay ederdim. Hiçbir gazeli, şarkısı yoktu ki içinde herhangi bir güzelin gamzesi, işvesi, şivesi olmasın.

Ziya sahifeleri çevirirken ona büyük babamın bana Nedim Divanı okutuşunu anlatıyordum. Gözüme bir sahifede pek sevdiğim bir gazel ilişti.

-Şunu okusana Ziya, dedim. Bak ne güzeldir. Beraber okuyorduk:

Çünkü bülbülsün gönül bir gülsitan lâzım sana
Çünkü dil koymuşlar adın dil-sitan lâzım sana

Nev-cüvanlık 'âlemin ta kim getirsen yâdına
Dahı pek pîr olmadan bir nev-cüvan lazım sana

-Ne güzel değil mi Ziya...
-Ne dediğini anladın ya. Bizim gönül yuvası gibi bir şey. Fakat alt tarafında bak ne diyor:

Bir güzel sev duymasın ammâ duymasın zâl-i felek
Genç ola amma nihân-ender-nihan lâzım sana

-Bu ikimize de dostça bir tavsiye zâl-i felek değil Şefik Bey duymasın kâfi..

Gayriihtiyari ben de gülüyordum:

-Çevir bu sahifeyi şöyle daha ince, daha güzel yerlerini okuyalım, belki küçük için bir isim de bulurum.

Birdenbire kitabı kapadı, yere bıraktı:

-Maşallah hanımefendi, dedi. Kerime hanıma isim bulmak için bize divan hatmettireceksiniz öyle mi, aşk olsun. Omuzlarından tutup çektim:

- Ziya, hani beni kırmayacak, istediğimi yapacaktın.

Asabileştiği sıkıldığı zaman başını önüne eğiyor. Onun huylarını o kadar öğrendim ki her hareketini değiştirecek çareleri biliyorum. Başını tutup göğsüme çektim. Yüzü dudaklarıma gelmişti.

-Daha şimdi söz vermedin mi Ziya, bu kadar çabuk mu vazgeçtin?

Azarlanmış bir çocuk gibi dudakları bükülüyor, göz kapakları titriyordu.

-Söylesene kararından, sözünden döndün mü?

Onun bu dargın, kırgın hâli o kadar hoşuma gidiyor ki. Parmaklarımla dudaklarını acıttım.

– Haydi cevap versene Ziya!

Dudaklarını ben hareket ettiriyor açıp kapıyordum:

-Haydi, sesin de çıksın, söyle.. Peki de bakayım..

Artık gülüyordu. Başını boynundan dolaşan koluma bıraktı. Bir elimle yüzünü okşuyordum. İçimde onu sevmek ve ona sevgimi anlatmak ihtiyacı vardı.

-Beni üzme Ziya, dedim. Tesadüf, kader bize en büyük zulmünü yapmış, bari verdiği şu kadarcık imkânı da kendimiz bozmayalım. Seni her zamandan ziyade seviyorum. Kalbimi, hayatımı dolduran yalnız sensin Ziya. Bunu elbet sen de hissediyorsun. Şu evin içinde nasıl yaşadığımı da görüyorsun. Sana yalvarırım Ziya, ehemmiyetsiz sebeplerle beni incitme. Şefik Beyin gün geçtikçe daha hodkâm, daha kalender olduğunu sen de anlıyorsun. Yirmi gün olduğu halde daha kızının ismini koymadı. Etrafındaki buhranlardan, hadiselerden haberi olmayan o yavrunun isimsiz kalması için ne günahı var. Ben seni, bana ait şeylerde benim kadar hassas ve alakadar görmek isterdim Ziya...

Bilmiyorum nasıl bu zaaf ve teessür gözlerimi yaşartmıştı. İki üç damla yaş onun yüzüne düştü. O kadar vicdanlı, ruhen o kadar yüksek insan ki bir anda bütün şefkatiyle beni kucakladı. Yumuşak ve mert sesini kalbinden dinliyordum. Çok samimi bir dertleşmek ihtiyacıyla onunla konuşurken kendimi o kadar zayıf gördüm ki teessürüm gözlerimi yaşarttı. Ziya'nın müşfik, teselli verici sözleri acılarımı teskin etti.

-Biz çok bedbaht insanlarız Ziya, dedim. Hayat bizi kalplerimizin bütün kuvvetiyle birleştirdiği halde yaşamakta ayırıyor. Bu zıt, bu müşkül vaziyette de teessürlerimizi yine kendimiz teselli ediyoruz. Bu öyle bir zulüm ki!

Başlarımız birbirine dayalı, ellerimiz kilitlenmiş, taliden, kaderden gelen bu tecelliye isyan etmek ister gibi susmuştuk. Hayatımızı halledilmez bir muamma haline getiren o eski çocukluk buhranlarının ne büyük çılgınlıklar olduğunu anlamak için bu ıstırabı çekmek mukaddermiş! Hiçbir hadise ve hayatın hiçbir mazhariyeti gönüllere bağlanıp kalan derin sevgileri çözemiyor. Her adımında elem ve buhran görülen ve üzerine daima hasretten, hicrandan, kıskançlıktan gözyaşları dökülen bir sevgide bile namütenahi saadet var. Başlarımızı iki mihnet ve cefa yolcusu gibi yaklaştıran talihin bu zulmünden zevk almak için bize aşkımızın kudreti kâfi geliyor.

Evin içine her gece çöken o derin sükûnet yine başladı. Sobadan gelen hafif çıtırtıdan başka ses yok. Ellerim Ziya'nın avuçlarında, saçlarımız birbirine dolaşmış, nefeslerimizi dinliyoruz. Bu müşkül fakat tehlikeleri, engelleri ve kıskançlıklarıyla daha çok heyecanlı bir zevk verici hayatımızın her köşesi levha

levha, parça parça hayalimden geldi, geçti. Başlangıcındaki samimi çılgınlıklarla bu müşkül münteha arasında teselli verecek yegâne menba bizim için o en umulmaz zamanlarda kalplerden eksilmeyen ümitten başka bir şey değildi. Talihimize, hayatımıza hükmettiğini her adımda gördüğüm kader ve tesadüf içime yine o tükenmez ümitlerini doldurdu. Tevekkül ve itaatten gelen bir emniyetle mırıldandım:

- Mukavemet edelim Ziya, yan yana, baş başa oldukça hayatın bu zulmünden de zevk alabiliriz. Gönül yuvamızın en aydınlık köşesi ümit doludur.

Avucundaki ellerimi yavaş yavaş dudaklarına götürdü. Hisleri ve hareketleri kaynaştıran bu birkaç saniyelik takarrüpler büyük aşkımızın ruhlarımıza ümit ve teselli veren yegâne ayini oluyor.

Onun sesi, yüksek kubbeli mabetlerde aks eden ilahiler gibi derinden geliyordu:

-Bana ümit ve kuvvet veren sensin Elvan. Hayatına tamamiyle bağlayacağın veyahut büsbütün uzaklaştıracağın güne kadar benden mukavemet ve feragat göreceksin!

İçimden gelen derin bir emniyet ve tevekkülle saçlarını öptüm. Bu manevi teselli kalplerimize çok muhtaç olduğumuz sevinci getirdi. Şimdi hayatta endişeleri, korkuları olmayan iki sevdalı gibiydik. Ziya yere düşen Nedim Divanı'nı aldı:

- İster misin seninle niyetimize bakalım Elvan, dedi.

Lügat kitaplarında, divanlarda birbirimiz için niyet açardık. Ziya'nın bu arzusu bana çocukluğumuzu hatırlattı. O kadar memnundum ki iki kolum birden boynundan dolaştı. Şimdi kitabı beraber tutuyorduk.

-İkimiz için aç Ziya, dedim. Ama dikkat et, orta tarafları olsun, malum ya baş tarafları tarihler, kitabelerle doludur.

Ziya divanı evvela sıkı sıkı kapadı.

-Soldaki safihenin orta gazeli dedi.

Bilmem neden, sanki okuyacağımız şey talihimizi değiştirecek, bize yeni bir ümit veyahut ıstırap verecekmiş gibi kalbim çarpıyordu.

-Haydi, dedim, gönül yuvamızın talihi için soldaki sahifenin orta gazeli..

Ziya'nın parmakları titriyordu. Kararlamadan bir yeri ayırdı, birdenbire açtı, gözlerimiz bir hamlede sahifenin ortasını okudu. Bu Nedim'in meşhur gazellerinden biri idi. İkimiz birden okuyorduk:

Bu imtidâd-ı cevre ki bahtın şitâbı var
Mihnet- medâr olan feleğe intisâbı var

Mihrin nihân eyledi devran şafak değil
Benzer ki âteş-i sitemin iltihâbı var

Ser germî-i niyaz ile dil giryenâk olur
Yine hadîka-i emelin âb u tâbı var

Eyler nesîm-i lutfu bize gird-bâd-ı gam
Bu rûzgâr-ı bî-mededin inkılâbı var

-Dikkat et Ziya, inkılap var. Korkma.

O gülüyordu, devam ettik:

Harf-âşinâ-yı hâl-i dil olmaz leb-i emel
Bir âh-ı derdnâk ile şâfi cevâbı var

-Artık devam etmeye[lim] Ziya, dedim. Şafi cevap var dedikten sonra kâfi! Niyet uğurlu çıktı. Şimdi şuradan güzel bir isim bulabilir miyiz ona bakalım.

Ziya divanı yine kapadı yere bıraktı, biraz evvelki gibi sinirlendiğini zannettim. Hâlbuki gülüyordu. Birdenbire döndü. Ellerimi omuzlarıma koydu.

-Divanda güzel isim bulamazsın Elvan, orada en çok geçen kelimeler Ebru, Gamze, Füsun, Müjgân gibi çok müstamel şeylerdir. Ben sana bir isim buldum ama kolay kolay söylemem.

Sevinçten boynuna sarılacaktım, isim buluşundan ziyade bu meselenin onu sinirlendirmeyişine seviniyordum.

-Söyle Ziya dedim, ne istersen kabul ederim.

-Çok bir şey değil, dedi. Yalnız beni sevdiğini, sevgimizin bizi bir gün bırleştireceğini tekrar edeceksin.

-Buna niçin lüzum görüyorsun Ziya. Şüphe mi ediyorsun!

-Hayır, fakat senin her vaadin benim mukavemetimi, cesaretimi arttırıyor da!

-Öyle ise seni her zaman, bilhassa gönül yuvamıza kapanıp kaldığımız bu derin gecelerde hep temin edeyim olmaz mı?

Çok sevimli, çok yumuşak bir hareketle parmaklarımı öpüyordu. Bu munis ve uysal çocuğu incitmek mümkün müydü?

- O halde pazarlığımız oldu değil mi Ziya, dedim. Haydi, söyle bakalım, ne isim buldun.

-Bilmem beğenecek misin Elvan. Nurten nasıl!

-Nur tenli demek, ne güzel. Hiç işitmedim.

-Fena mı, işitilmemiş isim bulmalı ki hoş olsun. Güzel bir kız çocuğu için söylemesi de manası kadar güzel bir isim.

-Çok teşekkür ederim Ziya. Beni öyle bir üzüntüden kurtardın ki! Biliyor musun, böyle asabileşmeden benim arzumu yerine getirdiğin zamanlar kendimi o kadar endişesiz, hatta mesut görüyorum ki!

Pek sevdiğim alnından birçok defalar öptüm. O, bu sevgiyi büyük bir fedakârlık mukabili kazanmış gibi memnun, fakat düşünceli...

-Çay yapalım mı Ziya!

Göz bebeklerinde derin bir ye's var gibi. Onun kalbini kemiren sıkıntısını bilmesem daha çok üzüleceğim. Fakat o kadife gibi parlak ve yumuşak göz bebeklerine bu ıstırap rengini veren teessürleri benim de kalbimden geçtiği için onu teselli edecek menbaları çabuk keşfediyorum.

Şimdi fıkırdayan çay semaverinin yanında fincanları, pötifurları [peutits four] hazırlıyoruz. Saat onikiye geliyor. Her gece bu saate doğru eve çöken derin sükûnet yine başladı.

Dışarıda rüzgâr durmuş gibi. Sobanın ateşi sönüyor. Yumuşak hülyalar üzerinde bir mabette imiş gibi yan yana, yavaş yavaş konuşuyor, hareket ediyoruz. Ziya bu gece musiki yapmadığımızı söylüyor. Ona bütün geceler bizim diye cevap veriyorum.

Şimdi ruhlarımızın sevgisi başlamış gibi bu derin sükûneti ihlal etmemek için sedirde yan yana, yavaş yavaş çaylarımızı içiyoruz. Kalbimde tatlı bir çarpıntı var. Hayalimde zaman zaman aradığım gönül doldurucu büyük aşkı hissediyorum. Bu his o kadar kuvvetli ki bana hayatta daha mesut bir müntehayı bile düşündürmüyor. Gecelerin bu saattinde onunla baş başa içtiğimiz çaylar, salonun köşesinde kendi kendimize kurduğumuz musiki âlemi, sedirde geçen edebî sohbetler gönlümü o kadar dolduruyor ki bana hayatımdaki düz ve yeknesak hakikati bile hissettirmiyor.

Ziya yine taburesine oturmuş, başı ve elleri dizlerimde, bana yavaş yavaş Göztepe'deki hayatımızdan, bahçedeki eğlentilerimizden bahsediyor. Bu sanatkâr ruhlu insanı tarihi mukaddesten bir parça okunuyormuş gibi dinliyorum.

Bahçe kapısının zili gecenin sükûnetini ve salona çöken mabet havasını birdenbire yırttı. Kalbim o kadar acı acı çarptı ki ıstırabımı yüzümden anlayan Ziya beni bir hamlede ayağa kaldırdı.

221

– Haydi Elvan, derhal odana git, yat. Aşağıdan kapı açılıncaya kadar yataklarımızda bulunalım.

Ve beni dışarıya sürüklerken salonun lambasını söndürdü. İradesiz, şuursuz bir hareketle soyunmadan yatağa uzandım. Tatlı bir rüyadan sonra gelen nahoş ve nevmit hisler içinde gözlerimi kapamaya çalışırken Ziya'nın yukarı merdivenleri çıtırdatan adımları nihayet bulmuş, aşağıdan yeni ayak sesleri gelmeye başlamıştı.

Nurten üç günden beri neşesiz ve iştahsız, doktor diş başlangıcı olduğunu söyledi. İngiliz kadınına yol verdikten sonra gelen bir Alman, çocuğu daha modern dediği usulde büyütüyor. Banyoları âdeta soğuk yapmaya başladı. Galiba bu değişiklik çocuğun keyfini kaçırdı. Çocuk büyütmek için işime yarar diye birçok kitaplar almıştım. Fakat bunlardan ciddi bir istifade etmedim. Çünkü onlar da mürebbiyeler gibi türlü türlü usuller tavsiye ediyorlar. Onun için kitaptan, mürebbiyeden ziyade doktora emniyet ediyorum. İzmir'in yegâne çocuk hastalıkları mütehassısı hiçbir şeysi olmasa bile her hafta gelip Nurten'i muayene ediyor. Bu sefer de dediği çıktı. Kızımın neşesi yavaş yavaş geldi.

Onun ipek gibi yüzü, mavimsi gözleri en buhranlı zamanlarımda bana teselli ve sükûnet veriyor. Onunla meşgul olduğum zamanlar ev gailesinin yeknesaklığını, Şefik Beyin gittikçe artan kalenderliğini unutuyorum. O, artık kendisini tamamiyle işine verdi. Bilmem nerede açılması lazım büyük bir tünelin projesini yapmak için bir buçuk ay uğraştı. Bundan Ziya'ya bahsederken o bana bakarak güzel bir cevap verdi:

-Enişte beği bir gün Ferdinand de Lesseps gibi meşhur bir mühendis görürsek kordon boyuna heykelini dikeriz değil mi Elvan Hanım.

Şefik Bey bundaki ince istihzayı anlamadan mukabele etti.

-Hani yalan da değil, Sultan Dağları altından tünel yapmak Süveyş Kanalı'nı açmak kadar mühimdir. Ama hesabı mükemmel yapmalı. Yoksa insan, küçük bir hata yüzünden âleme gülünç olup intihar eden Semplon mühendisinin akıbetine uğrar.

Eve erken geldiği akşamlar yemeği yer yemez odasına çekiliyor. Yatağı da hâlâ yazı odasında... Orada, başucunda sürahisi, su bardağı, sigara tablaları, paketler, cetveller, kalemler, irili ufaklı hendese aletleri arasında haşr ü neşr olup duruyor. Kendine göre tertip ettiği intizamı bozulmasın diye onları yerleştirmekten Dilber'i men ediyor. Onu işine, vazifesine sıkı sıkıya merbut ciddi iş adamı diye bilirdim. Fakat ciddi işlerini aile hayatına getirip karıştıracak kadar hislerinden pek çabuk tecerrüt edeceğini hatırıma getirmezdim.

Akşamları, yemeğe geldiği zamanlar Nurten'i bir defa kucağına alıp seviyor. Fakat bu sevgiler o kadar cansız, o kadar hareketsiz ki insana onu bile yalnız bir vazife hissiyle yapılmış zannını veriyor. Mamafih çocuğuna vazifeden olsun gösterdiği bu alakadan ben tamamiyle mahrumum. Eskiden her sabah evden çıkarken gelir alnımı yüzümü öper, avdette aynı hareketi tekrar ederdi. Hemen her karı koca arasında itiyat haline gelen bu hareketi biz çocuğumuz olduktan sonra unuttuk. Ona eski güzel âdetlerini hatırlatmak için sokak kapısında yolunu kestirecek değildim. Fakat onun, beni görmeden gidişindeki mazereti geceleri çocukla meşgul olup uykusuz kalışıma atfetmesini tabii ve ciddi bulmuyorum. Herhangi bir kadın kocasının sevgisi için uykusundan daha kıymetli şeyler feda edebilir. Yeter ki sevildiğini bilsin!

Onun eski itiyatlarını unutuşu beni müteessir etmiyor. Hatta kalbimi tamamiyle dolduran bir sevgim olmasa bile onu kendime avdet ettirmek için uğraşmayacaktım. Çünkü Şefik Bey o nev erkeklerdendi ki hayatlarının muayyen bir noktasına vasıl

223

olunca tahassüs kabiliyetleri kendi kendine nihayet bulur. Şefik Bey ruhen bitmiş bir insan oldu. Zihinleri yalnız maddi ve riyazi meselelerle uğraşan, adımlarını bile riyazi katiyetlerle atan ve hayatları, ölçülü bir cetvel tahtası gibi ne tarafından bakılsa aynı şekil ve aynı mesafede görünen insanlar ruhen bir fevkaladelik göstereceklerini iddia edemezler. Samimi olmak için hayatı, muhiti, tabiatı dimağdan değil gönülden görmeli...

Eskiden onunla aramızda ruhlarımızı kaynaştırmayan bir tahassüs farkı vardı. Hayat onu gittikçe asıl kabiliyetine çekti. O, kalpleriyle yaşamaktan zevk almayan hodkâm ve vazife düşkünü insanlar gibiydi. İçinden bana ve çocuğuna karşı biraz sevgi hissediyorsa bu, gönüllerden gelen o heyecan verici duygulardan değil bir aile babasından beklenmesi zaruri alakadan doğuyordu. Kalbini ve muhitini çocukluğundan biri en içli sevgilerle dolduran bir kadını böyle basit ve heyecansız bir alaka tatmin edebilir mi?

Aramıza karışan yavru bizi bağlayacak ve durgun gönüllerimize hararet ve hareket verecek yerde hayatımızı daha sade, daha olgun bir hâle getirdi. Yanımda ve kalbimde Ziya olmasaydı şimdi hatta konuşmak ihtiyacını tatmin etmek için yine kucakta çocuğuyla ya eş, dost kapılarını çalan bir mahalle kadını veyahut görüp göreceği yegâne saadetin kızlığındaki hülyalar ve göğsündeki yavrudan ibaret olduğuna iman ederek inzivaya çekilmiş bir terki dünya olacaktım.

Şefik Bey mahdut düşünüşlü, arzuları kocalarının arzularından sonra gelen durgun ruhlu kadınlar için bulunmaz bir erkekti. Eli açık, çalışkan ve mesleğinde daima ileri giden bir erkek.. Bundan başka o kadar da nazik ve iyi huylu ki uzaktan bakanlar için evimizin manzarası bu mesut görünüş altında kıskançlık hissettirecek kadar sevimli.. Zaten hayatta zevahir kadar müstehzi ve gönül gibi muamma var mı?.

..... Kış yavaş yavaş çözüldü. Mart, birkaç fırtına yaptıktan sonra nisana mavi bir gün ve yumuşak bir hava bırakarak gitti. İzmir'in baharı İstanbul'a benzemez. Rüzgârlı ve bulutlu geçen birkaç haftadan sonra birdenbire yazın ağır sıcakları başlar.

Artık bahçeye ve bazen arka sırtlara çıkıp dolaşıyoruz. Dadısı Nurten'i her gün gezdiriyor. Onun küçük arabasını bazen ben çekiyorum. Ziya'nın mektepte kaldığı zamanlar bütün vaktim onun başında geçiyor.

İstanbul'dan birçok romanlar, notalar getirttik. Beraber olduğumuz geceler geç vakitlere kadar onlarla meşgul oluyoruz. Bu hayata o kadar alıştım ki...

Ziya bir gün bizi mektebe gezmeye davet etti. Şefik Beyin bitip tükenmek bilmeyen hat, köprü ve tünel planlarından vakit yok ki. O kadar rica ettiğimiz halde kabul ettiremedik.

-Sen Elvan'ı götür, gezdir. Anlaşılıyor ki bu mühim ziyareti yapmak için vakit bulamayacağım.

Şefik Beyin bu istihzalı mazereti Ziya'yı kızdırmadı.

–Mektebi gezmek herhâlde size mühim bir faide temin etmez. Maksat vakit geçirmek, dedi.

Nihayet ben aralarını buldum:

-Şefik Bey de yarın öbür gün elbet bir tren gezintisi teklif eder, faideli değildir diye kabul etmeyiz, olmaz mı? Bu tarz hal Şefik Beyin hoşuna gitti.

-Razıyım, dedi. Sizi şöyle, Aydın yolunda bir drezin sefasına davet ettiğim zaman gelmezseniz ödeşiriz. Nihayet, perşembe günü benim Kızılçullu'ya gitmeme karar verildi. Ziya beni mektepte bekleyecekti.

Eskiden Şefik Beyle İzmir'in muayyen gezme yerlerine beraber, ikişer defa gitmiştik. Eski direktör Bornova'da otururdu. Ailesiyle tanıştığımız için sık sık giderdik. İngiliz olmasına rağmen ince, hassas bir madamı vardı. Esasen ailecek zengin olan direktör ufak bir meseleden istifa etti, gitti. Yeni direktör bekâr bir adam. Kırkına yaklaştığı halde evlenmemiş. Onun için evine her gece misafir davet ediyor. Şefik Bey de bu davetliler arasında...

Perşembe günü Süleyman'ın getirdiği otomobille Kızılçullu'ya gittim. Amerikalıların güzel bir âdetleri var. Mekteplerini daima şehirlerden uzak, dağ başlarında yapıyorlar. Herhâlde çok iyi bir şey... Biz İstanbul'da Harbiye caddesindeki Dam dö Sion'da okurken tramvay, araba patırtısından kulağımıza bir şey girmezdi. Hoş gözümüz de sıkı sıkı kapalı panjurların aralıklarından çekilmezdi ya...

Bol güneşli bir mayıs günü.. Bahar, kırlardan, yamaçlardan renk ve çiçek halinde fışkırıyor. Sıcak vahşi ot ve yaprak kokularını teneffüs ederken asabımın güneş görmüş bir böcek gibi kımıldayıp gerildiğini hissediyorum. Yol kenarlarında açan mavi, pembe hanım düğmeleri arasında büyük kanatlı papatyalar beyaz taçlı gelin gibi baş vermişler. Güneş ve bahar bugün o kadar kuvvetli ki..

Ziya beni büyük bahçenin kapısında bekliyordu. Daha otomobilden inmeden ona seslendim:

-Ziya, mektepte işin var mı?

Şaşırmıştı. Otomobil durunca geldi:

-Var, sana mektebi gezdireceğim...

Onu elinden tutup çektim:

-Mektebiniz senin olsun, kırlar bugün o kadar güzel ki içeride kapanıp kalmak çılgınlık.. Haydi alacağın bir şey varsa getirsinler de gidelim.

-Misafirim geleceğini söylemiştim. Mektep müdürü de seni bekliyordu. Bu itirafları otomobile girerken söylemeseydi canım sıkılacaktı. Ben cevap vermeden kapıcıya seslendi:

-Hüseyin Ağa, bekleme odasında benim çantamla basto-num var koş getir..

Yanıma oturduğu zaman gayriihtiyari kolunu sıkıp acıttım arzularıma itaat eden bu güzel insanı sevmemek elimde değil.. Şimdi, deminden beri heyecanını, zevkini tattığım can verici baharın içinde onunla beraberdik.

Otomobil dağ yamaçlarından süzülüp giderken coşkun baharı bir kalp, bir vücut gibi hissediyoruz. Bir kelime konuşmadan yan yana, birbirimizin havasında bulunmanın verdiği kâfi bir sevinçle tabiatın koynundayız. Otomobil ara sıra denizi gösteren yüksek tepelerden, yemyeşil çalılıklar, ağaçlarla örülmüş gibi görünen vadilerden koşup süzülerek bizi incir altına kadar getirdi. İzmir'in bu en güzel ağaçlığında indik. Tabiatın bu yeşil köşesi bugün o kadar tenha ki...

Onunla yan yana taze ve nemli yeşil otları çiğnemekten korkar gibi yumuşak adımlarla yürüyoruz. Kuytu köşelerden ufak serçeler kalkıp uçuyor, kalın gövdeli ağaç yaprakları arasında oynaşan çeşit çeşit kuşlar şen bir kır musikisi içinde daldan dala geçip oynaşıyorlar. Bu ürkek fakat sevimli tarla kuşlarının cıvıltısı bütün ağaçlığı kaplıyordu. Mini mini serçeler, böğürtlen ve mürver dallarının sarılıp dikenli bir küme yaptıkları kuytu köşelere gagalarında ince ot ve filiz parçalarıyla sokulup kayboluyorlar.

Ziya yanımda, tabiatın bu halk edici ahengini incitmekten korkar gibi mırıldanıyor.

–Yuvalarını hazırlıyorlar. Allahın mesut mahlukları...

Büyük bir çınarın oymalı bir sedir halinde toprağa gömülen kalın köklerine oturmuştuk.

Gözlerini arayıp buldum. Tabiatın bu bakir ve yeşil köşesinde onu, aşkına can veren içli bir kadın sevgisiyle teselli ettim:

-Gönül yuvamızda biz de mesuduz Ziya, dedim.

Ve gönüllerin sevgisi, mevsimlerin bozduğu yuvaların saadetinden çok kuvvetlidir...

Bir şey konuşmadan, arzın bu yeşil ve pür hayat köşesinde gözlerimizin sevgisini paylaşarak tabiatı dinledik. Tomurcukları çiçeklendiren, kırlara ve ağaçlara renk ve can veren böcekleri harekete getirip serçeleri çılgın bir neşe içinde yuva kurmaya teşvik eden bu tabiat ne kuvvetli ve ne uyandırıcı idi...

Otomobil vadilerden kayıp şehre inerken ebediyetine inandığım gönül yuvamızın sevişen başları mesut etmeyecek kadar mukavemetsiz olduğunu ilk defa hissettim.

-Yarın nefis bir gezinti var. Oto direzinle Ayasluğ'a kadar gidip geleceğiz. Nasıl niyet var mı?

Şefik Bey bu haberi yemekten sonra Ziya'ya sigara uzatırken verdi. Ve mutadının hilafına odasına gidip projelerine başlayacak yerde pencere önündeki koltuğa yerleşerek ilave etti:

-Tarihle uğraşanlar için bulunmaz bir fırsat Ayasluğ harabelerini görmek için dünyanın öbür ucundan âlimler geliyor.

Ziya teessüf eder gibi başını salladı:

-Ne yazık, yarın mektepte imtihan var. Tehiri kabil olsaydı bu fırsatı kaçırmazdım.

Ayasluğ harabelerini ben de görmek istiyorum. Ziya'nın imtihanları oluşuna canım sıkıldı.

-Siz bu gezintiyi başka bir güne bırakamaz mısınız?

Şefik Bey vazife aşklarına mahsus ciddi bir tavırla kaşlarını kaldırdı:

-İmkânı yok, hattın birkaç yerinde, virajlarda rayların fazla aşındığına dair raporlar geldi. Mahallinde tetkikat yapacağız. Altı kişilik oto direzinde üç kişilik yerimiz var.

Ziya bu fırsatı kaçırdığına teessüf ediyordu.

-Mamafih tamirden sonra tabii bir kere de keşfe gideceğiz. Sen o zaman gelirsin dedi Şefik Bey.

Ve bahis harabelerin kıymetine, tarihine ait tafsilata girince sigarasını çabuk çabuk içti, bitirdi. Yavaşça kalktı. Masanın üstünde bıraktığı kâğıt tomarlarını aldı ve bir gölge gibi salondan kayboldu.

Ziya'nın ellerini tutup çektim:

– Yarın imtihana gitmesen olmaz mı? Bu öyle bir eğlence olacak ki Ziya!

İnce kaşları hareket ediyordu:

-İmkânı yok, Elvan dedi. Son imtihandır. Amerikalıların ne kadar disiplin meraklısı olduklarını bilirsin. Kabil olsaydı gelmez miydim? Fakat sen git Elvan, dediği gibi keşf seyahatinde yine beraber gideriz.

Şimdi, içinde bütün kış gecelerini diz dize musiki ve şiirle geçirdiğimiz salonda, açık pencerelerden dalga dalga gelen bahar kokularını teneffüs ederek Lohingrin [Richard Wagner]'i çalıyoruz.

.... Oto direzin sert bir demir sesi çıkararak rayların üstünde kayıyor. Direktör muavini Mister Grevs büyük otomobil göz[lük]lerini geçirmiş, ellerinde kalın yün eldivenler, arkasında toprak rengi bir kaşpusier [kaşpusiye: cache-poussière] Şefik Beye Londra'da nasıl otomobil kullandığını anlatıyor. Biz üç kişi arkadayız. Önümüzde kumpanyanın bir kâtibi ile genç bir daktilograf kız ve makinist var.

Hava çok güzel. Ara istasyonlarda durmadan uçar gibi geçiyoruz. Fazla gürültüsü olmasa direzinle gezmek fena değil. Fakat sert demir sesinden konuşmak mümkün olmuyor. Bazı yerlerde ağırlaşıyoruz. Fakat dik aşa[ğıya] inerken süratin fazlalığından gözlerimi kapamaya mecbur oluyorum.

Göl üstünden geçiyoruz. Göl değil, batak. Grevs bağıra bağıra Şefik Beye buranın kurutulduktan sonra çok mahsul veren bir yer olacağını söylüyor. Bataklıktan sonra sık virajlar başladı. Yol gittikçe güzelleşiyor. Gök bulutsuz mavi ve etraf hep yeşil..

Sürat yine arttı. Yine meyil iniyor. Havayı bir ok gibi yarıp geçiyor. Hava tazyikinden yine gözlerimi kapadım. Bir aralık Şefik Beyle Grevs:

-Fren, fren!

diye haykırdılar. Haşyetle gözlerimi açtım. Fakat ne olduğunu anlayamadan müthiş bir sarsıntı ve çığlık içinde kendimi kaybettim..

Üçüncü kısım

... İmtihanlar için geceyi mektepte geçiren Ziya ertesi sabah İzmir gazetelerinde feci bir kaza ser-levhası altında şu tafsilatı okudu:

Dün hat üzerinde teftişe çıkan İzmir-Aydın demir yolları müdür muavini Mister Grevs baş mühendis ve müfettişi umumi Şefik Bey ve refikası, kumpanya memurlarından Mösyö Didis ve Matmazel Kastel yüz kırk ikinci kilometredeki kavisi süratle geçerlerken rakip oldukları oto direzin birdenbire raylardan fırlamış ve o süratle yanındaki kayalara çarpıp devrilmiştir. Sadme o kadar şiddetli olmuştur ki oto direzin parçalanmış ve yolculardan Matmazel Kastel, Mösyö Didis, Şefik Bey fecii bir surette ölmüşlerdir. Mister Grevs, Şefik Beyin refikası ve makinist ağır yaralıdırlar. Kazanın vukuu hat çavuşları tarafından görülerek derhal telgrafla haber verilmiş ve muhtelif istasyonlardan mahalli kazaya gönderilen muavenet heyetleri tarafından yaralıların müdavatı ibtidaiyatleri yapılarak dün akşam İzmir'e getirilmişler ve doktor Arif Beyin kliniğine yatırılmışlardır. Mister Grevs'in yarası başından ve göğsündendir. Mûmâ-ileyhün kaburga kemiklerinden birkaçının kırılmış olmasından korkulmaktadır. Şefik Beyin refikası hanımla makinistin yaraları bacaklarında ve kollarındadır.

Hatırşinaslığı ve vazifesindeki ciddiyeti ile İzmir'de pek sevilmiş olan baş mühendis Şefik Beyin bu feci kazaya kurban gitmesi bütün İzmir'i müteessir etmiştir. Kazazedeler el-yevm....

Ziya'nın bir hamlede okuduğu bu satırlar gözlerini kararttı. Heyecanın şiddetinden bir müddet hareket edemedi. Sonra bir kâbustan korkar ve kaçar gibi yerinden fırladı. Mektebin avlusunda müdürü bekleyen otomobile atladı. Hiçbir şey düşünmediği halde dimağında buhranlı bir faaliyet vardı.

Doktor Arif Beyin ikinci kordondaki kliniğine geldiği zaman hasta bakıcı kızlar onu yukarıya bırakmadılar. Şuursuz bir halde merdivene koşarken yolunu çevirdiler:

-Müsaade ediniz mühim ameliyat var. Bitinceye kadar doktorlar kimsenin yukarı çıkmamasını rica ettiler.

Ziya vaziyeti kavrayamıyordu. O kadar içli ve nazik olmasına rağmen asabiyetine, hiddetine galebe çalamadı. Niçin, neden diye itiraz etmek, yaralı kadının akrabası olduğunu anlatmak istedi. Temiz ve ince hasta bakıcı yalvardı:

-Akrabanızın, hastanızın kurtulmasını istersiniz değil mi?

Ziya şaşkın şaşkın cevap verdi:

-Tabii!

-O halde bu en nazik zamanında doktorların ricasını kabul ediniz.

Elvan'ın kurtuluşuna ait haber ona, hiç kazaya uğramamış müjdesi gibi tesir etti. Alt katın hasır koltuklu odasına girdi.

Klinikte derin, mevtâvi bir sükûnet vardı. Hasta bakıcı kızlar sakin ve yumuşak hareketlerle dolaşıyor, kalın bacaklı bir hizmetçi mütemadiyen mermerleri, muşambaları siliyor. İntizar epey sürdü. Nihayet yukarıda ayak sesleri başladı. Biraz sonra doktor Arif Beyin titrek sesini koridorda işiten Ziya yerinden fırladı. Kapıda karşılaştılar. Ziya bütün arzusuna rağmen soramıyordu. Genç adamın halindeki şaşkınlığı, heyecanı bir anda hisseden Arif Bey ellerini eski hastasının omuzlarına koydu:

-Başın sağolsun, ne yapalım, kaza, kader azizim, dedi. Yazılan bozulmaz. Çok şükür refikası kurtuldu. Yoksa bütün aile sönüp gidecekti. Allah yavrularına acıdı.

Ve Ziya'nın bulanık gözlerine, titreyen dudaklarına bakıp ilave etti:

-Kaza çok müthiş olmuş. Yaralılar hâlâ kendilerine malik değiller. Hanımefendiye şimdi küçük bir ameliyat yaptık. Bir ay kadar yatacak zannederim.

Ziya yeni lakırdıya başlayan çocuklar gibi kekeledi:

-Onu görebilir miyim doktor.

Arif Bey bir lahza durdu. Sonra ailenin bu en yakın azasına işaret etti. Bir mabede girer gibi yavaşça yukarıya çıktılar. Sert kloroform, tentürdiyot, lizol kokularının birbirine karıştığı bu katta Arif Bey bir kapı açtı, ayaklarının ucuna basarak girdiler. Elvan beyaz bir demir karyolada gözleri kapalı yatıyordu. Genç adam koşup onu kucaklamamak için kendini güç zapt etti. Ve zaten doktor Arif Bey onu kolundan tutmuş çekiyordu:

-İşte gördün. Artık yarına kadar sabredeceksin.

Ziya beyaz örtüler arasında Elvan'ın sarı bir yaprak gibi incecik kalan yüzüne baktı. İnce siyah kaşlarının üstünde kalın bir çürük görünüyordu.

-Öyle şiddetli olmuş ki kurtulanların her tarafı ezik, çürük içinde dedi. Arif Bey ve ayakları titreyen genç adamı dışarıya sürüklerken ilave etti.

- Mamafih, hanımefendinin sağ dizinden başka mühim bir yarası yok.

Ortadaki çalışma odasına girdileri zaman onu bir meşin koltuğa oturttu:

-Böyle vaziyetlerde metin olmalı. Ölüm olmadıktan sonra her şeyin çaresi bulunur.

Ziya gözünü kırpmadan, elbisesini çıkarmadan geceyi orada geçirdi. Klinikte sabaha kadar hummalı bir faaliyet vardı. Asistanlar sıra ile nöbet beklediler. Güneş doğduğu zaman Arif Ziya'yı akşamdan beri kapısında dönüp dolaştığı Elvan'ın yanına götürdü. Genç kadın göz kapakları yarı açık aynı takatsizlikle yatıyordu. Ziya bu defa kendini tutamadı. Hıçkıra hıçkıra ağlayarak ona koştu.

Genç kadının yarı kapalı gözlerine hareket geldi. Ziya örtünün üstünde kalan bembeyaz elini öperken kadife gibi siyah göz bebekleri gülümsüyordu.

Doktor Arif Bey bu heyecanlı sahneyi uzattırmadı. Ziya'yı omuzlarından tutup kaldırdı.

-Yarın gelir, görüşürsünüz. Vadediyorum dedi. Onun ıstırabını arttırmaktan korkan genç adam itaat etti. Elvan'ın yaralı bir kuş gibi örtünün üstünde kıvrılıp kalan elini öptü, bir daha öptü ve çekildi.

Dışarıya çıktıkları zaman Arif Bey:

-Tehlike yok, fakat bugün sağ ayağı alçıya koyacağız, yapmazsak şişen damarları ayağı sakat bırakır dedi.

Ziya bütün bir ay klinikte, ayağı alçıda duran Elvan'ın yanında kaldı. Genç kadının hafif yaraları çabuk geçmişti, fakat dizinde kopan damarların kaynaması için çok beklemek lazımdı.

Ziya her gece ona hikâyeler okuyor, bitmek tükenmek bilmeyen intizar saatlerinin ıstırabını unutturuyordu.

Bir ay sonunda alçıdan kurtulan ayakta doktorları korkutan gerginlik tehlikesi görülmedi. Arif Bey Elvan'a bu müjdeyi verirken:

-Çok büyük geçmiş olsun hanımefendi diyordu. Bu netice yüzde bir vâkidir. Allah sizi ailenize bağışlasın.

Birkaç ay sonra idi, İsviçre ve Almanya hudutlarının birbirine yaklaştığı Alplerin eteğinde güzel Zalburg [Salzburg]'un nehre bakan yeşil yamacındaki ufak, beyaz villalardan birine yanlarında mürebbiye ile çocuk görünen bir çift giriyordu.

Bahçenin kumlu yokuşunu çıkarken erkeğin koluna tutunan genç kadın yavaşça mırıldandı:

-Ne güzel köşk Ziya, yuva gibi değil mi?

Genç adam, onun gözlerini arar gibi yüzüne bakıp cevap verdi:

-Evet, Elvan dedi. Galiba mevut gönül yuvası!.

SON

SÖZLÜK

Abdiâciz: Alçak gönüllülük göstermek için kişinin kendisine verdiği san.

Accoucheuse :Ebe.

Arz: Dünya; toprak.

Ati : Gelecek.

Aylandız (kokarağaç): Sedefotgillerden, bir çeşit süs ağacıdır.

Behemehal : Her halde, elbette, nasıl olursa olsun, mutlaka.

Beyhude : Boşuna, boş yere, faydasız.

Bonjour : Merhaba

Bon marchè : Ucuz, ucuza.

Bonne nuit : İyi geceler.

Bonsoir : İyi akşamlar

Cali : Sahte, yapmacıklı, düzme.

Cevaz : İzin, müsaade.

Cihannüma : Çatının üstünde her yanı gören yüksek taraça.

Çımacı : Vapur iskelelerinde halat uzatan veya tutan işçi.

Der-aguş : Kucaklama, sarma.

Derd-nak : Dertli, tasalı, kaygılı.

Derange : İrite edilmişlik.

Dereke : Aşağı inilecek basamak.

Dışarılı : Taşralı.

Drezin : Tren, metro, lokomotif.

Ekid : Tekidli, kuvvetli, sarih, kati, sağlam, muhakkak.

Eknaf : Canipler, yanlar, nahiyeler, taraflar, sığınacak yerler, evin ortaları.

Emir-ber : Emir götüren, emir alan, emir eri.

Emrivaki : Beklenmedik emir.

Fal-i hayr : İyi hal, iyi alamet, uğur sayma.

Ferdinand de Lesseps: 1805-1894 yılları arasında yasamış Fransız diplomat. Süveyş Kanalı'nın yapım işlerini üstlenen firmanın kurucusu. Sonrasında Panama Kanalı'nın yapımı sırasında firması iflas edince oğluyla birlikte zimmetine para geçirmekle suçlandı. Fransız akademisi ve Fransız bilimler akademisi üyesiydi. Fransa'da bir kulede delirerek öldü.

Fetva-hane : Müftünün bulunduğu resmi daire, müftülük.

Fıtrat : Yaradılış, tabiat, mizaç, huy.

Fievre : Ateş, sıtma, nöbet.

Francala : Beyaz ekmek

Frer [frère] : Yabancılara ait okullarda görevli papaz.

Fruit glace : Donmuş meyve

Funerary : Cenaze törenine ait, karanlık, kasvetli.

Gayriihtiyari : Düşünmeden, istemeksizin, elinde olmayarak.

Gayriiradi : İstemsiz.

Gazap : Dargınlık, kızgınlık, darılma, hiddet.

Gird-bad : Dönerek çevrinti ile esen şiddetli rüzgâr, kasırga, tulumba, hortum.

Girye-nak : Ağlayıcı, ağlayan.

Guéridon : Tek ayaklı yuvarlak masa.

Hadika : Ağaçlı, suyu çok bahçe; bostan; meyva bahçesi, etrafı duvarla çevrilmiş bahçe.

Halik : Yaratan, yoktan var eden, yaratıcı, Allah.

Hamiş : Mektubun altına ilave edilen yazı.

Harim : Biri için kutsal olan şeyler; harem dairesi, harem; evin içi gibi başkasına kapalı olan yer.

Haşr ü neşr : Toplanıp dağılma.

Haşyet : Korku, korkma.

Hilkat : Yaratılma, yaradılış; tabiat.

Hulul : Gelip çatma; girme; yanaşma; geçme.

Humma : Ateşli hastalık; nöbet; sıtma.

Huşûnet : Sertlik, kabalık, katılık, inatçılık.

Hüccet : Seçkin âlimlere verilen ünvan.

Igrıp : Bir tür balık ağı.

İctinap : Sakınma, çekinme, uzaklaşma.

İfşa : Gizli bir şeyi yayma; ortaya dökme, açığa vurma.

İğva : Baştan çıkarma, çıkarılma, yolunu şaşırtma, ayartma, ayartılma.

İhfa : Gizleme, saklama, saklanılma.

İhsas : Üstü kapalı anlatma, duyurma, sezdirme.

İhtilaç : Çarpıntı, çarpınma; havale nöbeti tutma.

İhtiraz : Sakınma, çekinme; korkma.

İhtizaz : Titreme, deprenme; sıçrayıp oynama; sallanma.

İkmal : Kemale erdirme, tamamlama, bitirme; eksiğini doldurma.

İksa : Kasvet, sıkıntı verme, verilme.

İltihak : Katılma, karışma.

İncizap : Çekme, çekilme; cazibeye çekilme.

İnfial : Gücenme, darılma.

İnhimak : Bir şeyin üzerine fazla düşme, ziyade düşkünlük.

İnkıyat : Boyun eğme; kendini teslim etme.

İnkisar : Kırılma, gücenme.

İntihap : Seçme, seçilme; seçim.

İntizar : Bekleme, beklenilme; gözleme, gözlenilme.

İstihza : Biriyle eğlenme, alay etme.

İstinat : Dayanma; güvenme.

İstiskal : Ağır görme, huzurundan hoşlanmama; yüz vermeme, koğarcasına muamele etme dolayısıyla kovma.

İştiha : Meyil, istek; iştah, yemek yeme isteği.

İtap : Azarlama, tersleme, paylama; darılma.

İtikâf : Bir yere kapanıp ibâdetle vakit geçirme.

İtizar : Özür dileme.

İzhar : Gösterme, meydana çıkarma.

Kalantor : Gösterişi seven, varlıklı kimse.

Ka'r : Çukur şeyin dibi, dip, nihayet; derinlik.

Kameriyye : Çardak.

Kaşpusiye : Hafif üstlük.

Kân-ı Kerem : Kerem, bağış kaynağı.

Kûşe : Köşe, bucak.

Lak : Göl.

Mahut : Ahdolunmuş, bilinen; sözü geçen.

Mamur : Bayındır, şenlikli.

Mahdut : Sınırlı, belirli.

Mahlul : Hallolunmuş, çözülmüş, dağılmış; erimiş, eritilmiş.

Mahuf : Korkunç, korkulu; tehlikeli.

Makus : Aks olunmuş, tersine çevrilmiş, başaşağı olmuş; ters, yolunda gitmeyen.

Malayani : Manasız, faydasız, boş.

Mariz : Marazlı, hasta, hastalıklı, sayrı.

Maşlah : Tek parçalı ve kol yerine yarıkları olan bir çeşit kadın üstlüğü; bazı varlıklı Arapların giydiği ipekten pelerin.

Mazbut : Zapt olunmuş, ele geçilmiş; yazılmış, kaydedilmiş; hatırda tutulmuş; derli toplu; muhafazalı, korunma

Mazharriyet : Elde etme, nail olma.

Mebzul : İbzal olunmuş, bol, çok.

Mekteb-i Mülkiyye : Siyasal Bilgiler Okulu

Melal : Usanç, uzanma, bıkma; sıkılma, sıkıntı.

Memur : Emir almış olan kimse.

Menfez : Nüfuz edecek yer, delik, yarık, ağız.

Merbut : Raptolunmuş, bağlanmış, bağlı; ulaşmış, bitişmiş, bitişik.

Meşkûk : Şekkolunmuş, şüpheli.

Mevce : Dalga gibi.

Mevta : Ölü.

Mevut : Va'dolunmuş, söz verilmiş; zamanı belli.

Meyus : Ye'se düşmüş, ümidi kesilmiş, ümitsiz.

Muavenet : Yardım, yardım etme; yardımcılık.

Muazzep : Azap içinde bulunan, eziyet çeken, çok sıkıntı gören.

Muhavere : Konuşma.

Mukabele : Karşılık verme, karşılama; karşı gelme.

Mukadder : Takdir olunmuş, kıymeti biçilmiş; kadri, değeri bilinmiş, beğenilmiş; yazılı, alında yazılı.

Mukaddes . Kutsal, temiz.

Mukavemet : Karşı durma, dayanma, karşı koyma, direnme, direniş.

Mûmâ-ileyh : İma edilen, adı geçen, yukarıda anılan.

Munis : Alışılan, yadırganmaz, alışılmış; cana yakın, sevimli; insandan kaçmayan.

Murakabe : Bakma, gözetme, göz altında bulundurma; kendi iç alemine bakma, dalıp kendinden geçme; denetleme, kontrol.

Musalaha : Barış.

Mustarip : Istırabı, sıkıntısı olan; rahatsız, çırpınıp duran.

Mutadi : Alışılmış, her vakitki.

Mutasarrıf : Bir sancağın en büyük idare amiri

Muti : İtaat eden, boyun eğen; bağlı.

Muvaffak : Başaran, beceren.

Muvafakat : Uygunluk, uyma; uzlaşma, razı olma, peki deme.

Muvafık : Uygun, yerinde.

Muvakkat : Geçici.

Muvazene : İki şey, vezince, ağırlıkça birbirine denk olma; karşılıklı iki şeyin denkliği, uygunluğu.

Muzip : Azap veren, eziyet eden, takılgan, muzip.

Muztarip : Istırabı, sıkıntısı olan; rahatsız, çırpınıp duran.

Mücessem : Tecessüm etmiş, cisimlenmiş, cisimli.

Müdavat : Deva arama, hastaya bakıp ilaç verme.

Mühlik : Helak eden; öldüren; öldürücü.

Mükâleme : Konuşma; antlaşma.

Münfail : İnfial eden, gücenen, gücenmiş, yüreğine işlemiş, alınmış.

Münteha : Nihayet bulmuş, bir şeyin varabildiği en uzak yer, son derece.

Müsademe : Çarpışma, tokuşma, birbirine çarpma.

Müsavi : Eşit, denk, birinin ötekinden farksız olanı, aynı halde ve derecede bulunan.

Müselsel : Teselsül eden, zincirleme, ardı ardına.

Müstagni : Doygun, gönlü tok; çekinmeyen, nazlı, lüzumlu, gerekli bulmayan.

Müstamel : Kullanılmış olan; yeni olmayan, eski.

Müteheyyiç : Teheyyüceden, heyecana gelen, coşan, coşkun.

Mütekabil : Kabul eden, üstüne alan.

Mütemadiyen : Sürekli olarak, devamlı.

Mütemayil : Temayül eden, meyillenen, istekli görünen, gönlü yatmış.

Mütenasip : Münasip, uygun olan, her bakımdan birbirine uygun, denk.

Mütereddit : Bir yere gidip gelen; karar veremeyen, kararsız.

Mütevekkil : Tevekkül eden, işini Allah'a veya oluruna bırakan, kadere boyun eğen.

Mütevellit : Tevellüdeden, doğan, dünyaya gelen; meydana gelmiş, doğmuş.

Nadim : Nedamet duyan, pişman olan.

Nakabil : Olmayacak, olamayacak.

Namütenahi : Sonu olmayan, ucsuz bucaksız, bitmez tükenmez.

Nedamet : Pişmanlık.

Nev : Çeşit, türlü; cins; sınıf.

Nevaziş : Okşayan, gönül alan, iltifat eden.

Nevmit : Ümitsiz, ümidi kırık.

Orage : Fırtına.

Panama : Orta Amerika'da yetişen bir bitkinin yapraklarından örülmüş yumuşak hasır şapka.

Peutits four : Kuru hamurdan hazırlanan veya arasına krema doldurulan küçük pasta.

Peylemek : Para vererek bir şeyi önceden kendine ayırtmak.

Piruhi : Bir çeşit hamur yemeği.

Podösüet [peau de Suède] : Yumuşak, yüzü ince havlı bir tür deri, süet.

Portföy : Para cüzdanı.

Rakip : Binici, binen, binmiş.

Rapsodi [Rhapsodie]: İçinde, Homeros'un şiirlerindeki olaylardan birini işleyen şarkı veya parça; genellikle halk türkülerinde ve milli ezgilerde oluşturulmuş müzik eseri: Liszt'in Macar rapsodileri.

Raşe : Titreme, titreyiş.

Ric'at : Geri dönme; gerileme, çekilme, geri kaçma.

Rical : Erkekler.

Riyazi : Hesap ve hendeseye dair. Matematiğe dair.

Robe de chambre : Ev gömleği, sabahlık.

Rücuu : Dönme, geri dönme; cayma, sözünden dönme, sözünü geri alma.

Purjen [Purgene] : Müshil ilacı.

Salahiyet : Yetki, bir işe karışmaya veya vazife icabı bir işi yapmaya bir harekette bulunmaya haklı olma.

Samiîn : İşitenler; dönleyenler, dinleyiciler.

Sathi : Dışyüzeyle ilgili; yüzeysel; üstünkörü.

Serapa : Baştan başa, bütün olarak.

Serencam : Bir işin sonu; başına gelen; vaka.

Sergüzeşt : Serüven, birinin başından gelip geçen şey.

Serî' : Çabuk, hızlı.

Serkeş : Dikbaşlı, başkaldıran; inatçı; itaatsiz.

Sevki tabii : İçgüdü.

Sonnerie : Çan sesleri, çanlar, ses, (çalar saat), ses düzeni.

Şedit : Şiddetli, sert, katı; sıkı.

Şeriyye : Şeriata uygun.

Şeytanet-kâr : Şeytanlık, hile ve fesatçılık yapan.

Tahaffuz : Kendini muhafaza etme, sakınma, korunma.

Tahakküm : Hakimlik takınma; zorbalık etme.

Tahassür : Hasret çekme; çok istenilen ve ele geçirilmeyen şeye üzülme.

Tahassüs : Hislenme, duygulanma.

Tahavvül : Değişme, dönme, bir halden bir şekilden, başka bir hâle, şekle girme.

Takarrüp : Yaklaşma, yanaşma.

Takarrür : Karar bulma, kararlaşma; karar kılma; yerleşme.

Talika : Dört tekerlekli, üstü kapalı, yaylı bir tür at arabası.

Tazip : Eziyet etme, boşuna yorma.

Tazyik : Daraltma, daralma; darlaştırma, sıkıştırma; zorlama, baskı; sıkıntı verme.

Tebdilihava : Hava değişikliği; izin, müsaade, istirahat.

Tebeddül : Değişme, başka hâle girme.

Tecelli : Görünme, belirme; kader, talih.

Tecerrüt : Soyunma, çıplak olma.

Tecessüm : Cisimlenme, görünme, belirme; göz önüne gelme.

Tecessüs : Yoklama, araştırma, araştırılma; bir şeyin iç yüzüne araştırıp sırrını çözmeye çalışma; gözetleme.

Tekaüt : Karşılıklı oturma; emekliye ayrılma; emeklilik.

Temayül : Meyletme, eğilme, bir yana çarpılma; bir yana veya bir kimseye fazla taraftarlık ve sevgi gösterme.

Terahhum : Merhamet etme, acıma.

Terennüm : Yavaş ve güzel bir sesle şarkı söyleme; şakıma.

Terk-i dünya : Dünyadan vaz geçip bir köşeye çekilme.

Teşyi : Uğurlama.

Tevahhuş : Yalnızlıktan korkmak; ürkme.

Tevdi : Bırakma, emanet etme; vedalaşma.

Tevekkül : İşi Allah'a bırakıp kadere razı olma.

Teyakkuz : Uyanma, uykudan kalkma; uyanıklık, açıkgözlülük.

Tezkere : Pusula.

Uhrevi : Ahirete ait, ahiretle ilgili.

Ulema : Alimler, ilim sahipleri.

Uzvi : Bir topluluğu, bir bütünü meydana getiren üyelerden her biri.

Vazıh : Açık, meydanda, belli, kapalı olmayan.

Vedia : Emanet.

Vehle : Dakika, an, lahza; irkilme, ürkme.

Velev : Olsa da, bile, hattâ, ister, isterse.

Velvele : Şaşkınlık, gürültü, patırtı.

Yeknesak : Tek düzen, değişmez.

Yeldirme : Kadınların çarşaf yerine kullandıkları, baş örtüsü ile birlikte giyilen hafif üstlük.

Zahir : Görünen, görünücü, açık, belli, meydanda.

Zal : İhtiyar, aksakallı, zalim, acımasız.

Zevahir : Görünüş, görünür, dışyüz; yüksek yerler, göze çarpan yerler.